afgeschreven

Wraaktocht

Lupko Ellen

Wraaktocht

literaire thriller

Uitgeverij Passage, Groningen

Dit boek volgt op mijn debuut Moddergraf, *maar het is geen vervolg. Het is niet nodig om* Moddergraf *gelezen te hebben. Voor een goed begrip van dit boek is het wel handig om te weten dat de uit een Groninger herenboerengeslacht afkomstige Ludde Menkema en de van oorsprong uit Slovenië stammende Maria Durowski in* Moddergraf *een internetnieuwsbedrijf hadden:* Qwasnews' *In dit boek hebben ze dat bedrijfje net opgeheven. In* Moddergraf *werd Ludde geconfronteerd met een terrorist – Al Hussaini – die als gevolg van die confrontatie in dit boek in een Nederlandse gevangenis zit. Ook in* Moddergraf *kwam de notoire vrijgezel Menkema Werda tegen, een vrouw met wie hij een begin van een relatie kreeg. En dan is er nog Henk: de vage vriend en trainer op de achtergrond.*

foto auteur: Henx Fotografie
omslagontwerp: Myrthe Heuzinkveld
redactie: Roos Custers
druk: Bariet, Ruinen

copyright © 2009 Lupko Ellen en Uitgeverij Passage
Uitgeverij Passage, Postbus 216, 9700 AE Groningen
www.uitgeverijpassage.nl

ISBN: 97890 5452 2041
NUR 305

In een uit leem opgebouwd huis, diep in een vallei, omgeven door een tuin waaromheen een manshoge muur was opgetrokken tilde een vrouw van negenendertig jaar het hoofd op van de man die haar kinderen had verwekt. Ze was misselijk van afkeer en haar handen trilden omdat het dode lichaam zwaar was. Nadat ze het trillen onder controle had gekregen ging ze door met het met wit windsel omwikkelen van de nek, de kin, de mond en de gesloten ogen.

*

Ludde Menkema stond naast zijn auto in de kathedrale schuur van de Groninger herenboerderij van zijn oom. Hij keek voorzichtig omhoog, net zo voorzichtig als hij als kind had gedaan toen hij bang was geweest voor het vage donker tussen de zijsteunen die vanaf de houten pilaren uitwaaierden naar de hanenbalken in de nok.

Zelfs fel zonlicht, zoals dat ook nu door de opening van de schuurdeuren naar binnen viel, slaagde er niet in om dat schaduwrijk te verdrijven.

Buiten zette Ludde de kraag van zijn jas omhoog om zich te beschermen tegen de miljarden kleideeltjes die vooruit gejaagd door de harde oostenwind als mesjes over de huid van zijn gezicht schraapten.

Zijn oom leunde tegen de zijwand van de aardappelschuur. Hij had zijn ogen samengeknepen. Voor hen lag de zonovergoten polder. Op de akker waren honderden vaaggroene rijen te zien die op veel plaatsen werden onderbroken omdat de pas opgekomen suikerbietjes daar door het scherpe kleistof waren weggesneden.

Ludde legde zijn hand op de schouder van de oude man. 'Als dit zo doorgaat zal je ze opnieuw moeten inzaaien.'

'En dan kom jij me helpen?'

Ludde schudde zijn hoofd.

'Je laat de loonwerker maar komen.'

Hij zocht in zijn jaszak naar zijn shag. Op het lege ooievaarsnest achter de schuur zat een aalscholver die zijn vleugels half had opengeklapt. Een musje dwarrelde voorbij, misschien op zoek naar een tegen de wind beschermd plekje dat het moeilijk zou kunnen vinden. Luddes oom schraapte zijn keel en spuugde op de grond. Het vocht trok weg alsof het door een spons werd opgezogen.

'Het duurt niet meer zo lang voor ik doodga', de opmerking kwam onverwacht en had een rauwe bijklank, 'en dan erf jij dit allemaal. Ik zou graag zien dat je het bedrijf overneemt.'

Luddes verzet kwam als een oude gewoonte bij hem op, maar toen hij opzij keek en de kwetsbaarheid van zijn oom zag probeerde hij niet al te bot te antwoorden.

'Waarom geef je het niet aan de kerk?'

'Ik iets aan de kerk geven? Als atheïst? Ik heb nooit begrepen waarom zo veel mensen hier in een woestijngod geloven', zijn oom wees naar de zandcycloontjes die over het land raasden, 'uit heimwee maakt die er hier ook een zandbak van.'

'Je weet dat ik geen boer ben.'

De oude man haalde zijn schouders op, zakte daarna moeizaam door zijn knieën en pakte een klompje klei dat onmiddellijk verstofte tussen zijn vingers.

'Hoe is het met jou en die vriendin van je?'

'Matig.'

'Niet geschikt voor het huwelijk?'

'Nee, klaarblijkelijk niet.'

'En Maria?'

'Maria is zwanger.'

'Van wie?'

'Van mij. In potje fertilisatie.'

Luddes oom draaide zijn gezicht omhoog. Ludde schrok van de rode, waterige ogen die hem aankeken. Misschien komt dat door het zand, dacht hij hoopvol, maar tegelijkertijd moest hij aan zijn moeder denken; aan de periode toen langzaam duidelijk werd dat ze iets te veel dingen aan het vergeten was.

'Dat betekent dus dat ik toch nog een opvolger krijg', zijn oom wees weer naar de akkers, 'zodat de Menkema's hier boer kunnen blijven.'

Ludde vouwde zijn handen om het vlammetje van de aansteker waardoor zijn antwoord moeilijk te verstaan was.

'Ik denk niet dat er uit Maria een Groninger herenboer komt', hij inhaleerde diep voor hij verderging, 'bovendien mag ik me niet met dat kind bemoeien.'

De oude man greep Luddes hand en trok zich overeind.

'Maar dat kind bemoeit zich later wel met jou, of Maria dat nou leuk vindt of niet. Ik praat wel met haar.'

Hij strekte zijn rug waarbij hij zijn handen in zijn zij zette.

'Je gaat zo?'

Ludde knikte.

'Henk heeft werk voor me.'

'Je bent geen journalist meer.'

Het was eerder een constatering dan een vraag. Ludde schudde zijn hoofd waarbij een zwarte, wat vettige haarlok over zijn voorhoofd viel.

'We hebben het bedrijf opgeheven.'

'Henk, dat is die man van die werf bij Winsum?'

'Ja.'

'En die heeft werk voor je.'

'Ja. Ben je aan het dementeren, dat je alles herhaalt?'

'Misschien. Maar het bevalt me niet zo dat mijn neef weer rond gaat rommelen', hij legde zijn handen op Luddes schouders, 'slechte ervaringen, weet je nog?'

*

De witte merrie stopte bij de rand van een diep dal. Pas toen haar berijder haar aandreef zette ze voorzichtig een voorbeen op het steile rotspad naar beneden. Boven de boomkruinen dreef lichte rook. Het pad eindigde bij een gesloten poort in een lemen muur. De man steeg af en pakte een envelop. Een vijandelijk gevechtsvliegtuig raasde hoog over. Hij schonk er geen aandacht aan, bonsde een aantal keren op het ruwe hout van de deur, wachtte even, en herhaalde daarna het bonken tot er een luikje openging. Hij overhandigde de envelop aan een vrouw in een lichtblauwe boerka. Even meende hij achter het gaas een flits van haar ogen te zien. Hij pakte een gevulde aarden etenskom uit zijn zadeltas, ging op zijn hurken zitten en begon te eten. Toen hij klaar was dronk hij uit de beek die naast het pad naar beneden kronkelde, sloot zijn ogen en dommelde weg.

In het huis legde de vrouw de brief naast zich neer en begon aan een antwoord. Na ongeveer een uur deed ze het luikje open. De man bij de beek schrok op uit zijn slaap, kwam overeind, stak de envelop onder zijn kleren, steeg op en reed naar boven. Vlak voor hij de hoogvlakte bereikte wikkelde hij de doek om zijn hoofd een klein stukje af, sloeg het uiteinde voor zijn mond om zich te beschermen tegen het door de wind meegevoerde zand en dreef de schimmel daarna in de richting van de bergen in het noorden. Na een half uur stopte hij bij een overhangende rots, pakte een mobiele telefoon en toetste een nummer in.

'Ze heeft de envelop aangepakt en na een uur weer teruggegeven.'
Een stem aan de andere kant antwoordde iets onverstaanbaars. De man verbrak de verbinding en dreef zijn paard weer aan.

De vrouw stond in de schuur. Ze keek naar de spade die ze klaar had gezet om het graf van haar man te graven, aarzelde, maar keerde zich toen om en liep naar de ingang van het lemen huis.

*

Ludde reed langs de heuvel van de voormalige vuilnisstort bij Usquert waarop tegen de noordflank een weggetje was aangelegd waarover een groep meisjes op paarden naar boven reed. Hij nam de bochtige weg langs het Warffumermaar naar Onderdendam en sloeg daar rechtsaf richting Winsum. Halverwege draaide hij een onverharde weg op. Aan het eind van het pad stond Henk. Ludde huiverde toen hij uitstapte.
'Het is koud ja', zei Henk, 'alles goed met je?'
Ludde antwoordde met een vaag gemompel en liep naar het water van het Winsumerdiep waar een tjalk lag. Op de met canvas afgedekte dekplaten lag een stapel hout.
'Iets voor jou? Hij is te koop.'
Ludde schudde zijn hoofd.
'De K5 ligt nog steeds in Den Helder?'
Ludde knikte.
'Volgens mij heb je al zeker driekwart jaar niet meer gezeild. Niks voor jou eigenlijk.'
'Weinig tijd.'
'Geen zin zal je bedoelen.'
'Zou ook kunnen.'
Henk deed een stap in de richting van Ludde die nu met zijn rug naar het water gekeerd stond.
'Wat is er met je aan de hand?'
Ludde keek naar zijn vriend.
'Is er iets aan de hand?'
'Het lijkt wel of je loopt te slapen.'
'Ik voel me misschien een beetje sloom', gaf Ludde toe, 'het zwarte gat na Qwasnews.'
Henk snoof minachtend.
'Ik geloof er niets van. Heb je een mobiel of zoiets bij je?'
Ludde stak zijn hand in zijn zak en pakte zijn tasker.

'Wat wil je daarmee?'

Henk deed een stap naar voren en pakte de tasker aan.

'Is dit zo'n nieuw ding waar alles mee kan?'

Ludde knikte.

'Dan zal ik 'm straks beter bekijken. Eerst dit afwerken.'

Henk legde de tasker op de grond, kwam overeind, en haalde toen zonder enige waarschuwing uit met zijn rechtervuist. Pas toen Ludde weer boven water was gekomen en de kou al in zijn botten zat realiseerde hij zich wat er was gebeurd. Hij streek zijn haar uit zijn ogen en zwom zacht vloekend naar de kant.

Henk boog zich voorover en stak zijn hand uit. Ludde klappertandde.

'Vond je dat nodig?'

'Ja, een beetje adrenaline in je bloed zal je goed doen. En nu douchen.'

Ludde greep de hem toegestoken hand, bracht zijn linkervoet onder water omhoog, zette zich krachtig af tegen de kade en gooide zich achterover. Henk kwam geen centimeter van zijn plaats. Hij grijnsde.

'Je denkt zeker dat ik gek ben.'

Ludde gromde een onbestemde vloek en liet zich naar boven trekken. Henk hield zich vast aan een van de poten van de oude hijskraan die vlak achter hem stond.

'Hier, je koffie. Hoe is het met je relatie?'

Luddes wenkbrauwen gingen omhoog.

'Daar vroeg mijn oom ook al naar.'

'Ik zoek naar een reden voor die sombere kop van je.'

'Ik betaal je om me te trainen, niet om me te analyseren, maar als je het wilt weten, het komt erop neer dat Werda en ik gepaste afstand tot elkaar hebben genomen...', hij keek naar buiten omdat hij een beweging dacht te zien, '...ze vindt dat ik te weinig met haar deel.'

'Tja.'

'Wat me overigens niet echt kan schelen', Ludde trok de badjas dichter om zich heen, 'ik ben niet iemand voor één vrouw.'

Henk zette zijn koffie neer.

'En toch zie je er somber uit.'

Ludde voelde ergernis opkomen.

'Als je me nou eens gewoon koffie liet drinken zonder dit gezever', zei hij, 'ik ben wel vaker een tijdje wat minder vrolijk. Altijd al gehad. Een beetje vrolijk, dan weer een beetje minder vrolijk. Een lichte bipolaire stoornis, zoiets.'

Hij ging staan.

'Mag ik mijn tasker terug?'

'Je mag je tasker terug. Je kleren zitten in de droogtrommel.'

Ludde liep naar buiten en ging het schuurtje in dat tegen de zijkant van de caravan gebouwd was. Hij haalde zijn kleren uit de droger en kleedde zich aan. In de hoek stond een mand waarin een hondje met bruine verwarde haren diep lag te slapen.

Toen Henk even later binnenkwam keek Ludde op uit zijn geknielde houding.

'Je hebt weer een hond', zei hij, 'zelfde ras zie ik.'

Henk knikte. Ludde stond op.

'Je had iets voor me te doen.'

'Ja, bezigheidstherapie. Oppassen op een meisje. Weggelopen. Hoofddoekje. Ze heet Mahnaz.'

Henk wees naar buiten. Ludde keek. Vlak bij de tjalk stond een kleine gestalte, ingepakt in jurkachtige kleren.

'Oppassen op weggelopen Marokkaanse meisjes kun je moeilijk bezigheidstherapie noemen', zei hij, 'daar zijn gelukkig staatsinstellingen voor, al liggen die regelmatig onder vuur.'

Hij zweeg even.

'Letterlijk bedoel ik.'

Henk knikte weer.

'Mee eens. Maar toch zullen we iets moeten met dat kind, volgens mij is het trouwens geen Marokkaanse.'

'Hoezo "we moeten iets met dat kind"? Als ik je een goede raad mag geven stuur je haar naar het Toevluchtsoord, want voor je het weet is het hier vergeven van de jongemannen met vlasbaardjes.'

'Sinds wanneer ben jij racist?'

'Ik ben een realist. Hoe komt een weggelopen Mahnaz hier terecht?'

'Ze klopte gewoon op de deur en zei dat ze naar jou op zoek was.'

'Naar mij? Hier?'

'Klaarblijkelijk.

'Hoe lang is ze er al?'

'Sinds vanochtend.'

'En wat wil ze?'

'Verdwijnen, iemand anders zijn. Opgaan in de massa, zoiets.'

Henk knielde en pakte de pup op, die zacht begon te piepen.

'En ze vroeg naar mij.'

'Ja, ze vroeg naar Ludde Menkema. Je bent nogal beroemd in sommige kringen, als de overwinnaar van Al Hussaini', Henk grijnsde een beetje toen hij dat zei, ging staan met de pup nog in zijn handen en vervolgde zijn zin, 'ik ga haar halen.'

Voor hij de deur uitging draaide hij zich om.

'Ze mag dan een hoofddoekje dragen, daarmee wordt ze nog geen mak schaap. Integendeel zou ik haast zeggen.'

Ludde haalde zijn schouders op.

'Laat maar komen. Ik zie wel.'

*

'We hebben haar verteld dat ze het dagboek van haar man aan ons moet geven.'

In het schemerige schijnsel van de maan in de grotendeels met wolken bedekte nachtelijke hemel was de spreker nauwelijks zichtbaar. Schuin tegenover hem, aan de andere kant van een kampvuur, zat een dikke blanke man die zijn bovenlichaam in de richting van de vlammen had gebogen waardoor de bleekheid van zijn huid goed te zien was.

'Haar man is erg ziek.'

'Dat weet ik. Zodra hij helemaal een bokkenkop heeft gekregen kunnen we haar ook niet meer laten leven. We kunnen niet accepteren dat een vrouw de beschikking over zo veel geld krijgt.'

'Dat geld willen jullie liever zelf begrijp ik', de dikke man grinnikte, 'ik geef je geen ongelijk. Wat bedoel je met die bokkenkop?'

'Dat hij dood is. Het gaat niet om het geld. Ze geeft verkeerde signalen, als vrouw. Wij willen vooral zijn dagboek.'

'Wij ook. Wat mij betreft opereren we samen. Ik kan Borman sturen.'

'Waarom zou ik met je samenwerken?'

'Omdat we vijanden zijn als we geen vrienden zijn.'

De man die tot nu toe in het donker had gezeten antwoordde op het moment dat de maan weer even tussen de wolken zichtbaar werd. Hij had een scherp en hard gezicht met een korte grijze baard.

'En wat zou je dan doen? Als we vijanden waren?'

De dikke man pakte een koekje van de schaal die naast hem stond en stak het in zijn geheel in zijn mond. Daarna veegde hij zijn vingers af aan zijn broek.

'Desnoods gooien we een bom op haar huis, zodat je helemaal niets vindt.'

De man met de baard knikte bedachtzaam.

'Dat is een mogelijkheid. Maar dan zou je zelf ook nooit weten welke aantekeningen hij precies heeft gemaakt. En je zou ook niet weten of we dat boek al niet in handen hebben voordat jij de boel hebt platgegooid.'

'Je kunt het je niet veroorloven om ons niet te helpen. Je vijanden zullen massaal de grens over komen als wij je hier in de steek laten. Maar voor de rest heb je gelijk. We willen beiden niet dat de inhoud van dat dagboek naar buiten komt.'

'Als het waar is wat ze zeggen dat erin staat.'

'Al is dat maar voor een klein gedeelte het geval, dan nog zijn de problemen niet te overzien. Voor ons niet en voor jullie niet.'

'Onze Saoedi-Arabische torenvernietiger had wel een vreemd vertrouwen in die Nederlander, dat hij hem bij die besprekingen liet zitten.'

'Ja.'

'En die Nederlander was wel erg stom om dat allemaal op te schrijven. Stel je voor dat bekend zou worden dat jullie presidente haar grootste vijand de hand heeft geschud toen ze minister van Buitenlandse Zaken was onder een neger.'

'Dat zou inderdaad niet prettig zijn.'

'De wereld zou smullen van het verhaal dat jullie onderhandeld hebben met die man terwijl jullie leiders keer op keer hebben gezworen dat jullie hem zouden arresteren en veroordelen. Heb je trouwens de geruchten gehoord dat hij die financiële crisis van een paar jaar geleden met zijn geld op gang heeft gebracht?'

'Ja. Maar ik denk niet dat dat waar is. Laten we het over iets anders hebben. Ik heb een vraag voor je. Jullie wisten een half jaar geleden al dat dat dagboek bestond. Waarom hebben jullie het toen niet direct opgehaald?'

De man met het scherpe gezicht lachte een beetje ongemakkelijk.

'Dat heeft met die mislukte militaire actie te maken.'

'Je bedoelt die overval van jaren terug op diezelfde vrouw en haar familie?'

'Ik zou het geen overval willen noemen', de man pakte op zijn beurt een cakeje en wachtte met antwoorden tot hij het langzaam en bedachtzaam had opgegeten, 'dat is inderdaad al meer dan tien jaar geleden. We kwamen toen in actie omdat we vonden dat ze te veel macht kregen. We schoten de oude man dood, haar vader. Jammer genoeg sneuvelden er ook kinderen. Toen kwam die Nederlander ineens naar buiten met de koran en de bijbel in zijn handen. Hij liep op ons af, maar we konden hem niet raken. Ik weet dat ik het geprobeerd heb, maar hij bleef maar lopen.'

De man met de baard aarzelde even terwijl zijn ogen in de donkere verte staarden.

'Niemand durfde op het laatst nog iets te doen. Toen draaide hij zich om en verdween. Mijn mannen wilden weg. Sommigen meenden een wonder te hebben gezien.'

'En jij, wat dacht jij?'

'Ik dacht niets. En ik denk nog steeds niets, maar het is wel de reden dat we hem dat boek hebben laten houden, het leek ons beter om te wachten tot hij dood was.'

'Al Hussaini was daar toch ook bij?'

'Ja. En jouw Borman ook. Als instructeur.'

'Ik stuur hem morgen naar je toe.'

De man met de baard boog instemmend zijn hoofd, stond op en liep naar een lage tent die bijna onzichtbaar was in het donker achter een zandheuveltje. Hij ging naar binnen. Op een kleed lag een man.

'Je werkt samen met Borman. Zodra je dat dagboek hebt dood je hem. En haar.'

*

'Ik wil niet trouwen met de man die ze voor me hebben uitgezocht', zei Mahnaz. Haar fel opgemaakte ogen contrasteerden met het grijsblauw van haar kleding die bestond uit een knielange jurk over een spijkerbroek en een hoofddoek die alleen haar gezicht vrijliet. Langs haar hals bungelden de snoertjes van de oordopjes van haar muziekspeler die ze klaarblijkelijk onder haar hoofddoek in haar oren had. Aan haar voeten had ze rode hooggehakte laarsjes die in Luddes ogen ook niet echt in overeenstemming leken met haar gedegen kleren.

'Dus dat is nog steeds een probleem', zei hij, 'jullie imams zeggen tegenwoordig toch dat een goede moslima zelf haar man kan kiezen, als ze maar de goede kiest?'

Hij grinnikte. Mahnaz lachte een beetje vermoeid mee, ze kon zijn poging tot humor kennelijk niet echt waarderen.

Henk kwam binnen, liet het hondje van zijn arm op de grond springen en ging weer naar buiten. Het diertje begon onmiddellijk snuffelend rond te lopen waarbij vooral de lange jurk van Mahnaz zijn belangstelling trok. Ludde zag de terugtrekkende beweging in haar lichaam.

'Bang voor honden?'

Ze schudde haar hoofd.

'Niet bang, ik vind ze niet leuk.'

'Kattenliefhebster dus.'

Ze snoof minachtend.

'Wat een onlogische opmerking. Ook niet...', ze trok haar benen onder zich op de bank, '... dieren horen niet in huis is mijn mening.'

Ludde legde zijn hand op de vloer en bewoog zijn vingers om het diertje te lokken. Hij zag een onderdrukte trek van afkeer op het gezicht van de jonge vrouw toen het aan zijn duim begon te likken.

'Wat wil je dat ik voor je doe?'

'Ik wil dat je me naar Rotterdam brengt.'

'Waarom?'

'Omdat ik daar een afspraak heb.'

'Dan ga je toch met de trein?'

'Dan hebben ze me zo te pakken. Ik wil dat jij me beschermt.'

Ludde schudde zijn hoofd.

'Ik ben niet levensmoe. Je kunt beter naar een opvanghuis gaan.'

Mahnaz' stem klonk schamper toen ze antwoordde.

'Iedereen weet waar die huizen staan. Je bent alleen veilig als je binnen blijft en soms zelfs dan niet. Ik kan net zo goed direct naar een gevangenis gaan.'

'En bij mij ben je wel veilig', antwoordde Ludde sarcastisch.

Ze zuchtte.

'Ik ben bij je gekomen omdat jij nogal bekend bent bij ons, en...'

Ludde onderbrak haar.

'Door dat geval met die terrorist op de Waddenzee, naar ik aanneem. Waarom ben je trouwens hier? Je weet vast wel waar ik woon.'

Mahnaz pakte een sigaret uit een pakje dat op tafel lag.

'Aanbellen bij je huis in de Oosterpoort leek me te opvallend...', ze stopte de sigaret terug, '...sommigen gebruiken trouwens liever het woord "vrijheidsstrijder" in plaats van "terrorist".'

Ludde liet zich achterover zakken.

'Dat zal de rechter binnenkort uitmaken, of hij al dan niet een terrorist is. En wat heeft mijn bekendheid ermee te maken?'

'Dan durven ze je minder snel aan te pakken.'

'Welke "ze"?'

'In dit geval mijn broer.'

'Je zou ook kunnen redeneren dat mijn zogenaamde beroemdheid juist aantrekkelijk is. Des te beroemder je slachtoffer, des te beroemder wordt jezelf. Goed voor je conduitestaat.'

'Conduitestaat...' herhaalde ze, '...wat een ouderwets woord. Waarom doe je zo moeilijk? Ik vraag alleen of je me naar Rotterdam wilt brengen. Ik ken daar iemand die meisjes als ik kan helpen onderduiken.'

'Ook een ouderwets begrip, onderduiken. Ik wist niet dat je daar tegenwoordig ook nog hulp bij kon krijgen.'

'Waar vraag is, is aanbod.'

'En na je verdwijning ben je voor de rest van je leven eenzaam iemand anders? Zonder familie, vrienden, wie dan ook? Dat valt niet mee kan ik je uit eigen ervaring vertellen.'

Mahnaz tikte een sigaret uit het pakje en schoof 'm weer terug.

'Ik geef je er vierhonderd euro voor. Vanavond weg.'

'Volgens mij kan ik je beter naar Toevluchtsoord brengen, dat is beter voor je.'

'Wat beter is voor mij maak ik zelf wel uit.'

Ze stond op en liep naar de deur.

Ludde zag ondanks haar zelfverzekerd optreden dat ze nerveus was.

'Oké', zei hij, 'ik help je wel.'

Bij de auto stond Henk te wachten.

'Wat ga je doen?'

'Ik breng haar naar Rotterdam. Ik kom haar hier ophalen. Vanavond om negen uur.'

'En meer hoef ik niet te weten.'

'Nee. Morgenmiddag kom ik weer bij je langs. Rond een uur of drie.'

*

De vrouw in het lemen huis las de brief nog een keer. Wat ze las maakte haar bang. Ze frommelde het papier tot een prop, trommelde een paar seconden ritmisch met haar vingers op het bureaublad, stond op, liep naar de keuken, opende de klep van de houtoven en gooide de prop op de sintels. Ze wachtte tot het papier vlam had gevat.

*

Nadat Ludde was ingestapt en naar de uitgang van de werf was gereden legde een jonge man die achter een afgebrokkeld muurtje lag zijn verrekijker neer. Hij begon in een microfoontje te praten dat voor zijn mond bungelde. Daarna liep hij naar de weg waar een zwarte auto stond geparkeerd. Toen hij het portier open had gedaan en was gaan zitten startte een andere jongen de auto. Vervolgens gooide hij het stuur om terwijl hij gas gaf. Rond zijn mond verscheen een opgetogen grijns.

15

De auto draaide met piepende banden over het asfalt en verdween in de richting van Winsum.

*

De Geus liep naar het raam, zette het open en stak zijn hoofd naar buiten. De zon stond laag boven de daken aan de zuidoostkant van het politiebureau. De kabelbaan die de Euroborg met het nog onvoltooide Groninger Forum verbond draaide haar monotone rondje. De tasker op zijn bureau zoemde zacht. De Geus ging zitten, drukte op de rode knop in het midden van het apparaat en deed het oortje in. Terwijl hij luisterde leken de plooien in de huid rond zijn mond dieper te worden.

Nadat hij de verbinding had verbroken keek hij naar zijn collega.

'We moeten Ludde Menkema schaduwen.'

Zijn collega keek hem verbaasd aan.

'Menkema?'

'Ja, Menkema.'

'Enig idee waar hij is?'

De Geus tikte op zijn tasker.

'Hij is op weg van Onderdendam naar Bedum…', deelde hij even later mee, '…tenminste, zijn tasker beweegt daar met een snelheid van 120 kilometer per uur.'

Hij zette zijn knieën tegen het bureau, mompelde 'op een 80 kilometerweg', vouwde zijn handen op zijn buik en sloot zijn ogen. Na ongeveer een uur dromend doorgebracht te hebben werd hij gestoord door zijn collega die lawaaiig binnen kwam lopen.

'En, ben je eruit?'

De Geus opende zijn ogen.

'Nee. Hoe is het met Menkema?

'Goed. Hij is op het Martinikerkhof.'

De Geus liet zijn benen zakken.

'Zijn elektronica is daar bedoel je.'

'Ja, en hijzelf ook. We volgen hem ook nog gewoon ouderwets. Waarom doen we dat eigenlijk? Of is dat een geheim?'

'Ja. Laat ik zeggen dat het een opdracht van hogerhand is.'

'Het zal wel te maken hebben met het proces tegen die terrorist die hij gepakt heeft.'

De Geus knikte.

'Zou best kunnen', hij stond op, 'maar het zou ook best niet kunnen.'

*

Boven de stad Groningen stond een helle zon in een strakblauwe lucht. Op sommige plekken zaten mensen op terrasjes, daar waar de oostenwind geen vat op ze had. Ludde zat weggedoken in zijn leren jack op een bankje in de zon, net buiten de schaduw van de Martinikerk. De bank naast hem werd bezet door twee mannen en een vrouw die ruzie hadden over iets dat met de blikjes bier te maken had die voor hen op de grond stonden. Ludde trok de rits van zijn jack naar beneden en pakte zijn shag. Op het moment dat hij een vloeitje tevoorschijn had gehaald viel er een schaduw over hem heen. Voor hem stond een man in een beige verschoten overjas.

'Dag. Heb je een shagje voor me?'

Ludde stak hem het pakje toe.

De man rolde tamelijk moeizaam een sigaret. Toen hij klaar was begon hij aan een tweede. Ludde keek toe. Bij de derde deed hij zijn mond open maar bedacht zich. De man lachte waarbij hij een bijzonder gaaf gebit liet zien dat totaal misstond in zijn door couperose gehavende gezicht. Hij ging zitten. Ludde gaf hem vuur.

'Ik wilde je vertellen dat ik je tips niet meer kan gebruiken', zei hij, 'Maria en ik zijn gestopt met Qwasnews.'

'Ik had al zoiets gehoord.'

Ludde ging staan.

De zwerver keek hem bezorgd aan.

'Je ziet er beroerd uit. Je zou je moeten scheren.'

Ludde stak zijn hand uit.

'Ja, ik ga jou achterna.'

De pupillen van de zwerver draaiden plotseling weg, alsof de bevestiging van zijn ogen los had gelaten. Zijn lichaam begon te trillen. Ludde wachtte nieuwsgierig. Toen het trillen ophield en de ogen van de man weer normaal stonden greep hij Luddes hand.

'Gaat het weer?'

De zwerver knikte wild. Zijn lange haar zwiepte heen en weer.

'Ik was even weg.'

'Dat zag ik. Heb je dat vaker?'

'Ja, als iemand iets lulligs tegen me zegt.'

'Oh. Sorry. Ik moet gaan, ik heb een afspraak met Maria.'

'Sans rancune, sans rancune.'

De zwerver liet Luddes hand los en liep gebogen weg.

Ludde keek hem na, haalde na een tijdje zijn schouders op, trapte zijn peuk uit, ging naar de Grote Markt, aarzelde even bij een bloemenkraam, maar liep toen zonder iets te kopen door.

Ludde en Maria zaten tegenover elkaar in De Wolthoorn. Ludde staarde voor zich uit. Maria draaide met haar wijsvinger rondjes op de rand van haar glas jus d'orange. Er gingen seconden voorbij die lang duurden.

'Werda is dus niet blij.'

Ludde schudde zijn hoofd.

'En dat had je niet verwacht.'

Ludde keek op.

'Nee. Als je een relatie hebt kun je niet zomaar een andere vrouw helpen zwanger te worden vindt ze. Ik had dat eerst met haar moeten overleggen, maar dat is geen moment in me opgekomen.'

Maria snoof verontwaardigd.

'Wat een onzin, dit is toch alleen iets wat jou en mij aangaat?'

'Dat vindt zij dus niet. Omdat het haar leven ook beïnvloedt, zegt ze.'

'Als je met iemand naar bed gaat wil dat toch niet zeggen dat ze ook over dit soort dingen mee moet beslissen.'

Ludde keek Maria nu recht aan.

'Het is wel iets meer dan alleen maar dat. En ze wil niet meebeslissen, ze wil worden geïnformeerd. Hoe zou jij reageren als je in haar positie had gezeten?'

'Dat vind ik zinloze vragen. Bovendien ben ík degene die in positie verkeert.'

Ze grinnikte.

'En je hebt mij alleen je sperma gegeven, voor de rest hebben we niks samen. Of denk je daar intussen anders over?'

Ze keek hem ongerust aan.

Ludde schudde zijn hoofd.

'Nee.'

Hij keek op zijn horloge.

'Ik moet weg.'

Hij stond op.

'Nu, ex-partner, het ga ons goed.'

Maria stak haar hand uit.

'Ik neem aan dat we elkaar nog wel eens zullen zien.'

'Uiteraard.'

Toen de deur van De Wolthoorn achter Ludde dicht was gevallen en hij rechtsaf de Turftorenstraat in was gelopen werd hij op enkele tiental-len meters gevolgd door een jonge vrouw.

*

De kamer in het huis was stil en koel. Door de latten van de zonwering schemerde een groen omfloerst licht. Achter in de tuin balkte een ezel. De vrouw glimlachte toen ze in de verte het antwoord van een andere ezel hoorde. Ze sloot de deur achter zich, draaide de sleutel om, liep naar een hoek van de kamer, ontdeed zich van haar boerka, drapeerde een sari-achtige doek om haar lichaam en ging aan een eiken bureau zitten. Ze pakte een roodleren boek met gele Arabische tekens op het omslag. De bladzijden van wat ooit een dummy was geweest waren volgeschreven in een priegelig handschrift, hier en daar afgewisseld met schematisch aandoende tekeningetjes. Ze liet haar wijsvinger langs de zinnen glijden. Soms herkende ze iets, een woord of een naam, maar ze begreep te weinig van de taal om de rest ook te kunnen snappen. Toen pakte ze een camera. Na elke foto sloeg ze de pagina om, streek krachtig met haar vinger over de vouw in het midden en nam een volgende foto.

*

Rond zes uur was Ludde klaar met het opruimen van zijn huis. De schildpad sliep. Hij ging achter zijn computer zitten, bekeek Rotterdam op Google Earth, stond op, smeerde een broodje, nam een kop koffie en ging weer zitten. Even later vond hij zichzelf terug voor de spiegel in de badkamer. Hij schoor zich, verwijderde de grijze haartjes uit zijn neus en oren en reinigde toen met een tandenrager de ruimten tussen zijn kiezen. Daarna bedacht hij dat het al twee dagen geleden was dat hij zijn antidepressivum had genomen. Hij trok het laatje onder de spiegel open en pakte een medicijndoosje. Het was leeg. Hij liep naar zijn communicatiescherm, opende de site van zijn huisarts, bestelde een nieuwe dosis en startte daarna de laatste aflevering van het nieuws. De noordelijke scheepvaartroute langs Alaska naar de Stille Oceaan die de laatste jaren als gevolg van het smelten van het poolijs bevaarbaar was geweest, was weer dichtgevroren. Volgens deskundigen zou dat ook wel zo blijven.

*

De vrouw had alle bladzijden van het dagboek gefotografeerd. Buiten werd het snel donker. Ze pakte een schaar en knipte een lok van haar zwarte krullende haar. Een spiertje naast haar rechteroog trilde. Ze opende de deur naar het slaapvertrek, liep naar het bed en ging naast het in witte lappen gewikkelde lichaam van haar man zitten. Een wolkje vliegen dwarrelde op. Ze legde de haarlok op het kussen, voelde voorzichtig door de doeken heen aan zijn voorhoofd, maar trok haar hand snel terug toen ze de koudklamme hardbottige ondergrond voelde. Na een aantal minuten waarin ze, naar het leek, emotieloos naar het lijk had zitten kijken stond ze op, bukte zich, kuste zo vluchtig mogelijk de plaats waar de ogen zich onder het windsel bevonden, en ging de deur uit. Ze liep naar het bureau, opende de camera, haalde de geheugenkaart tevoorschijn, pakte een reisschaakspel waarvan het doosje inklapbaar was, wipte de voering eruit en stopte het geheugenkaartje eronder. Daarna trok ze haar sari uit, deed een spijkerbroek, een T-shirt en een warme trui aan, draaide zich om, pakte het dagboek en liep naar de stal in het achterhuis. Ze zadelde de zwarte hengst die van haar man was geweest, bond de klaarliggende bepakking op zijn rug, gooide een gewatteerd overkleed over haar hoofd, deed laarzen aan en leidde het dier naar buiten. De nacht was zwart, ondanks de vele sterren. Ze boog haar hoofd tot tussen de oren van het paard, prevelde een paar woorden en reed daarna het rotspad op. Boven, aan de rand van de hoogvlakte, stond ze stil om zich te oriënteren op de sterren. Uit de vallei klonk het geroep van haar ezel. Ze nam afscheid van het dier door haar hand op te steken, maar ze keek niet om.

*

Het was kwart over acht toen Ludde de caravan binnenstapte. Mahnaz stond klaar.
'We gaan', zei ze, 'nu, direct.'
Ze was rusteloos.
'Negen uur was de afspraak', zei hij, 'eerst koffie.'
'Geen koffie, we moeten gaan.'
'Je kunt altijd nog met de trein. Een stuk goedkoper ook.'
Ludde plofte neer op de bank en strekte zijn benen uit in een demonstratie van onverschillige zelfstandigheid. Hij zag in Mahnaz' ogen dat ze vond dat een man van zijn leeftijd dat soort gedrag niet meer nodig zou moeten hebben. Hij was dat eigenlijk wel met haar eens.
Mahnaz pakte haar rugzak van de bank en stapte naar buiten. Henk zette koffie voor Ludde neer. Buiten klonk het geluid van een claxon. Eén keer lang, één keer kort. Henk grijnsde.
'Die zit in jouw auto.'
Weer toeterde Mahnaz, weer één keer lang en één keer kort.
Ludde stond op.

'Het lijkt wel een code.'

'Gevoel voor ritme misschien. Doe maar wat ze wil, ze heeft het toch al een stuk moeilijker dan wij ons kunnen voorstellen.'

Toen ze een kwartier later in Onderdendam waren vroeg Mahnaz aan Ludde om te stoppen. Ze verdween met haar tas achter een container die op een parkeerplaats bij een handel in landbouwgereedschap stond. Niet lang daarna kwam ze weer tevoorschijn. Haar jurk had plaatsgemaakt voor een zwart colbertachtig jasje. Ze had haar hoofddoekje in haar hand. Ludde kon niet nalaten even bewonderend te fluiten omdat hij nu pas echt kon zien hoe mooi ze was met haar lichtbruine huid, krullende lange zwarte haren en donkerbruine ogen.

'Dat is nu het voordeel van een hoofddoek', zei ze, 'dat mannen je met rust laten.'

'In een land als Brazilië vinden vrouwen het juist wel prettig om niet met rust te worden gelaten', antwoordde hij, 'en desondanks worden ze daar niet door hun eigen broers achterna gezeten.'

'Nee, maar daar moeten vrouwen altijd eerst vrouw zijn, en daarom zijn ze nooit echt vrij.'

Ludde trok zijn wenkbrauwen op terwijl hij van de parkeerplaats reed.

'Alsof jij wel vrij bent', hij stopte voor een onoverzichtelijk kruispunt in Onderdendam en boog zich ver voorover om te kijken of de weg vanaf Middelstum vrij was, 'en van wat ik zo op straat zie zijn de meeste moslimmeisjes zich er echt wel van bewust hoe ze eruitzien met hun hoofddoekjes.'

Mahnaz knikte hem spottend toe.

'Dan heb je toch je zin.'

Ludde reageerde gepikeerd.

'Het is ook nooit goed, of het deugt niet bij jullie.'

'Dat zal ook wel zo blijven als jullie ons altijd met jullie blijven aanspreken.'

Ludde keek verbouwereerd opzij en begon daarna te lachen.

'Je hebt gelijk, sorry', zei hij, 'ik zal jullie niet meer jullie noemen.'

*

De Geus stond met zijn handen op zijn rug voor het raam van de werkkamer in zijn huis dat uitkeek over de Oosterhaven. Op het scherm van zijn computer was een rood stipje te zien dat aangaf waar Ludde Menkema zich bevond.

Waar zijn tasker zich bevindt, corrigeerde hij zijn eigen gedachten, ik ben benieuwd waar hij nu weer in terechtkomt. Op dit moment rijdt hij in elk geval richting Friesland.

*

Vlak voor Drachten kregen ze een wolkbreuk over zich heen. De A7 glom van het water. Mahnaz sliep. Ze reden in de rechterbaan achter een vrachtwagen. Nog dertig kilometer tot Heerenveen. Ludde schakelde de radio aan. Sinds hun korte woordenwisseling in Onderdendam was het stil geweest. Ludde vond dat prettig, Mahnaz klaarblijkelijk ook, maar nu ze sliep had hij behoefte aan muziek. Ze werden met grote snelheid ingehaald door een zwarte auto. De vrachtwagen voor hem remde. Ludde week uit naar links, passeerde en ging weer naar rechts. Op de vluchtstrook stond de auto die hem net voorbij was gereden, de alarmlichten knipperden. Op de radio werd de muziek onderbroken door een vrouwenstem die ergens voor waarschuwde, maar Ludde verstond niet wat ze zei. Het overige verkeer deed niets dat op problemen wees, dus reed hij met onverminderde snelheid door. Na vijf minuten kwam de zwarte auto weer voorbij, deze keer langzamer. De wagen voegde voor hem in en remde. Ludde remde ook en toeterde. De auto trok op, maar toen ook Ludde het gaspedaal weer in trapte sprongen de remlichten voor hem opnieuw op rood. Ludde gooide het stuur naar links en gaf gas. De auto reed nu naast hem. De zijramen waren geblindeerd. Mahnaz werd wakker. Ze keek opzij.

'Dat is mijn broer.'

Ze zei het alsof het haar niet echt interesseerde.

Ludde keek haar even aan en verhoogde zijn snelheid nog verder. De auto ging achter hem rijden. Plotseling zag hij niets meer. Het interieur van zijn auto baadde in een fel licht.

'Hij heeft zijn koplampen op groot gezet.'

Mahnaz had de tegenwoordigheid van geest om de binnenspiegel een klap te geven, waardoor Ludde zijn omgeving weer enigszins kon waarnemen. Tegen het rechterraam kletterde vuil regenwater dat afkomstig was van het rondrazende wiel van de oplegger waar ze nu naast reden, misschien tien centimeter bij Mahnaz vandaan. Ludde trok aan het stuur, weg van het gevaar. De vangrail aan de andere kant kwam op hem af, maar hij kon geholpen door de stabiliserende elektronica onder de motorkap de wielen weer in het juiste spoor trekken, de bijna ondoorzichtige wolk nevel in die naast de nu schuin voor hem rijdende oplegger over de weg hing. Hij was niet verbaasd toen Mahnaz de ruitenwisser een stand hoger zette. Even later was de weg voor hem leeg.

'Dat is dus je broer.'

'En zijn vriend denk ik.'

'En die hebben je liever dood dan ongehoorzaam.'

Mahnaz zei niets.

Ludde remde zo hard hij kon. De oplegger achter hen deed alle lampen aan die hij tot zijn beschikking had waardoor de weg in een glinsterend halogeenlandschap veranderde. Het geluid van de natte rem die achter hen werd ingetrapt was zo hard dat Mahnaz haar handen tegen haar oren sloeg. De lampen op de slippende vrachtwagencabine begonnen te dansen, schoten de linkerrijbaan op en zwaaiden weer terug. Het geluid van een claxon stuiterde over de weg. Op de vluchtstrook verscheen de zwarte auto. Ludde gooide zijn stuur naar links. De vrachtauto schoot naar rechts, in de richting van de auto van hun achtervolgers. Nu begon ook de achterkant te schuiven. Het geluid van de claxon hield op. De chauffeur had zijn handen vol aan andere dingen. Ludde grijnsde naar Mahnaz en ontspande zich. Ook zij liet zich terugzakken in haar stoel.

'En nu?'

'Zorgen dat we wegkomen.'

Niet lang daarna nam Ludde de afslag bij Gorredijk en reed direct daarna aan de andere kant de oprit op, terug in de richting van Drachten. Tien minuten later zagen ze op de andere weghelft de door de regen vervormde silhouetten van het stilstaande verkeer. Direct aan het begin van de opstopping zagen ze de geblindeerde auto, half op het asfalt, half in de berm.

'Geen aanrijdingen zo te zien. Keurig opgelost', hij knikte naar zichzelf in de spiegel en keek daarna naar Mahnaz die met een hand boven haar ogen iets probeerde te onderscheiden in de file naast hen, 'en ik durf erom te wedden dat ze mijn kenteken niet hebben kunnen zien met die regen. Dus we doen gewoon of onze neus bloedt.'

'Wat doen we?'

'Ergens overnachten.'

Hij nam de eerste afslag die voor hem opdoemde en reed vervolgens, terwijl hij zich keurig aan de verkeersregels hield, een klein halfuur door waarbij hij een aantal keren willekeurig een afslag nam. Toen hij een klein bordje met de naam 'Egypte' zag stopte hij, zette de motor uit, draaide zich half om en pakte Mahnaz bij haar schouder.

'Hoe wist je broer waar jij was?'

Ze schudde zijn hand af, bukte zich en pakte haar mobiel uit haar tas.

'Ik ben bang hierdoor. Gps-informatie.'

Ludde knikte.

'Goed. Laten we zorgen dat we op een andere plek komen. Hij haalde zijn tasker tevoorschijn en gaf die aan Mahnaz.

'Schakel deze uit, en die van jou ook.'

Hij startte en reed weg.

'Als je broer ons tot hier volgt voelt hij zich tenminste thuis.'

Hij wees op het bordje.

Mahnaz keek.

'We komen niet uit Egypte, we zijn Afghanen.'

*

Het paard stond trillend van vermoeidheid stil. De vrouw gleed uit het zadel, rekte zich uit, sloeg de teugels om een boomtak en opende haar zadeltas. Ze pakte een hoofddoek, deed die om en liep naar de deur van een vrijstaand huis. Ze klopte. Na een kleine tien minuten werd er opengedaan. Ze zei wie ze was. Farima Faghiri. De man die achter de deur stond keek haar aan. Hij leek op zijn hoede.

'Dag, hoe is het?'

'Goed. Moe, ik heb de hele nacht gereden.'

'Hoe gaat het met uw man?'

'Slecht, daarom ben ik hier. Je moet me naar de grens brengen, naar het ziekenhuis. Ik heb medicijnen nodig.'

Ze zei het autoritair.

'Waarom?'

'Omdat ik het zeg.'

Toen ze het gezicht van de man zag verstrakken probeerde ze alsnog iets smekends in haar stem te leggen.

'Omdat het nodig is voor mijn man en omdat ik je ruim zal belonen.'

'Als het nodig is voor uw man zal ik u helpen.'

*

Ludde werd wakker van het geschreeuw van een of ander dier. Het duister was bezig op te lossen in de opkomende zon. Hij schoof moeizaam op zijn ellebogen omhoog. Zijn rug deed pijn. Naast hem spreidden de zwarte krullen van Mahnaz zich uit over een met een trui geïmprovi-

24

seerd kussen. De ramen van de auto waren vochtig. Mahnaz snurkte zacht, diep in slaap. Buiten drupte water van de takken, maar de eerste zonnestralen lieten zien dat het een mooie dag zou worden. Ludde keek naar het meisje. Hij geeuwde. Mahnaz draaide zich op haar rug en vloog in dezelfde beweging overeind. Haar ogen flitsten over de man naast haar. Haar borsten dansten even in haar T-shirt. Luddes ogen vingen de beweging op. Mahnaz trok haar deken op tot onder haar kin.

'En nu?'

'Plassen, wassen, aankleden.'

'En dan?'

'Naar Rotterdam, dat wilde je toch?'

Ze zweeg nerveus.

'Of weet je broer dat we naar Rotterdam gaan?'

Ze schudde haar hoofd.

'Nee, dat weet hij niet mag ik hopen.'

Luddes gedachten dwarrelden weg.

Na een tijdje kon Mahnaz zich niet meer inhouden.

'Waar denk je aan?'

Hij keek opzij.

'Kijk dat herken ik. Een vrouw naast je die vraagt waar je aan denkt. Ik denk aan de vragen die ik je zou willen stellen.'

'Zoals?'

'Zoals hoe het kan dat iemand waar je mee bent opgegroeid je van de weg wil rijden. En ik zou willen weten hoe een jong meisje als jij kan besluiten een compleet ander leven te beginnen. Met een rugzakje, meer niet. En ik dacht eraan dat het verstandiger zou zijn je terug naar Groningen te brengen.'

Mahnaz' nieuwsgierigheid naar de gedachten van Ludde was met dit antwoord kennelijk bevredigd, want ze zei niets meer waardoor het stil was totdat Ludde de achterklep van de auto van binnenuit opendeed, zich naar buiten liet glijden en naar een toiletgebouwtje liep dat aan een breed water stond waarin tientallen zeilboten en jachtjes lagen. Toen hij terugliep voelde hij zich fris, maar zorgelijk. Mahnaz stond naast de auto te geeuwen.

'En, voor ik het vergeet, heb je goed geslapen?'

Mahnaz wreef de slaap uit haar ogen en knikte.

'Ja, maar in het begin vond ik het wel spannend', zei ze toen.

'Hoezo spannend?'

'Om bij een man in zijn auto te liggen. Ik vroeg me af wat ik moest doen als je iets zou proberen.'

Ludde grinnikte schaapachtig.

'Jij denkt dat mannen monsters zijn.'

'Geen monsters, maar mannen.'

Ludde haalde zijn schouders op.

'Nou, als je daar toch al van uitgaat zal ik de volgende keer mijn handen misschien niet boven de dekens houden.'

'Zie je wel? Je bent een man als alle andere.'

Ludde haalde weer zijn schouders op en antwoordde scherper dan hij gewild had.

'Vast wel', hij sloeg op het dak van de auto, 'komt er nog wat van? Ik wil verder.'

Mahnaz keek hem verbaasd aan, slikte een antwoord in en liep weg.

Toen ze terugkwam zag hij een harde trek om haar mond, waardoor ze even leek op iemand die hij kende, maar hij wist niet wie. Ze bleef bij de nog geopende achterklep staan.

'Waarom was je ineens zo grof?'

'Ik ben soms grof ben ik bang.'

'Mensen die grof zijn, zijn meestal bang.'

Om zich een houding te geven liep Ludde naar de achterkant van de auto, trok de matrassen naar buiten, rolde ze op en klapte de banken in hun oorspronkelijke positie.

Toen hij haar weer aankeek zag hij dat ze glimlachte.

'Sorry.'

'Ik hou wel van mannen die sorry kunnen zeggen.'

'Dat kom je in jouw cultuur niet tegen zeker.'

De glimlach verdween onmiddellijk van haar gezicht.

'Moeilijk sorry kunnen zeggen is een mannending, geen cultuurding,' Mahnaz zuchtte moedeloos, 'volgens mij staan vrouwen bij ons op een hoger voetstuk dan bij jullie.'

'Misschien wel ja. Maar op een voetstuk kun je geen kant op. En bovendien, als ik geen "jullie" mag zeggen, mag jij het ook niet.'

*

De Amerikaan Borman en zijn Afghaanse collega stapten uit een witte pick-up halverwege het pad dat langs het riviertje naar het huis beneden in de vallei leidde omdat ze niet verder konden. Het pad werd geblokkeerd door een ezel die weigerde aan de kant te gaan. De poort in de lemen muur stond open. De mannen keken elkaar verbaasd aan, gingen naar binnen en liepen door de boomgaard naar het huis waar het onnatuurlijk stil was. Toen ze binnen waren sloeg Borman het uiteinde van zijn tulband voor zijn gezicht als bescherming tegen de naar hem toe stromende stank. Ze liepen voorzichtig door naar een deur aan de andere kant van de kamer en openden die. In de kamer was het zwart van de vliegen. De stank hier was overweldigend. Nu pakte ook de tweede man het afhangende deel van zijn tulband en drukte dat tegen zijn neus.

Borman, een gedrongen man in tegenstelling tot zijn lange metgezel, was de eerste die reageerde.

'Wat is hier gebeurd?'

'Hij is eerder gestorven dan verwacht.'

'Ja, dat lijkt erop.'

'Hij is wel gewassen en in lappen gewikkeld. Maar waar is Farima? Ze hoort hier te zijn, bij haar man', de Afghaan wees met zijn duim achter zich, in de richting van het lijk, 'we zullen hem moeten begraven.'

Ze liepen naar buiten. De Afghaan pakte een schep die bij de ingang van de schuur stond, liep even rond in de tuin om een plaats voor het graf uit te zoeken, bepaalde de richting van Mekka, en begon te graven. Na een tijdje kwam Borman hem helpen.

'Het was een goede man', merkte de Afghaan op, 'een man die de juiste keus in zijn leven maakte. Het is een zegen als je ziel naar zo'n keus wordt gevoerd', hij veegde het zweet van zijn gezicht.

Borman antwoordde niet. Hij had het niet zo op religie, en als het dan toch moest had hij het liefst een god die niet al te moeilijk deed over menselijke zwakheden. Maar hij keek wel uit om dat hardop te zeggen.

Toen ze het lijk naar buiten droegen werden ze door een wolk vliegen gevolgd. Ze legden de dode man op de stenige grond naast de kuil. De Afghaan boog zich en bracht ondanks de stank zijn mond vlak bij het gezicht. Hij prevelde enkele woorden en richtte zich daarna weer op. Ze legden het lichaam op de rechterzij in het graf, waarna Borman een symbolische hoeveelheid zand op de lijkwade gooide en terug naar het huis liep. De Afghaan begon de kuil vol te gooien. Toen hij bijna klaar was werd hij onderbroken door de haastige voetstappen van zijn metgezel.

'Ze wist toch dat we zouden komen?'

De Afghaan knikte.

'Het paard is weg'.

Ze waren beiden een tijdje stil, totdat de Afghaan het woord nam.

'Het zou natuurlijk kunnen dat ze ervandoor is, zo graag wilde ze dat dagboek niet kwijt...', hij zei het aarzelend, '...hoewel ik me niet kan voorstellen dat ze tegen onze bevelen in gaat. Ze kan op haar vingers natellen dat dat haar einde zou betekenen.'

Borman knikte. De Afghaan schoof met zijn voeten de laatste zandresten op de grafheuvel.

'Aan de andere kant is ze natuurlijk wel een Faghiri. Die familie is altijd al eigenwijs geweest.'

'En rijk', voegde Borman eraan toe, 'maar hoe wil ze als vrouw alleen dit land uit vluchten?'

De Afghaan spuwde op de grond.

'Het zou me niet verbazen als zij dat wel degelijk durft. Ze heeft nooit geweten hoe het hoort. Als het niet om haar man was, hadden we haar al jaren geleden aangepakt. Heb je nog naar het dagboek gezocht?'

Hij stak de schep in de grond, klopte zijn kleren af en begon in de richting van de poort te lopen. De gedrongen man volgde hem.

'Ja, maar ik heb niets gevonden.'

Ze zwegen tot ze bij hun auto waren. De Afghaan klikte een microfoon los van het dashboard. Zijn stem die tot op dat moment een fluwelen zangerige ondertoon had gehad werd scherp, hard, bijna blaffend. Toen hij klaar was wendde hij zich tot zijn metgezel.

'We moeten haar zoeken.'

'Waar?'

'Richting de grens. Turkmenistan. Ze zou nooit naar Kabul gaan. Turkmenistan is niet zo ver.'

De Amerikaan knikte.

'Ik ga nog even terug, kijken of er eten is.'

In de keuken van het huis pakte hij een klein apparaatje uit zijn zak dat erg op een mobiele telefoon leek. Hij sprak er ongeveer dertig seconden in, snel en gedecideerd. Toen hij terugkwam had hij een paar sinaasappels en een stapeltje platte broden bij zich.

*

Maria werd wakker van de deurbel. Half elf zag ze op de wekker. Ze draaide zich op haar zij en sliep al bijna weer toen de bel nog een keer ging.

'Het is dringend', mompelde ze.

Ze deed haar ochtendjas aan en liep de trap af. Voor de deur stond Werda.

'Heb jij enig idee waar hij heen is?'

Maria had nauwelijks opengedaan.

'Ik neem aan dat je Ludde bedoelt?', Maria zag tot haar tevredenheid dat de ogen van Werda over haar buik flitsten, 'ik heb geen flauw idee waar hij is. En ik heb ook geen zin om verantwoording over hem af te leggen.'

Werda werd rood tot in haar nek.

'Ik wil alleen graag weten waar hij is.'

Maria voelde een mengeling van medelijden en weerzin.

'Ik begreep dat je hier een probleem mee hebt.'

Ze legde haar rechterhand op haar buik.

'Niet als zodanig', Werda keek nog ongelukkiger dan ze al deed, 'het is meer dat hij niet de moeite neemt om over dat soort dingen met mij te praten.'

Maria werd van het ene moment op het andere somber.

Die vervloekte Nederlanders met hun zachte gedoe, dacht ze, ze zouden hier wel iets van de Slavische mentaliteit kunnen gebruiken. Alsof het leven alleen maar lief is.

Ze deed een stap terug en maakte een uitnodigend gebaar.

*

Ludde was het eerste halfuur gespannen geweest. Mahnaz ook. Hun ogen hadden regelmatig de spiegels gezocht, maar toen er niets gebeurde waren ze beiden rustiger geworden.

'Het is natuurlijk nog maar de vraag of het jouw broer wel was', zei Ludde.

Mahnaz tilde even haar handen uit haar schoot.

'Ik weet het echt wel zeker', zei ze, 'behalve als jij vijanden hebt die net zo'n auto hebben als hij.'

Ludde passeerde een politieauto en kroop ervoor.

'Waarom doe je dat?'

Mahnaz wilde zich omdraaien, maar Ludde hield haar tegen.

'Kijken of ze belangstelling voor ons hebben', zei hij, 'zo te zien niet.'

Hij gaf weer gas en nam even later de afslag naar Lemmer.

'We gaan ontbijten.'

*

Farima Faghiri stapte in een aftands Ford-busje dat ooit blauw was geweest. De man achter het stuur had een zonnebril met Arafat-montuur opgezet.

'Doet je mobilofoon het?'

Hij knikte.

'Hoe lang is het rijden?'

'Zes uur, ongeveer.'

*

De Geus krabde zich op zijn hoofd. Zijn collega keek de andere kant op.

'We zijn Ludde Menkema al sinds gisteravond kwijt. Zijn tasker is van het scherm verdwenen…', De Geus was opgestaan en naar het raam gelopen, '…dat kan alleen maar als hij hem heeft uitgezet.'

'Waarom zou hij dat doen?'

'Tja, dat is de vraag. De laatste positie die we van hem hebben is ergens bij Drachten. Hij had een jonge vrouw bij zich.'

'Is Menkema op het slechte pad?'

'Geen idee. Misschien heeft hij een verkeerde afslag genomen zonder het te weten.'

*

Mahnaz roerde in haar koffie.

'Hoe laat kunnen we in Rotterdam zijn?'

'Over een uurtje of twee. Rond twaalf uur. Het is nog een kilometer of tweehonderd.'

'Dat moet dan ook wel sneller kunnen.'

'Heb je haast?'

Mahnaz keek op.

'Ja, ik heb haast. Ik had er gisteravond al willen zijn', ze nam een slokje, 'je ziet er niet uit als een man die een gevaarlijke terrorist heeft uitgeschakeld.'

Ludde lachte een beetje schaapachtig.

'Hoe ziet een man eruit die een gevaarlijke terrorist heeft uitgeschakeld?'

Mahnaz kleurde waarop Ludde zelf het antwoord gaf.

'Stoer, gespierd…'

'Zoiets ja. Jonger ook'

'Nou, deze oude man heeft jouw held niet echt uitgeschakeld. Ik heb hem te pakken gekregen zoals een koe een haas vangt, door er per ongeluk op te gaan staan. Hij komt trouwens dinsdag voor de rechter, ook in Rotterdam toevallig.'

'Hij is niet mijn held.'

Ludde wipte zijn stoel achterover.

'Maar wel die van je broer?'

'Nee, ook niet. Je moet de gewapende strijd niet verwarren met familieaangelegenheden.'

'En jij bent een familieaangelegenheid.'

Mahnaz spreidde haar handen in een berustend gebaar.

'En de gewapende strijd heeft niet jouw sympathie.'

Ze schudde haar hoofd.

'Je zegt het anders met een soort...', Ludde zocht naar woorden, '...hoofdletters. De Gewapende Strijd.'

Hij probeerde zijn stem een dramatische toon mee te geven. Mahnaz lachte geringschattend.

'Ik zeg het gewoon zoals ik het zeg. De waarheid wint wel uit zichzelf, zo zie ik het.'

'En die waarheid is wat er in de Koran geschreven staat.'

'Juist.'

'En wat er in de Bijbel staat is onzin.'

'Nee.'

Ze zette haar kopje aan haar mond, dronk het laatste slokje koffie op, ging staan en liep naar het toilet. Het gesprek was wat haar betreft klaarblijkelijk afgelopen. Ludde liep naar de auto. Mahnaz liet lang op zich wachten. Toen ze er eindelijk aankwam zag hij dat ze haar hoofddoek weer had omgedaan. Ze ging naast hem zitten. Ludde zag de harde trek weer rond haar mond.

*

Het Ford-busje reed snel. Het eerste uur hadden ze over een kronkelende dustroad gereden die omlaag langs een ravijn liep. Er was vrijwel geen teken van leven geweest, op een grote roofvogel na die boven het ravijn een stukje met hen mee was gezweefd. De man aan het stuur reed met een natuurlijk gemak, wat hem schijnbaar de zekerheid gaf om met grote regelmaat vlak langs de afgrond naast de weg te rijden. Farima Faghiri had zich in het begin stevig vastgehouden aan het handvat van de deur, maar had zich al snel overgegeven aan haar lot, zoals ze gewend was te doen. Bovendien had ze andere zaken aan haar hoofd.

De dustroad had hen naar een geasfalteerde weg in een dal gevoerd die de loop van een rivier volgde. Op deze weg stond een langzaamrijdende file die bestond uit vrachtwagens en geblutste Japanse personenauto's, achter een colonne militair materieel van de Verenigde Naties.

De chauffeur gebruikte elk gaatje om te passeren, zoals elke andere chauffeur voor hem hem ook deed. Ze lieten de file achter zich. Farima dommelde weg, maar schrok op toen een kleine, met schapen afgeladen vrachtauto recht op hen af kwam. Haar chauffeur stuurde beheerst de stoffige berm in, schakelde terug en vervolgde daarna zijn weg. De hitte nam toe. De lucht boven het asfalt en het zand trilde waardoor de wereld om hen heen verwrongen leek. Farima voelde het zweet onder haar kleren langs haar rug in de boord van haar spijkerbroek lopen. Op het klokje zag ze dat het nog zeker vier uur rijden was tot de grens. Ze vroeg zich af of ze bang was. Dat was ze zeker, wist ze. Maar niet bang als een muisje dat een kat ziet, maar bang als een tijger die weet dat elke aanval fataal af kan lopen.

*

De Afghaan en zijn Amerikaanse metgezel parkeerden hun auto aan de kant van de asfaltweg en stapten uit. Toen een groengele dieplader van het leger met twee tanks achterop voorbijreed spuugde de Afghaan op de grond. Borman liep naar een uit palen en tentdoek opgetrokken theehuis en bestelde twee kopjes thee. Hij ging zitten en stak een klein sigaartje op. Zijn metgezel stond nog bij de auto met de hoorn van de mobilofoon tegen zijn oor gedrukt. Toen hij even later plaatsnam wreef hij zich in zijn handen.

'Ze is gezien', zei hij, 'een half uur voor ons', hij pakte het kopje thee en nipte eraan, 'ze zoeken het mobilofoonnummer van haar chauffeur. Als we dat hebben kunnen we hem bevelen om te stoppen.'

Tien minuten later stond hij op en liep naar de achterkant van het theehuis. Borman wachtte tot hij uit het zicht was, liep naar de auto, pakte onderweg een hand vol zand, draaide de benzinedop open en liet het zand in de vulopening glijden.

*

Ludde stuurde naar rechts in de richting van de inrit van een tankstation. Ze hadden honderd kilometer lang weinig tegen elkaar gezegd. Het was druk. Bij Almere hadden ze meer dan een uur stilgestaan. Naast hen in de file had een man in een busje tot groot plezier van zijn bijrijder obscene gebaren naar Mahnaz gemaakt. Ludde had zich even verloren in een fantasie waarin hij zich voorstelde hoe hij uitstapte om zijn gehoofddoekte vrouw te verdedigen, maar gelukkig trokken de auto's voor hem op voordat zijn gekwetste mannelijke eergevoel hem had gedwongen om die fantasie werkelijk uit te voeren. Mahnaz had niet gereageerd. Misschien was ze aan dit soort gedrag gewend. Na dit incident waren Luddes gedachten afgedwaald naar het gesprek dat hij en Mahnaz tijdens het koffiedrinken hadden gevoerd. Via de verschillen tussen Bijbelaanhangers en Koranaanhangers kwam hij bij Hitler terecht. Als Hitler nooit de baas was geweest, dan zou er geen Auschwitz zijn geweest, geen Israël, geen Hamas, geen Twin Towers, geen fanaten die elkaar het licht in de ogen niet gunnen.

Mahnaz had zijn ongetwijfeld naïeve gedachten onderbroken toen ze hem had gevraagd om te stoppen bij het volgende wegrestaurant voor een korte pauze.

Hij reed de inrit op.

'Wil je ook iets drinken of eten', informeerde hij, 'of gaan we direct verder?'

'Ik hoef alleen even naar het toilet, en jij moet tanken.'

Ludde boog zijn hoofd in een spottende dankbetuiging. Toen hij stilstond stapte Mahnaz uit. Op de radio kondigde de dj ter nagedachtenis aan Amy Winehouse het nummer 'Fuck me pumps' aan. Ludde vond dat haar gruizelige stem wel een passende soundtrack vormde bij het beeld van de op haar hoge hakken wegtrippelende Mahnaz die onder het lopen haar hoofddoekje rechttrok. De man naast hem, die bezig was om het dikke uiteinde van een stroomkabel van zijn auto los te koppelen, knikte hem toe.

'U bent een van de laatsten', zei hij. 'Die nog op benzine rijdt', voegde hij eraan toe toen hij Ludde vragend zag kijken.

Ludde bromde iets, tankte en liep daarna naar de kassa. Toen hij terugkwam hoorde hij de stem van Mahnaz in het damestoilet. Ze sprak in een voor hem niet verstaanbare taal. Hij duwde de deur voorzichtig een eindje open en zag haar in de spiegel met haar telefoontje aan haar oor.

*

Nog drieënhalf uur. Farima was onrustig. In het dal beneden zich zag ze een langzaamrijdend militair konvooi dat hen uit de tegenovergestelde richting tegemoetkwam. Ze begon te schuiven op haar stoel. Ze moest plassen.

'Kun je even stoppen?'

De chauffeur knikte en reed een stoffige parkeerplaats op die aan de achterkant afgegrensd werd door struiken die licht in het blad stonden.

Toen ze uitstapte merkte Farima hoe stijf ze was, en hoe moe. Straks proberen te slapen, dacht ze. De struiken boden genoeg bescherming. Ze zakte door haar knieën nadat ze met enige moeite de spijkerbroek onder haar wijdvallende kleren los had gemaakt. Ze geeuwde. De eerste auto van de colonne kwam over de top van de heuvel. Ze ging staan en fatsoeneerde haar kleding. Toen liep ze rustig terug, haar ogen gericht op de chauffeur die haar haastig tegemoetkwam. Hij moet ook, dacht ze. Ze passeerden elkaar zonder iets te zeggen. Toen ze bij de auto was zag ze dat het rode lampje van de mobilofoon knipperde. Ze pakte de hoorn en luisterde even naar een harde bevelende stem, een stem die ze kende. Ze rilde ondanks de hitte en legde de hoorn terug. Daarna klapte ze het opbergkastje voor de passagiersstoel open en vond al snel wat ze zocht. Ze keek om. Haar chauffeur was vaag zichtbaar achter de struiken. Zonder aarzelen wipte ze de mobilofoonhoorn aan de luisterkant los en knipte de draadjes door die ze daar zag.

*

'Ik ben de hele dag al zenuwachtig', zei Maria. Ze zat tegen Luma aan die haar handen in een dakje op Maria's warrige haren had gelegd.

'Dat zullen de hormonen zijn.'

'En ik voel me verder ook helemaal niet lekker.'

De huid rond Maria's ogen was opgezwollen, alsof ze pas had gehuild.

'Er gaat iets ergs gebeuren, maar ik weet niet wat.'

Luma speelde met de krullen onder haar handen.

'Ben je ook misselijk?'

'Nee, vandaag voor de verandering eens niet. Het valt niet mee om zwanger te zijn.'

Als antwoord legde Luma haar handen op Maria's buik om ze vervolgens op te laten stijgen naar de borsten onder het zwarte truitje.

'Dat je me nog aan wilt raken', mompelde Maria.

'Stel je niet zo aan. Als je het niet weet zie je niet eens dat je zwanger bent.'

Maria glimlachte en liet zich verder onderuitzakken, maar ze schoot weer overeind toen Luma in de tepel kneep die ze aan het strelen was.

'Jezus, Luma, denk aan het kind! Dat schrikt zich rot!'

Luma duwde haar terug.

'Dit is alleen maar goed. Prethormonen.'

Haar handen begonnen weer te strelen.

Maria kroop verzaligd in elkaar.

'Zolang ik zelf maar niets hoef te doen.'

Ze gaf gewillig mee toen Luma haar knieën van elkaar duwde en haar rechterhand liet afdalen naar de rand van haar trainingsbroek.

*

Vlak voor Muiderberg kwamen Ludde en Mahnaz opnieuw in een file terecht, zodat ze voor de tweede keer hun tijd moesten doorbrengen met een paar meter rijden, stoppen, weer optrekken, ineens negentig rijden en weer stoppen.

'Denk je dat je broer nog achter ons aan zit?'

Mahnaz keek opzij.

'Hij weet niet waar we zijn.'

'Behalve natuurlijk als iemand van ons tweeën zo stom is om zijn mobiel te gebruiken.'

Ze reageerde volkomen stoïcijns.

'Inderdaad.'

Ze haalde haar mobieltje uit haar zak en liet zien dat het was uitgeschakeld.

Ludde trok op en stopte. Rechts van hem gromde een vrachtwagen. In de binnenspiegel zag Ludde een eindeloze rij auto's. Op de radio hadden ze het over een ongeluk voor Leusden. Het liep al tegen twaalf uur.

'Ik hoorde je telefoneren in het damestoilet', Ludde schakelde naar de tweede versnelling, 'wat is er zo belangrijk dat je het risico neemt dat je broer ons vindt?'

Mahnaz knoopte haar hoofddoekje los en gooide haar haar naar achteren.

'Ze moesten in Rotterdam weten hoe laat ik kom', antwoordde ze, 'ik heb mijn mobiel misschien dertig seconden aangehad. Ze hadden me gisteravond al verwacht.'

'Dertig seconden is meer dan genoeg, een seconde is al genoeg', Ludde hoorde de agressie in zijn eigen stem, 'ik hou niet van dat soort risico's.'

Mahnaz knikte onzeker.

'Het moest echt. Het zal wel meevallen, zo slim is mijn broer nou ook weer niet.'

Ludde gaf gas.

'Laten we het hopen.'

Hij was kwaad, maar hij had er ook last van dat hij dacht dat ze vond dat hij overdreven reageerde.

Even later stonden ze weer stil.

Toen hij even opzijkeek zag hij dat ze een licht glimlachje om haar mond had.

*

Naarmate Farima en haar chauffeur dichter bij de grens kwamen werd het drukker. Sommige vrachtwagens vol kleuren, kettinkjes en spiegeltjes leken opgetooid voor een feest. Achter hen toeterde een bus die hen onmiddellijk daarna passeerde, hoewel de weg vlak voor hen in een scherpe bocht verdween. Farima's chauffeur remde en claxonneerde. De auto achter hen deed hetzelfde. De passagiers in de bus waren schimmen die in een stofwolk voorbij schoten. Het gegil van claxons nam weer af. De mobilofoon kraakte, een rood lampje flitste aan en uit. De chauffeur nam de oproep aan maar hing de hoorn terug toen het gekraak toenam. De weg daalde af naar een brug over een rivier. De chauffeur wees.

'De grens.'

Aan de kant waar ze reden hingen Afghaanse vlaggen. Aan de andere kant van de rivier zag ze het vage groen-rood van Turkmenistan. Midden op de lange brug, gescheiden van de andere grensposten door ongeveer een halve kilometer niemandsland, leek een witgeschilderd gebouwtje aan de buitenkant van de brugleuning te zijn vastgeplakt. Hier hing de blauwe vlag van de UN die vanaf de rivier genoeg wind kreeg aangevoerd om zachtjes te kunnen wapperen. Ongeveer een kilometer voor de grensovergang liep de weg door een langgerekt dorp waar aan weerszijden tientallen vrachtauto's, personenauto's, bussen, maar ook kamelen, paarden, ezels en karren geparkeerd stonden. Overal waren winkeltjes waar waarschijnlijk alles te koop was wat verkoopbaar was. Eten, drinken, muziek en wapens, dollars, roebels en euro's, zijden nachtkleding, boerka's, gevechtstenues, bedden en slaven. En opium natuurlijk. De hemel begon vanuit het oosten donker te kleuren.

Ze bestudeerde de verkeersstroom bij de douanegebouwen. Twee eenbaanswegen, de een voor het uitgaande verkeer, de ander voor het binnenkomende verkeer. Alle voertuigen en lastdieren die over de brug naar Turkmenistan wilden verzamelden zich op een door hoge hekken omgeven parkeerplaats om te worden onderzocht, waarbij waarschijnlijk datgene werd gevonden wat gevonden moest worden en datgene wat niet gevonden moest worden verborgen bleef, afhankelijk van de afspraken tussen de grenswachten en de andere betrokken partijen en de hoeveelheid geld die daarbij van hand tot hand was gegaan. Ze zou van dat systeem gebruik moeten maken als ze de grens over wilde. Toen ze naar boven keek en een vliegtuig zag met een uitwaaierend wit spoor achter zich voelde ze een steek van jaloezie omdat ze bedacht dat het waarschijnlijk vol mensen zat die vrij waren om daarheen te gaan waar ze wilden. Ze stopten in het dorp. Farima pakte haar tas.

'Kun je hier morgenochtend terugkomen? Dan ga ik weer naar huis.'

'Dat is goed.'

Ze gaf hem een envelop die hij onmiddellijk opende. Zijn vingertoppen ritsten langs de bankbiljetten. Ze zag zijn ogen glanzen. Hebzucht, dacht ze, de zwakke plek van deze man is hebzucht.

'Je krijgt voor de terugreis dezelfde beloning plus een kwart. Voor de nacht. Het ziekenhuis is toch die kant op?'

Ze wees in een willekeurige richting. De chauffeur knikte terwijl zijn gezicht zo mogelijk nog vrolijker werd. Zijn vingers gingen door met tellen.

Ze legde de zadeltas over haar schouder en liep weg. De nacht viel snel. Een golf van angst trok uit haar middenrif omhoog toen ze achter zich de stem meende te herkennen die ze had gehoord toen ze in de auto de mobilofoon aannam. Ze schoot de nauwe ruimte tussen twee vrachtauto's in. De stem die passeerde hoorde bij een onbekende man die in een voor zijn mond bungelend microfoontje praatte. Ze ademde langzaam in en uit om haar lichaam tot rust te brengen, legde de zadeltas op de grond en trok haar overkleed uit. Daarna bleef ze een tijdje roerloos staan, genietend van de koele avondwind.

*

De Afghaan mompelde iets wat Borman niet verstond. Hij nam aan dat het verwensingen waren. Hun auto stond aan de kant van de weg.

'Wat is er aan de hand?'

De Afghaan veegde zijn handen af aan een oude doek die naast de carburateur onder de geopende motorkap lag.

'Troep in de tank denk ik. We hebben hier waardeloze benzine.'

Borman knikte.

'En nu?'

'Wacht maar.'

Een vrachtwagen kwam dichterbij. Hij had zijn lichten aan.

De Afghaan deed een stap naar voren, de weg op. Zijn beide handen gingen omhoog. In zijn rechterhand had hij een automatisch wapen dat schitterde in de ondergaande zon. De vrachtwagen stopte. De Afghaan praatte met de angstig kijkende chauffeur die na een paar seconden opgelucht begon te lachen en de passagiersdeur opendeed. Even later reden ze verder in de richting van de grens.

*

Het was al ver in de middag toen Ludde en Mahnaz Rotterdam binnenreden. Ze hadden uren in de file gestaan en niet of nauwelijks met elkaar gesproken; ze vermeden contact. Tijdens de uren van verveelde stilte en het eindeloos optrekken en stoppen had Ludde besloten om onmiddellijk terug te rijden naar Groningen zodra hij Mahnaz had afgeleverd, waar dat ook was. Geld of geen geld.

'Waar moet ik heen?'

Mahnaz haalde een agenda tevoorschijn.

'Spaanse Bocht', zei ze toen, 'ergens bij het spoor.'

Ludde schakelde de routeplanner in.

'Wat is het idee verder?'

Mahnaz pakte een witte envelop en legde die op haar schoot.

'Ik heb het geld hier.'

'Ik zet je af voor de deur, jij betaalt en ik vertrek.'

Mahnaz knikte. Ze pakte haar hoofddoek en deed die om. Ludde voelde zich opgelucht. De routeplanner stuurde hen naar links, langs een park.

'De natuur is hier eerder dan bij ons in het Noorden', merkte hij op, wijzend naar de bomen in het park waar een groen waas over hing, 'het voorjaar komt eraan.'

Mahnaz had geen zin in prietpraat. Haar vingers trommelden ritmisch op haar tas. Ze moesten weer naar links, een smallere straat in met oudere huizen, rommeliger. Na ongeveer honderd meter kwamen ze uit op een weg die inderdaad langs een spoorbaan liep.

'Sombere omgeving hier.'

Ludde zei het om de stilte te doorbreken, maar ook omdat hij spanning voelde in de jonge vrouw naast zich.

Ze stopten bij een vuilgeel gebouw met drie verdiepingen. Ludde parkeerde voor de deur. Nadat hij de motor had uitgezet hoorde hij de gebeurtenissen meer dan dat hij ze zag. Achter hem klonk het schrille geluid van de banden van een snel rijdende auto die plotseling remt. De zwarte auto verscheen in de buitenspiegel. Hij dook instinctief tegen het portier en riep iets tegen Mahnaz, maar zij had haar deur al opengedaan en was half naar buiten gestruikeld. Ludde zag in een flits ergens in zijn hersens bloed uit haar hoofd spatten, maar de werkelijkheid was anders omdat ze twee, drie stappen opzijsprong en vervolgens bleef staan. Hij hoorde het geklap van dichtslaande portieren. Ineens stond er een man naast Mahnaz. Het portier aan zijn kant werd opengetrokken. Een tweede man, een jongen eigenlijk nog, boog zich over hem heen en liet een pistool zien dat hij weer snel onder zijn jas verborg.

'Rustig uitstappen, alsof we de beste vrienden zijn.'

Luddes lichaam verstijfde. Hij bleef zitten. De jongen deed een stap achteruit. Bij Luddes middenrif barstte een warmtebom. Zijn lichaam werd overdekt met zweet dat koud aanvoelde. Zijn hart sloeg twee zware slagen vlak na elkaar, stopte even, en ging daarna over in een onregelmatig ritme dat hem kortademig maakte. De jongen haalde opnieuw het pistool tevoorschijn.

'Uitstappen.'

Ludde keek omhoog. De jongen had sluik donker haar. Aan de vlassige groei van zijn baard was te zien dat hij nog jonger moest zijn dan hij er in eerste instantie uitzag.

'Kom er uit.'

Ludde probeerde het stuur los te laten, maar dat lukte pas nadat hij met zijn linkerhand de vingers van zijn rechterhand los had gebogen. Toen hij eindelijk naast de auto stond knikte de jongeman in de richting van het gebouw. Ludde aarzelde. Voor hem was nog een jongen komen staan. Zijn haar was over zijn hoofd naar achteren getrokken en werd met een elastiekje in een staartje bij elkaar gehouden. Hij was iets kleiner dan de eerste. Ook Mahnaz ging bij de jongens staan. Ze hield haar gezicht van Ludde afgekeerd. Ludde probeerde te begrijpen wat hij voelde. Een verwarrende mengeling van verbazing, berusting, woede, vernedering, onbegrip en angst, zoiets. Hij deed een stap naar voren. De eerste jongen liep met hem mee het gebouw in. In de hal moest Ludde zich omdraaien. Zijn armen werden achter zijn rug getrokken en hij voelde hoe zijn polsen met tape aan elkaar vast werden gezet. Buiten hoorde hij de auto's starten.

'Die gaan in de parkeergarage.'

De jongen ging voor hem staan. Hij had iets dat vreemd was. Zijn huid was erg bleek, maar dat was niet wat maakte dat je langer dan gebruikelijk naar hem moest kijken. Toen drong tot Ludde door dat hij in een blauw linkeroog en in een loensend bruin rechteroog keek. Het was onmogelijk om tegelijkertijd in beide ogen te kijken. In de paar minuten die het duurde voor er een binnendeur openging en Mahnaz en de andere jongen tevoorschijn kwamen slaagde Ludde erin zichzelf weer bij elkaar te rapen. Mahnaz probeerde hem deze keer wel aan te kijken.

'Dank je meisje', Ludde probeerde zijn stem cynisch te laten klinken, 'van je vrienden moet je het hebben.'

Ze deed een poging om lief te glimlachen, maar het was duidelijk te zien dat de nervositeit bij haar overheerste.

'Zo is het', zei ze, 'laat ik je voorstellen.'

Ze wees op de jongens.

'Die naast je is mijn broer. Dit hier is een vriend van ons.'

'Hebben ze ook namen?', vroeg Ludde, 'Samir zeker? Samir B en C?'

De broer van Mahnaz legde een hand op de schouder van zijn zus.

'Ik heet Yasin', zei hij, 'en hij heet inderdaad Samir.' Hij zwaaide de loop van zijn wapen in de richting van de jongen die naast hem was gaan staan.

'Yasin, Samir.'

Ludde herhaalde de namen.

'Yasin, Samir, Mahnaz.'

De lettergrepen van de namen bleven ritmisch in Luddes hoofd naklinken bij elke trede van de trap die hen naar de eerste verdieping van het gebouw voerde, dat, merkte hij met een overbodige helderheid, naar schimmel, muizen en vocht rook, alsof het al een hele tijd niet was gebruikt. Ze gingen een hoge kamer binnen. Mahnaz deed het licht aan en plofte neer op een bank. Zo te zien was ze hier eerder geweest, een indruk die werd versterkt doordat ze direct weer opstond, naar een keukentje liep dat via een openstaande deur bereikt kon worden en koffie begon te zetten. De ramen waren afgesloten met luxaflex.

Ludde ging zitten.

'Kunnen mijn polsen los?'

Yasin knikte, gaf zijn wapen aan Samir, knoopte de veters van Luddes schoenen aan elkaar vast en sneed toen de tape om zijn polsen door. Samir stond twee meter verderop met het pistool op Ludde gericht.

Toen Mahnaz binnenkwam met een kop koffie, glimlachte ze vriendelijk, misschien zelfs verontschuldigend, en wendde zich toen tot haar broer.

'We moeten hem wel een verklaring geven.'

'We moeten niks', Yasin reageerde zelfverzekerd, 'hij is straks zelf degene die iets te verklaren heeft.'

Samir gaf het pistool terug aan Yasin, liep naar het venster, trok de luxaflex een beetje uit elkaar, keek naar buiten en draaide zich weer om naar de kamer.

'Waar waren jullie afgelopen nacht?'

Hij stelde de vraag aan Mahnaz. Ze leek een kleur te krijgen, maar dat was in de niet erg helder verlichte kamer niet goed te zien.

'Ergens op een camping bij een haventje in Friesland.'

Yasin, die op de bank was gaan zitten, keek op.

'Waar heb je dan geslapen?'

'In zijn auto.'

'Samen?'

Er verscheen een rimpel boven zijn ogen. Mahnaz rechtte haar rug.

'Ja, en het stelde niets voor. Het is een oude man. En het was helemaal niet nodig geweest als jullie niet als dwazen achter ons aan hadden gezeten. Waarom deden jullie dat in vredesnaam?'

Samir grijnsde wat ongemakkelijk toen Yasin naar hem wees.

'Die idioot kreeg het op zijn heupen. Als die een stuur in zijn handen heeft gaat hij stoer doen.'

'Stoned zeker.'

Samir grinnikte.

'Ik had een beetje geblowd ja. Wat geeft dat? Dat deden de Assesijnen ook als ze een actie gingen uitvoeren, daar komt het woord *assasins* vandaan, en dat is weer afgeleid van het woord hasjiesj, wist je dat?'

'Dat heb je al duizend keer verteld. Als die vrachtauto nu op ons was gereden, wat dan?'

Samir antwoordde niet, maar liep weer naar het raam. Yasin keek naar zijn zus.

'Meisjes horen niet bij vreemden te slapen. Zeker niet bij oude mannen.'

Ludde kon het niet nalaten om zich ermee te bemoeien.

'Oh, ben je beledigd?'

Yasin begon te lachen. Mahnaz grinnikte voorzichtig mee en maakte zich uit de voeten naar de keuken. Samir giechelde. Yasin vleide zich tegen de rugleuning van de bank. Boven zijn ogen was de rimpel weer verschenen.

*

Farima trok zich terug in het donker van een kleine steeg tegenover een theehuis waar een paar Russisch sprekende mannen aan een buitentafel zaten. Ze trok haar overkleed dichter om zich heen. Het was koud geworden. De mannen dronken wodka uit een fles die ze in het midden van de tafel naast hun theeglaasjes hadden gezet. Farima luisterde naar het gesprek dat zoals te verwachten was over voetbal ging, en over vrouwen. Grof en ongemanierd. Ze vond het vreselijk dat haar land de laatste tijd weer door Russen overspoeld werd. Anders dan vroeger, toen ze als moordende militairen kwamen, kwamen ze nu kopen en verkopen, alsof er al die jaren geleden niets was gebeurd. Ze dacht aan de laagovervliegende gillende monsters van haar jeugd, de vliegtuigen die de dood hadden gebracht aan haar tante en haar drie kinderen, een neefje en twee nichtjes. En toen de Russen eindelijk verdreven waren was het niet veel beter geworden, want na hen waren er geloofsgenoten gekomen die ze zo mogelijk nog erger had gevonden omdat je om te overleven net moest doen alsof je het met ze eens was. Daarna kwamen er buitenlanders, overal vandaan, Amerikanen, Europeanen. Het moorden was doorgegaan, van alle kanten, door iedereen. En nu waren er weer landgenoten die zeiden dat ze de baas waren, maar in de praktijk was niemand de baas. Er waren alleen fanatieke mannen, waar ze ook vandaan kwamen. Mannen hielden van de dood, om de een of andere reden. Het liefst zagen ze het bloedige eind van een ander, maar als het moest waren ze ook bereid zelf glorieus te sterven.

De drie Russen waren gaan staan. Ze omarmden elkaar en verdwenen naar binnen. Vijf minuten later kwam de eerste weer naar buiten. Farima liet hem gaan. Toen kwam de tweede, de stilste van de drie. Hij liep naar een vrachtauto waarop vier gebutste containers stonden en opende het portier met een sleutel. Op het moment dat hij zijn voet op de treeplank zette werd hij op zijn rug getikt. Hij keek om en zag een vrouw in een lichtblauw gewaad. Haar haren waren weggestopt onder een hoofddoek. Ze maakte een onzekere timide indruk.

'Wat wil je?'

Hij probeerde haar taal te spreken, maar zij antwoordde in vloeiend Russisch.

'Er is daar iemand die vroeg waar u was...', ze wees naar het theehuis, '... een landgenoot van u.'

Ze draaide zich om en liep naar de achterkant van de vrachtauto. Toen ze zag dat de Rus terugliep naar het theehuis sprintte ze naar voren, greep de deurklink en constateerde opgelucht dat hij het portier niet op slot had gedaan. Binnen twee seconden lag ze op de slaapbank achter de bestuurdersstoel. Het bonken van haar hart nam langzaam af. Ze pakte een pistool uit haar zadeltas en wachtte. Niet lang daarna ging de deur open. Ze hoorde zacht Russisch gevloek. Toen reden ze weg.

*

Samir had eerst nieuwsgierig toegekeken hoe Ludde steun had gezocht tegen de muur, in elkaar was gezakt en half op het matras terecht was gekomen, waarna hij zich had gebukt en het lichaam recht had gelegd. Daarna had hij Luddes zakken leeggehaald, had een deken over de zwaar ademende man gegooid, was de gang opgelopen en had de deur achter zich op slot gedraaid.

*

De Rus zette zijn truck aan de kant.
'Wat wilt u van me?'
De vrouw achter hem kwam verward overeind, maar ze had wel de tegenwoordigheid van geest om haar pistool te ontgrendelen.
'Ik wil de grens over.'
'Zijn uw papieren in orde?'
Ze knikte, maar realiseerde zich toen dat hij dat in het donker niet kon zien.
'Ja.'
'Vervalst?'
'Ja.'
'Turkmeens?'
'Ja.'
'Hebt u geld?'
'Genoeg.'
'Hoe heet u?'
'Farima.'
'Ik wil betaald worden voor dit soort klussen. Zo niet, dan kunt u hier uitstappen', hij keek haar in de spiegel aan, 'tweeduizend euro. Plus datgene wat zij daar vragen.'
Hij wees in de richting van de douanepost.
Ze knikte.
De Rus startte en reed de weg op.
'Hoe wist u dat ik hier was?'
'Ik ben niet gek. U bent niet de eerste, en vast ook niet de laatste, al-

43

hoewel ik moet toegeven dat u de eerste vrouw bent.'

'Hebt u ervaring met de grenswachten?'

'Als u ze betaalt werken ze normaal gesproken wel mee. Het zou ook helpen als u er wat minder Afghaans uit zou zien. Ze laten niet graag hun eigen vrouwen vluchten.'

Terwijl de vrachtwagen langzaam verder reed ontdeed Farima zich van haar hoofddoek en haar overkleed. De Rus keek geïnteresseerd toe.

'Je ziet niet elke dag een mooie vrouw tevoorschijn komen uit een boerka.'

'Dit is geen boerka.'

Ze streek haar haren naar achteren.

'Wat dan ook.'

De Rus reed nu nog langzamer. Farima stopte haar pistool achter haar broekband en kroop op de voorbank.

'Hoe zit dat met het geld?'

Ze bukte zich, pakte haar zadeltas en haalde er een portefeuille uit.

'De helft nu, de helft in Turkmenistan, in Mary, daar komt u toch langs?'

De Rus stopte het geld in de binnenzak van zijn goedkope namaakleren jack. Hij remde af. Onder de gele lampen bij de grens stonden drie vrachtwagens. Bij de slagboom zag Farima twee mannen in uniform, beiden met een geweer op de rug en een pistool in een zijholster. De chauffeur van de eerste vrachtauto liet een aantal papieren zien en reed door. De Rus trok op. De vrachtwagen voor hen werd naar een aparte plek gedirigeerd.

Een paar minuten later stopten ze voor de slagboom. Een militair in een verschoten groen uniform stak zijn hand uit.

Farima zag hoe de Rus een briefje van honderd euro tussen zijn en haar papieren deed. De soldaat pakte ze aan en begon erdoorheen te bladeren. Hij stopte toen hij het bankbiljet zag, keek naar zijn collega, liep naar achteren en begon op de containers te bonzen. Ze klonken hol. Daarna kwam hij terug en wees nogal overdreven op de bovenste regel van een gele doorslag met onduidelijk kleine lettertjes. De Rus pakte het document aan en bekeek het ingespannen. Daarna gaf hij het terug met een geeloranje biljet eronder. De militair deed een stapje terug. De slagboom ging open.

*

Borman stond achter een vrachtwagen zonder wielen. Zijn metgezel was langs een aantal geparkeerde auto's gelopen en was de garage binnengegaan. Borman pakte zijn zendertje. Na een tijdje waarin hij vooral geluisterd had verbrak hij de verbinding en liep naar een kraampje waar ze leren hoeden verkochten.

Een dikke man in de Amerikaanse ambassade van Kabul draaide zich om naar zijn secretaresse die naast hem zat.

'Borman zegt dat alles goed verloopt.'

'Weet hij dat de Nederlanders ook plannen met haar hebben?'

'Nee. Plannen van Nederlanders doen er voor hem niet toe. En voor ons ook niet trouwens.'

*

Ludde kwam langzaam weer bij bewustzijn. Hij deed zijn ogen open, maar het bleef donker. Zijn hoofd barstte van de pijn. Hij voelde om zich heen, constateerde dat hij op een matras op de vloer lag en kwam voorzichtig overeind. Hij probeerde het bonken in zijn hoofd te negeren, zette zijn voeten op de vloer en stond langzaam op. Met zijn rechterhand steunend tegen de muur deed hij drie stappen. Hij kwam bij een hoek. Hij tastte naar links en voelde dikke gordijnen met daarachter ongetwijfeld een raam, daarna kwam weer een stukje muur en weer een hoek naar links. Vijf stappen, een deur, nog twee stappen, een hoek, een muur en het matras. Hij schuifelde door naar het raam en liet zijn vingers langs de randen van het gordijn glijden. In het midden ontstond een spleet waar een streep diffuus licht doorheen kwam. Hij hoorde de stem van Yasin gevolgd door een spottend lachje van Mahnaz, liep langs de deur naar de achtermuur en legde zijn oor tegen het behang. Hij hoorde gemompel, zo te horen van Samir. Weer de stem van Yasin, deze keer duidelijk, alsof er ergens een deur was opengegaan.

'Je draagt je hoofddoek zolang Samir en Ludde Menkema hier zijn. Als we ons niet aan de regels houden heeft wat we hier doen ook geen zin.'

Ook Mahnaz was nu goed verstaanbaar. Ludde realiseerde zich dat ze op de gang voor zijn deur stonden.

'Jij bent mijn baas niet.'

'Dat ben ik wel. Ik ben je broer. Samir is een man, dus je moet je haar bedekken.'

'Ach hou toch op, we kennen hem al sinds we in dit land wonen.'

'Toen waren we kinderen, nu niet meer. Je moet zorgen dat hij respect voor je heeft. En als Menkema je kan zien moet het helemaal.'

Ludde stelde zich voor hoe Mahnaz onverschillig haar schouders ophaalde en hij was dan ook verbaasd toen hij Yasin even later tevreden hoorde zeggen dat dit veel beter was. Klaarblijkelijk had ze toegegeven. Ludde liet zich op het matras zakken. Hij probeerde zich te herinneren wat er was gebeurd. Mahnaz had hem koffie gegeven, zo natuurlijk alsof hij bij haar op bezoek was. Hij had geen spoor van schaamte bij haar gezien, eerder de tevredenheid van iemand die een moeilijke opdracht zonder moeite aan het uitvoeren is. Even later was hij misselijk geworden. Hij was gaan staan. De wereld om hem heen was gaan draaien en toen hij een stap opzij had willen doen om zijn evenwicht te herstellen was hij gevallen omdat hij was vergeten dat zijn veters aan elkaar waren gebonden. Hij herinnerde zich dat Samir zijn schoenen had losgemaakt en hem had opgetild. Op de een of andere manier was hij daarna op dit matras terechtgekomen.

Hij bewoog zijn hoofd voorzichtig van links naar rechts, maar zijn hersenen leken die beweging niet te kunnen volgen zodat in zijn schedel hetzelfde schurende katergevoel ontstond dat hij vroeger zo vaak van de drank had gehad. Hij stak zijn rechterhand in zijn broekzak op zoek naar zijn tasker, maar zijn broekzakken waren leeg. Hij draaide zich op zijn rug. De pijn vlak boven zijn ogen pulseerde mee met elke beweging. Een aanval van misselijkheid trok op uit zijn maag maar ging weer over. Mahnaz danste voor zijn ogen. Ze had hem meegelokt, maar hij had geen idee waarom. Het gedoe onderweg was show geweest. Toneelspel. Zijn schouderbladen trokken in een spastische beweging naar elkaar toe, wat hem een nieuwe pijnscheut opleverde.

Toen besloot hij een les van Henk in de praktijk te brengen. Hij stond moeizaam op en liep naar de deur. Daar wachtte hij tot de pijn in zijn hoofd was afgezakt.

Les één van Henk, neem je lot in eigen handen, dacht hij.

Je moet niet afwachten totdat er iets met jou gebeurt, je moet zelf zorgen dat er actie komt, zoveel mogelijk onder je eigen voorwaarden. Hij begon te schreeuwen, maar hield daar praktisch onmiddellijk weer mee op omdat zijn hoofd bijna explodeerde. Hij hoorde geen reactie. Hij begon op de deur te bonken. Ritmisch. Het SOS. De deur ging open.

'Er is hier niemand die je kan horen.'

In de deuropening verscheen Samir. Achter hem hing een peertje dat een fel licht verspreidde. Hij had het pistool in zijn hand. Ludde bedekte zijn ogen met zijn beide handen omdat zijn hoofdpijn ondraaglijk werd.

'Jij hoort me toch?'

'Wat wil je.'

'Weten waarom ik hier ben, en iets te drinken. En plassen, als dat hier ergens kan. En paracetamol graag.'

Samir knikte, deed een stap achteruit en wenkte met het pistool. Ludde liep de gang in en zag aan de overkant de matglazen deur van een badkamer. Samir volgde hem naar binnen en posteerde zich achter hem. Hij was zenuwachtig.

'Was het nodig om me te drogeren?'

Ludde keek via de spiegel naar de jongen.

'Ja. We moesten je onderzoeken, en dan is het handig als je bewusteloos bent. Je bent maar een halfuurtje weggeweest, dus zo veel stelde het niet voor.'

'Onderzoeken?'

'Kijken wat je bij je had. Je tasker. Je horloge. Een wapen misschien.'

Hij liet de loop van het pistool nonchalant rondjes draaien, een nonchalance die voor Ludde normaal gesproken een uitnodiging zou zijn geweest om aan te vallen. Maar hij voelde zich er niet toe in staat.

'Is er hier paracetamol?'

'In het kastje.'

Ludde opende het glazen deurtje boven de wastafel. Tot zijn verbazing zag hij naast een rood doosje met paracetamol het merk scheerschuim dat hij altijd gebruikte, samen met de bijbehorende mesjes. Zijn merk tandpasta lag er ook. En een tandenborstel.

Ludde drukte drie pijnstillers uit de strip en werkte ze met een glas water naar binnen.

'Die tandenborstel is te hard, zei hij, 'en ik wil graag tandenragers. Dikte vijf tot zeven.'

'Dat soort uitgaven heeft voor jou geen zin meer.'

De stem van Yasin klonk vanachter de deur. Samir deed een stap opzij. Yasin kwam recht op Ludde af en sloeg hem zonder enige waarschuwing met de rug van zijn hand op zijn mond met een vanzelfsprekendheid alsof hij dat dagelijks deed, alsof hij een ritueel uitvoerde. Toen deed hij een stap terug. Hij droeg een djellaba. Deze keer liet de misselijkheid zich niet meer onder controle houden. Ludde boog zich over de toiletpot en kotste. Een zurige lucht walmde op. In de rode drab dreven witte puntjes van de net ingenomen paracetamol. Ludde trok door, slikte de tranen weg die uit zijn ogen waren gesprongen, draaide zich om en opende de kraan boven de wastafel. Hij voelde zich beter nu zijn maag leeg was.

'Dat was om te laten zien dat het niet de bedoeling is dat je hier herrie maakt.'

'Logisch dat ik ziek word als jullie me volstoppen met verdovende middelen.'

'Inderdaad. Maar daarom hoef je nog niet op de deuren te bonzen. Als je weer zoiets doet kun je meer van dit verwachten.'

Yasin tilde zijn hand op. Ludde deinsde achteruit zonder dat hij dat wilde, wat hem woedend maakte. Hij probeerde Yasin strak aan te kijken, maar dat mislukte op de een of andere manier omdat hij werd afgeleid door de verschillend gekleurde ogen die hem de indruk gaven met twee verschillende persoonlijkheden te maken te hebben. Hij keek weer in de spiegel en beloofde zichzelf dat hij Yasin ooit op dezelfde manier terug zou slaan.

*

De Rus stuurde zijn vrachtauto de brug op. De vlag van de UN-post hing nauwelijks zichtbaar buiten de lichtcirkel van een enkele lamp te wapperen aan de houten vlaggenmast.

'Moeten deze ook worden omgekocht?

De Rus schudde zijn hoofd.

'Die er nu staan niet, sommige anderen wel, dat ligt eraan uit welk land ze komen. De UN let eigenlijk alleen maar op drugs en terroristen. Alsof de terroristen hierlangs komen en ik hier de brug over ga met opium, de idioten. Je kunt deze rivier op tientallen plaatsen ongezien en ongemerkt oversteken. Maakt u zich geen zorgen. Ze laten u rustig gaan, ook al vermoeden ze misschien dat u op de vlucht bent. Dat vinden ze wel mooi juist, denk ik.'

Hij spuugde uit het raam waarna hij enigszins schuldbewust keek.

'Sorry. De Turkmenen aan de overkant zitten net zo in elkaar als hun Afghaanse collega's. Als we ze geld toestoppen kijken ze wel de andere kant op. Turkmenen zijn praktische mensen, zeker als het om hun inkomen gaat, wat overigens ook voor mij geldt. Ik zet u in Gurghy af, vijf kilometer na de brug. Voor vijfhonderd extra kunt u meerijden naar Mary.'

Hij pakte een wodkafles die onder zijn stoel lag.

'U maakt misbruik van mijn situatie.'

De Rus schokschouderde.

'U hebt meer geld dan ik zo te zien. En ik loop ook risico.'

'Goed.'

Een soldaat met een blauwe helm op zijn hoofd en een automatisch wapen aan een draagriem over zijn schouder liep op de vrachtauto af. Een tweetal collega's stond een paar meter verderop. Zij hadden hun wapen op de voorruit gericht. De Rus deed het raampje naar beneden en stak met zijn linkerhand een stapeltje papieren naar buiten. Met zijn rechterhand zette hij de wodkafles aan zijn mond.

'Ze verwachten een dronken Rus, dus krijgen ze een dronken Rus', zei hij zijdelings tegen Farima, 'mensen zien graag wat ze van tevoren verwachten, dan denken ze dat ze zichzelf kunnen vertrouwen.'

De soldaat bladerde de papieren door en keek toen vragend naar Farima.

Ze boog onderdanig haar hoofd.

'Op weg waarheen?'

Hij stelde zijn vraag in een gemaakt gebrekkig Engels, kennelijk in de verwachting dat ze dat beter zou verstaan.

'Familiebezoek.'

Hij bleef haar onderzoekend aankijken terwijl hij met zijn duim door de papieren bladerde.

Ze sloeg haar ogen neer en slaagde erin te blozen.

Hij bladerde verder en kwam toen tot een besluit.

'Uitstappen alstublieft. Allebei.'

Hij deed een stap terug. De Rus begon te protesteren, maar de soldaat deed alsof hij hem niet hoorde. Een collega kwam dichterbij. Farima stapte uit. De soldaat verdween in het kleine aan de buitenkant van de brugleuning bevestigde gebouwtje.

De tweede soldaat liep met de Rus naar de achterkant van de vrachtwagen. Farima liep naar de brugleuning maar werd tegengehouden door een kort bevel van de derde soldaat. De loop van zijn wapen was op haar buik gericht.

Uit het gebouwtje klonk de stem van de soldaat die luidkeels een gesprek door een telefoon voerde. Vanachter de vrachtauto klonk een bulderend gelach. De Rus kwam tevoorschijn terwijl hij zijn bewaker uitbundig op zijn schouders sloeg. Intussen knipoogde hij naar Farima die terug was gelopen naar de cabine. De soldaat kwam uit het gebouwtje en liep met haar papieren in zijn hand op haar toe. Hij glimlachte.

'U kunt gaan.'

Farima knikte alsof ze niet anders had verwacht en klom op haar zitplaats. Toen even later ook de Rus de cabine binnenkwam richtte ze haar aandacht op de groen-rode vlaggen aan het eind van de brug. Turkmenistan.

*

49

In Kabul werd het bericht dat Farima Faghiri de UN-post was gepasseerd met voldoening door de dikke blanke man aangehoord. Het bericht werd doorgestuurd naar Borman die net met zijn Afghaanse metgezel in een huurauto met een open laadbak was gaan zitten, maar hij las het pas een uur later toen hij bij de grenspost van de UN even alleen in de cabine zat. Hij glimlachte tevreden.

*

De hemel boven Rotterdam was gevuld met voortjagende Rembrandteske wolken. Yasin liep over de Erasmusbrug. Hij zag het rode gebouw van het gerechtshof op het ene moment hel verlicht in de zon liggen, en het volgende moment verdwijnen in de schaduw van een wolk, waardoor het een afstotende steenklomp werd. Toen Yasin dichterbij kwam kon hij opeens niet verder omdat de ruimte voor het gebouw was afgezet met dranghekken. Hij legde zijn handen op het metaal en keek rond. Bij het gebouw stonden busjes van allerlei televisiemaatschappijen, getooid met kleurige logo's en imposant uitziende schotels. CNN was er ook. Een agent aan de andere kant van het hek slenterde op hem af. Yasin wachtte tot hij vlak in de buurt was, draaide zich om en liep langzaam naar de metro-ingang. De zon weerkaatste fel in de ramen van de glazen pui, wat hem een prettig gevoel gaf, alsof hij toestemming kreeg datgene te doen wat hij van plan was te gaan doen. Hij keek om. De agent had zijn aandacht alweer op iets anders gericht. Yasin bestudeerde de omgeving, knikte een paar keer, ging de metro binnen, nam de roltrap naar beneden en reed in de richting van het Centraal Station.

'Waar is Yasin?'

Samir en Mahnaz zaten aan de tafel. Mahnaz had haar hoofddoek afgedaan. Ludde zat op de bank. Zijn enkels zaten aan elkaar vast.

'Dat gaat je niets aan.'

Het was Samir die antwoordde. Voor hem op de tafel stonden een aantal kleurige poppetjes die Ludde herkende als figuren uit World of Warcraft.

'Weet je nog dat je zei dat hier in Rotterdam over een paar dagen een rechtszaak is?', Mahnaz had duidelijk minder moeite om met hem te praten, 'je had het daarover toen we bij die vriend van jou waren.'

'De beroepszaak tegen Al Hussaini.'

Samir schoof een poppetje naar voren.

'De man die door jouw schuld vastzit.'

Ludde trok zijn benen naar zich toe. Zijn voeten waren koud.

'De man die mij probeerde te vermoorden, bedoel je, wat niet lukte omdat hij niets van de Waddenzee wist. Kun je mijn enkels wat losser maken, mijn voeten sterven af.'

'Dat heeft Yasin verboden.'

'En wat Yasin verbiedt zal niet gebeuren. Ik zou mijn hoofddoekje maar weer omdoen als ik jou was, je bent hier met twee vreemde mannen.'

Mahnaz kreeg een blos op haar wangen, maar verwaardigde zich niet hem te antwoorden.

'Houden jullie me vast in verband met Al Hussaini? Ik heb niets met die rechtszaak te maken, ik ben geen getuige of zo.'

'Dat kom je nog wel te weten. Wij zeggen niks.'

'Nee, ik weet het, dat mag niet van Yasin. Ik snap niet dat jullie je zo op de kop laten zitten. Jullie wonen in een vrij land, wist je dat?'

'Dit land is helemaal niet vrij, voor ons niet.'

Samir was gaan staan.

'Hoezo voor jullie niet?'

'Weet je hoeveel Marokkaanse werklozen er zijn?'

'Ik dacht dat dat wel meeviel tegenwoordig.'

'Ja, de klotebaantjes, die hebben we wel.'

'Dat valt best mee. Als je goed bent opgeleid kun je overal terecht. Dus ik zou mijn school maar afmaken in plaats van terroristje te spelen.'

'Wij zijn geen terroristen, wij zijn vrijheidsstrijders. Assesijnen.'

'Ja, zo zie je er echt uit met die grote pupillen van je. En hoe pas ik in jullie vrijheidsstrijd?'

'We gaan je veroordelen voor je misdaden.'

Ludde keek ongelovig naar Mahnaz die de laatste zin wat hoogdravend had uitgesproken.

'Is het een misdaad om je te verdedigen tegen iemand die je wil vermoorden?'

'Het gaat niet om Al Hussaini. Het gaat om iets anders. Yasin vertelt je dat wel zodra hij dat wil.'

Ze hoorden de deur beneden opengaan.

'Daar zal je hem hebben.'

Mahnaz pakte haar hoofddoek en sloeg die losjes om haar haren. Yasin kwam binnen en ging naast Mahnaz aan de tafel zitten.

'We zijn hier niet in Pakistan', hij keek naar zijn zus, 'die Butthodracht slaat nergens op.'

Mahnaz ging staan en liep naar de keuken. Onderweg trok ze haar hoofddoek vaster om haar hoofd.

'Buttho?'

Ludde keek naar Yasin die zo te zien in een goede bui was.

'Genoemd naar Benazir Buttho, die had zogenaamd een hoofddoek om, maar dat was meer een loswapperend doorzichtig sluiertje.'

'Die is toch al jaren dood?'

'Ja, maar het heet nog steeds zo, het betekent dat je doet alsof je je aan de regels houdt, maar dat intussen niet doet.'

Ludde strekte zijn benen in een poging meer bloed in zijn voeten te laten stromen.

'Ik begreep dat jij mij kan vertellen waarom jullie me hier vasthouden. Iets met een misdaad of zoiets begreep ik.'

Yasin verzette een van Samirs poppetjes voor hij antwoordde.

'Dat komt nog wel. Is er iets met je benen?'

'Mijn voeten krijgen geen bloed.'

Yasin stak zijn hand in zijn binnenzak, haalde het pistool tevoorschijn en richtte dat op Ludde.

'Samir, maak zijn enkels los.'

*

De Turkmenen aan de grens hadden het geld aangenomen met de vanzelfsprekendheid van mensen die weten dat ze tussen de maalstenen van de wereldgebeurtenissen totaal betekenisloos zijn, zodat het raadzaam voor ze is om de graankorrels die tussen die maalstenen door vallen zonder vragen op te rapen. De Rus bestuurde zijn vrachtwagen met een aangename kalmte. Farima schatte hem op een jaar of dertig. Te jong om mee te hebben kunnen doen aan het vermoorden van haar jeugd.

'Waar gaat de reis echt naar toe?'

De Rus keek opzij. Zo te zien had hij zin in een praatje.

'Ik ga op familiebezoek.'

Hij knikte bedachtzaam.

'Een alleen reizende Afghaanse vrouw gaat op familiebezoek. Gekleed in dan weer een djellaba of zoiets, dan weer een spijkerbroek…', ze stak haar hand op in een poging hem te stoppen, maar hij ging door. Zijn stem klonk nu spottend, '…met valse papieren, spreekt Russisch, Engels…', hij zweeg nu uit zichzelf, aarzelend voor hij verderging, waarna hij haar recht in de ogen keek, '…en ze stikt in het geld.'

Farima voelde haar hart overslaan. De Rus wilde zo te zien toch iets meer dan alleen maar een praatje.

'Hoezo, stikt in het geld.'

Hij lachte schamper.

'Je betaalt alles zonder blikken of blozen, je onderhandelt niet. Geld maakt je dus niet uit. Als geld je niet uitmaakt heb je genoeg.'

Farima keek geschrokken uit het raam. Ze had er niet op gerekend dat de Rus gevaarlijk zou kunnen zijn.

'Je neemt veel risico als je als vrouw alleen met zoveel geld rond rijdt.'

De Rus schakelde terug om vaart te minderen voor een met een stel ossen bespannen tweewielige kar die voor hen over het asfalt voortsukkelde. Farima boog zich voorover, pakte de zadeltas die tussen haar benen stond en haalde haar pistool tevoorschijn.

'Sommige Afghaanse vrouwen kunnen uitstekend voor zichzelf zorgen', antwoordde ze, 'dat hebben ze wel geleerd de afgelopen jaren.'

Ze zette zich schrap tegen de deur, bedacht op een aanval.

'Word je achterna gezeten?'

Ze schudde haar hoofd.

'Je hoeft voor mij niet bang te zijn.'

'Zo'n opmerking heeft geen enkel nut.'

Hij liet zijn schampere lachje weer horen.

'Nee, inderdaad.'

Na een tijdje legde Farima het pistool in haar schoot.

Een kleine twintig kilometer achter de vrachtauto van de Rus overhandigde Borman twee biljetten van honderd euro aan de Turkmeense douanebeambte, die onbewogen probeerde te blijven kijken om de schijn op te houden dat hij een betrouwbaar ambtenaar was, maar toch niet kon verbergen dat hij zijn geluk niet op kon omdat hij binnen een uur een jaarsalaris had verdiend.

'Ze kunnen op zijn hoogst een half uur vooruit zijn.'

Borman duwde zijn leren hoed achter op zijn hoofd en stapte de cabine van de auto met de open laadbak in die al reed voordat het portier dicht was.

*

Ludde zat op het matras. Zijn enkels waren losjes met elkaar verbonden door een stuk tape, maar zijn polsen zaten stevig aan elkaar vast. Mahnaz stond voor hem met een kopje in haar hand.

'Hier heb je thee.'

Ludde schoof zichzelf omhoog tegen de muur en stak zijn polsen uit.

'Aardig. Thee geven aan iemand die vastzit.'

'Je kunt je vingers toch bewegen?'

Mahnaz draaide zich om en deed de deur achter zich dicht. Ludde stond moeizaam op, schuifelde naar het raam, trok het gordijn weg en legde zijn voorhoofd tegen het glas. Het raam keek uit op een binnenplaats met blinde muren. Uit een voeg hing een plantje waarvan de meeste bladeren verdord waren. Hij probeerde de grond te zien. Een meter of vijf. Te overbruggen met een laken en een sprong. Desnoods zonder laken. Hij keek rond op zoek naar gereedschap of iets dat als gereedschap kon dienen, maar de kamer was op het matras na leeg. Hij zette zijn schouder tegen het glas en duwde. Er zat nauwelijks beweging in. Hij schuifelde terug, knielde voor de kop thee en boog zich voorover. Niets verdachts te ruiken. Toen hij zijn handen met het kopje omhoog bracht stroomden er tranen uit zijn ogen. Hij wachtte tot het huilen ophield, dronk zijn thee, liet zich omvallen en dommelde weg.

Yasin kwam Luddes slaapkamer binnen. Hij zakte door zijn knieën en controleerde de tape rond Luddes enkels en polsen. Daarna bestudeerde hij het slapende gezicht dat er grauw en ongezond uitzag. Toen zag hij sporen van tranen op Luddes wangen. Hij ging staan en voelde een steek in zijn buikstreek, alsof hij plotseling aan iets belangrijks dacht dat hij vergeten was. Hij rechtte zijn rug, ademde diep in, liep naar de deur en sloot die achter zich af. Toen hij de woonkamer binnenkwam probeerde hij niet te zien dat Samir en Mahnaz hun hoofden van elkaar terugtrokken.

*

Maria keek op van haar computer. Het tuinhekje was opengegaan. Ze streek haar haren achter haar oren toen ze in de aarzelende schaduw op de matglazen tuindeur de schrale gestalte van De Geus herkende. Ze liet hem binnen.

'Dag Henri', zei ze, 'niet aan het werk?'

De Geus ging zitten.

'Verdomd koud vanavond.'

Maria liep naar het aanrecht.

'Een kopje thee misschien? Of iets anders?'

'Een jonge jenever als je dat hebt.'

'Met suiker?'

De Geus knikte waarderend.

Maria zette licht kreunend een hand in haar zij. De Geus reageerde zoals ze had verwacht.

'Ik hoorde dat je zwanger was.'

Maria glimlachte en liep enigszins overdreven schommelend naar een kastje waarin achter een glazen deurtje verschillende drankflessen stonden.

'Wie heeft je dat verteld?'

'Het geruchtencircuit. Ludde is de vader, begrijp ik.'

Maria draaide zich met een fles in haar hand naar hem om.

'Ludde is de zaaddonor. Ludde is niét de vader.'

De Geus stak zijn handen afwerend in de lucht.

'Mij best, hij is niet de vader…', hij aarzelde voor hij zijn zin afmaakte, '…maar hij is toch degene uit wiens materiaal de helft van jouw ongeboren vrucht zal worden opgetrokken.'

Maria zette een fles jenever en een borrelglaasje voor hem neer.

'Absoluut niet', ze liep naar het aanrecht, 'je weet heel goed dat het bouwmateriaal helemaal door mij wordt geleverd. Je moet Ludde zien als de katalysator, hij heeft het proces op gang gebracht zonder er zelf deel aan te nemen.'

De Geus draaide de dop van de fles en pakte de suikerpot van haar aan.

'Je moet het zien zoals je het wilt zien lijkt me.'

'Zo is het. Kom je gewoon op bezoek of heb je een reden?'

'Ik heb een reden.'

'Particulier of beroepsmatig?'

De Geus toostte.

'Op de ongeboren gekatalyseerde.'

'Laat me raden, Ludde zeker.'

'Ludde ja. Ik ga je nu trouwens dingen vertellen waar je niet over mag praten.'

Maria ging zitten en legde haar kin in haar handen.

'Daar hou ik van, kom maar op. Je weet overigens dat Ludde en ik zakelijk uit elkaar zijn?'

'Dat weet ik. Weet jij waar hij is? Ik ben hem kwijt. Ik heb Henk ook al gebeld, maar die nam niet op.'

Maria liet haar hoofd in gespeelde vertwijfeling zakken.

'Vanochtend had ik Werda op bezoek met dezelfde vraag. Ik heb Ludde gisteren nog gesproken in de Wolthoorn, dus ver kan hij niet zijn. Wat is er met hem aan de hand? Problemen?'

De Geus goot de jenever naar binnen en draaide de dop op de fles nadat hij zich een tweede keer had ingeschonken.

'Dat weet ik eigenlijk niet. We moesten hem volgen. Gisteravond raakten we hem kwijt in Friesland. Hij was met een jonge vrouw.'

'Dat is toch niet verboden? Wat voor jonge vrouw?'

'Een jong meisje, een vluchteling, als kind naar Nederland gekomen. Om de een of andere reden heeft ze contact met Ludde gezocht.'

'En daarom moesten jullie hem in de gaten houden?'

'Ja. Opdracht van de afdeling terrorismebestrijding. Vanuit die hoek komen vaker opdrachten zonder dat ze erbij vertellen waarom. Maar we zijn hem dus kwijt.'

'Jullie weten tegenwoordig toch precies waar welke auto is? Voor de kilometerheffing?'

'Nee, dat weten we niet. We zouden het in principe kunnen weten, maar...'

Maria onderbrak hem.

'Als jullie het in principe kunnen weten, dan weten jullie het in het echt ook, tenminste sommigen van jullie.'

'De centrale recherche bedoel je. Zou best kunnen.'

'Waar maak jij je dan druk om? Den Haag neemt het dan toch gewoon over?'

De Geus ging verzitten en schoof zijn lange benen onder de tafel door tot naast Maria's stoel. Hij reageerde niet op wat ze had gezegd.

'Heeft Ludde gisteren iets aan jou verteld over wat hij van plan was?'

Maria schudde haar hoofd.

'Niets. Wat kan Ludde nou te maken hebben met terroristen? Of bedoel je die rechtszaak tegen Al Hussaini? Hé, daar heb je mijn vrouw.'

De Geus draaide zich om. Luma kwam binnen. Haar neus was vuurrood.

'Koud', zei ze, 'je zou niet zeggen dat het al bijna april is.'

'Dat komt door de opwarming van de aarde', zei De Geus, 'daar wordt het steeds kouder van.'

Luma plofte op de stoel naast Maria. De Geus stond op.

'Als je iets te binnen schiet, bel me dan als je wilt.'

Maria keek hem vragend aan.

'Zo serieus zijn ze dus, die zorgen van je.'

Luma klopte op de stoel naast haar.

'Jaag ik je weg of zo? Blijf toch even, dan kun je mee-eten.'

De Geus aarzelde, maar toen Maria uitnodigend de dop van de jene-verfles draaide ging hij weer zitten.

*

De Rus concentreerde zich op de weg. Farima staarde voor zich uit, het donker in. Ze dacht na. Over haar leven, haar dode man. De familie, uitgedund door de oorlog, maar ook door andere ellende, zoals haar buurvrouw die zichzelf in brand had gestoken om te ontsnappen aan haar man. Was dat moord of zelfmoord? Het was geen zegen een vrouw te zijn, soms. Ze werden gepasseerd door een Toyota met een open laadbak, de eerste auto die ze in zeker een half uur hadden gezien. De remlichten gingen even aan. De Rus remde ook. De auto ging sneller rijden en verdween in een bocht.

'Over een uur of twee zijn we in Mary. Daar overnacht ik op een be-veiligde parkeerplaats.'

Farima geeuwde. Ze passeerden een aantal stilstaande onverlichte auto's. Ze had moeite haar ogen open te houden.

'Ik neem een hotel.'

'Die parkeerplaats waar ik overnacht is ver buiten het centrum van Mary. Als je in een hotel wilt zul je vanaf daar een taxi moeten nemen.'

De Rus verstelde zijn buitenspiegel omdat een achterligger hem verblindde en keek weer voor zich. De weg was vlak en goed onder-houden.

'Je kunt wat mij betreft rustig gaan slapen. Ik heb geen kwaad in de zin. Ik ben een eerlijke godvrezende Rus.'

Farima voelde geen enkele aarzeling toen ze haar rug tegen het por-tier vlijde en haar ogen sloot. Ze sliep binnen tien seconden.

*

Ludde werd wakker. Hij hoorde Yasin schreeuwen. Door het raam viel maanlicht naar binnen. Het geluid kwam van de gang.

'Je doet het wel!'

Een stoel of iets dergelijks viel om. Samir riep iets dat bijna angstig klonk. Ludde kwam overeind, maar viel half op zijn zij omdat de tape om zijn enkels en polsen hem tegenhield. De deur vloog open. Yasin stond in de opening.

57

'Meekomen.'

Ludde keek vanuit zijn liggende positie omhoog.

'Ik heb honger. En ik kan niet staan.'

Yasin kwam naar hem toe en begon hem hardhandig omhoog te sleuren. Ludde liet hem begaan tot hij op zijn voeten stond en draaide zijn lichaam toen wankelend een kwartslag naar rechts waardoor het leek alsof hij zou vallen. Yasin probeerde hem met zijn andere hand tegen te houden. Ludde draaide verder, nu niet wankel meer, waardoor hij achter het lichaam van Yasin terechtkwam. Hij zwaaide zijn polsen omhoog, ving Yasins hoofd tussen zijn onderarmen en trok de tape naar zich toe totdat hij de adamsappel voelde. Yasin probeerde zich los te wringen, maar snoerde zijn keel daardoor nog verder dicht. Ludde bracht zijn mond tot vlak bij het oor van de jongen en begon te fluisteren.

'Dit is voor die klap die je me vanmiddag gaf.'

Hij trok. Yasin rochelde. Hij stonk ineens naar zweet. Ludde trok nog harder.

'En dit is omdat je een rotzak bent.'

Yasin liet zich vallen. Ludde werd verrast door het gewicht en viel mee. Samir kwam de kamer binnenrennen.

'Hou op!'

Ludde wurmde zijn armen moeizaam van Yasins hoofd, schoof naar de muur en begon een beetje idioot te lachen, waarbij hij het gevoel kreeg dat hij net zo goed zou kunnen huilen. Yasin kwam half overeind. Hij hield een hand tegen zijn keel waarop rode striemen stonden. Ludde rekte zijn lichaam en trapte. Hij raakte Yasins linkerbeen. Daarna krulde hij zich op om zich te beschermen tegen de wraak die ongetwijfeld zou komen, maar Yasin ging staan, keek naar de man die in foetushouding tegen de muur lag en haalde zijn schouders op. Hij keek naar Samir.

'Kom het is al lang tijd om te bidden. En jij bidt ook. Als we klaar zijn halen we hem op.'

Toen Ludde alleen was begon hij voor de tweede keer binnen een paar uur te huilen, een feit dat hij in zekere zin vol verbazing, maar toch als een afstandelijke waarnemer onderging.

*

De Rus stopte toen hij de poort van de met gaas omheinde parkeerplaats was gepasseerd.

'Daar staan de taxi's.'

Farima pakte haar zadeltas. De Rus keek opzij.

'Weet je zeker dat je niet wordt gevolgd?'

'Hoezo?'

'Het laatste uur heeft er iemand achter ons gereden. Een Toyota. Steeds dezelfde.'

Farima voelde zich zwaar worden tegen de leuning van haar stoel. Haar vingers zochten naar de rits van haar tas. Ze merkte dat ze trilden.

'Weet je dat zeker?'

'Ja. Die auto daar.'

Hij wees naar een auto met een open laadbak die ongeveer vijftig meter voorbij de poort stond, verlicht door de groenige lampen die op regelmatige afstanden bovenop de omheining waren gemonteerd.

'Hij is daar net gestopt.'

Ze deed de rits open en haalde na enig zoeken een portefeuille tevoorschijn die ze met haar linkerhand opende, terwijl ze met haar rechterhand haar pistool vasthield.

'Die is niet meer geladen', de Rus wees naar het pistool waarbij hij van oor tot oor grijnsde, 'je sliep nogal diep. Wil je me gaan betalen?'

Ze boog bevestigend haar hoofd.

'En wat wil je met hun?'

De Rus wees naar de twee mannen die uit de Toyota waren gestapt.

Farima stak hem het geld toe.

'Weet jij iets? Is er nog een andere uitgang?'

'Nee, behalve natuurlijk als je erin slaagt onder het gaas door te kruipen. Maar dat lijkt me niet verstandig, dat staat onder stroom.'

Hij knikte naar de auto.

'Hoeveel heb je ervoor over om in je hotel te komen zonder problemen met die heren daar?', hij knikte weer naar de twee mannen, 'ken je ze?'

Hij rommelde in de deur naast zich en overhandigde haar een verrekijker. Farima keek en gaf de verrekijker bijna onmiddellijk weer terug.

'Moeilijk te zien met dit licht. Maar ik denk dat ik ze wel ken.'

'Komen ze voor jou?'

'Ja. Waar heb je mijn munitie gelaten?'

De Rus pakte een plat doosje uit zijn binnenzak.

'Hier. Zijn ze gevaarlijk?'

'Ja. Die lange man links is van de Afghaanse binnenlandse veiligheidsdienst. Die met die hoed is een Amerikaanse legerinstructeur die in Afghanistan is blijven hangen. Misschien uit zichzelf, misschien op bevel van Washington', ze laadde haar wapen, 'het waren bekenden van mijn man.'

59

'Waren?'

'Mijn man is dood.'

'Waarom volgen ze je?'

'Dat hoef je niet te weten', Farima controleerde haar wapen, 'ik stel het volgende voor. Jij rijdt het terrein op. Dat zullen ze logisch vinden, want je zoekt een parkeerplaats. Na vijf minuten rij je terug met je lichten uit', ze wees schuin achter zich, 'ergens daar stap ik weer bij je in, en zodra ik binnen ben geef jij gas. Het is een meter of veertig naar buiten. Desnoods ga je dwars door het gaas.'

'En waar ben jij in de tussentijd?'

'Ik zorg ervoor dat ze ons niet kunnen volgen. En als dat mislukt ben ik dood. En als het wel lukt ben ik dood zodra ik de volgende keer in Afghanistan kom.'

'Waarmee zou dat risico afgedekt kunnen worden?'

De Rus schoof zijn rug tegen de deur en begon haar te bestuderen.

'Je bent wel een apart geval, jij', zei hij na een tijdje, 'je kunt dat compenseren door me tienduizend euro te geven. Vooraf. Nu.'

'Zesduizend.'

'Tienduizend. Dan kan ik een eigen vrachtwagen kopen. Die zal ik nodig hebben omdat ik me hier nooit meer zal kunnen vertonen.'

'Je zei dat ik moest onderhandelen. Vijfduizend nu. Vierduizend straks. Dat is ook alles wat ik bij me heb.'

De Rus startte de motor en begon te rijden, boog zich toen naar haar toe en gaf haar een hand.

'Deal.'

*

'Hoe is het met je hoofd? Nog steeds pijn van de verdoving?'

'Nee.'

'Nog slaperig?'

'Nee.'

'Dan kunnen we beginnen. Het is een uur of negen, een mooie tijd voor een avondvullend programma.'

Yasin liep naar het scherm aan de muur, schakelde het in, zocht in zijn zak naar zijn mobieltje en legde dat op het tafeltje naast de bank. Buiten was een trein te horen en ergens in de verte klonk gejuich.

Samir ging naast Mahnaz op de bank zitten.

'Je hoort het Spartastadion', zei hij, 'ze moeten tegen Groningen. Özdemir doet ook mee.'

'Özdemir is een Turk.'

Ludde hoorde de geringschattende ondertoon in de stem van Yasin.

'Volgens mij is Özdemir een Nederlander', zei hij, 'ik meen tenminste dat hij in Jong-Oranje speelt', hij keek Yasin recht aan, 'van welk superieur ras ben jij eigenlijk?'

Yasin antwoordde niet. Hij liep terug naar zijn stoel met de afstandsbediening in zijn hand. Ludde zat aan de andere kant, met zijn enkels vastgesnoerd aan de poten van zijn stoel. Het scherm ging aan.

'Wat je nu gaat zien is het resultaat van een test.'

Yasin wendde zich tot Ludde. Hij scheen zich bij voorbaat uitstekend te vermaken. Ludde probeerde zich te ontspannen. Hij voelde zijn ogen branden, alsof ze elk moment vol tranen zouden kunnen schieten. Hij voelde zich verward, alsof hij was vergeten wie of wat er in het centrum van zijn gedachten stond. Op het scherm was een bos te zien.

'Drenthe', verduidelijkte Yasin, 'wil je nog een kopje thee?'

'Ik wil dat je mijn enkels losmaakt, ze doen pijn', antwoordde Ludde, 'en jullie thee is niet betrouwbaar.'

Samir stootte Mahnaz giechelend aan.

'Deze thee is schoon', zei hij, 'we willen dat je vanaf nu helder blijft.'

De camera had een hand en een mobiel in beeld.

'Samirs hand', meldde Yasin, 'we waren met z'n tweeën.'

Samir legde zijn hand op Mahnaz' bovenbeen.

'Nu komt het', zijn wangen waren vuurrood, 'we schrokken ons lam, echt waar.'

'Eerst komt nog die boom', de stem van Yasin klonk nu kortaf, 'en blijf van mijn zus af.'

Ludde zag dat Samir schrok en besloot dat het tijd werd voor een kleine provocatie. Hij wendde zich tot Mahnaz.

'Is dat prettig, zo'n broer die zegt wat je wel en wat je niet mag?'

Yasin draaide zich naar hem om en tilde langzaam zijn hand op, naar het leek bewust beheerst en weloverwogen.

'Je weet dat ik niet bang ben om te slaan.'

'En je weet dat ik niet bang ben om wraak te nemen.'

Mahnaz legde een hand op de arm van haar broer.

'Laat hem toch praten.'

'Zal ik hem vertellen wat er echt gebeurd is in de auto in Friesland?'

Samir keek op. Mahnaz liet zich terugvallen tegen de leuning van de bank.

'Sla hem toch maar.'

Yasin keek haar aan, begon te grijnzen en liet zijn hand weer zakken.

Vanaf het scherm klonk een harde ontploffing. Ludde zag een rookwolk die tussen een groepje bomen door wegwaaide. Even later danste Samir als een idioot over het scherm.

'Het werkt', gilde hij, 'het werkt! Hij doet het.'

Klaarblijkelijk sloeg hij Yasin op zijn schouders, want de beelden werden streperig door de ongecontroleerde bewegingen van de camera.

'Ga aan de kant man, gek', Yasins stem klonk boos maar toch ook even opgewonden als de stem van Samir uit de luidsprekers, 'moet je kijken.'

Er klonk gekraak. De camera richtte zich weer op het groepje bomen. De rook was grotendeels verdwenen. Een boom was scheef tegen zijn buurman gevallen, draaide toen langzaam om zijn as, raakte los en kwam daarna steeds sneller naar beneden totdat hij met een doffe klap op de grond terechtkwam. De beelden stopten.

'Toen hoorden we die auto', verduidelijkte Samir, 'we zijn er als een konijn vandoor gegaan.'

In de keuken klonk het geluid van een klepperend deksel. Mahnaz stond op.

'Ik moet het eten afmaken. En het is niet als een konijn ervandoor gaan, het is als een haas ervandoor gaan.'

*

Toen de vrachtwagen het donkerste gedeelte van de parkeerplaats had bereikt opende Farima het portier en liet zich naar buiten glijden. Ze landde op haar hurken, bleef even zitten en richtte zich toen op. Ze was een kleine honderd meter van de poort. Achter haar verdwenen de rode achterlichten van de vrachtauto. Ze dook in de dekking van een Turkmeense lorrie en sloop langs de zijkant naar voren. In de cabine was het donker. Er snurkte iemand. Ze overbrugde snel de paar meter naar de volgende vrachtwagen, wachtte tot het ritme van haar hart weer normaal was, zakte op haar knieën, haalde haar pistool uit haar broeksband en kroop onder de cabine tot naast de rechtervoorband. Het rook er naar warme olie, teer en diesel. Voorzichtig stak ze haar hoofd naar voren. De auto stond nog steeds op dezelfde plek. De beide mannen waren niet te zien. Ze keek naar de andere kant, in de richting van de poort. De man in het wachthuisje keek televisie. Hij was alleen. Een rat rende langs de omheining. Er waren duizenden kleine geluiden te horen, van insecten, afkoelende motoren, een vaag geronk van een verkeersvliegtuig, maar die geluiden slaagden er samen niet in de stilte te verdrijven. Ze ontspande zich. Ze moest wachten tot ze wist waar haar tegenstanders waren. Het duurde langer dan vijf minuten voor ze een vlammetje zag oplichten en weer doven. Het rode puntje van een sigaret gloeide op, vlak bij de poort, aan de buitenkant. De man in het wachthuisje stond op. Het rode puntje bewoog in zijn richting. Toen zag Farima de Amerikaan. Hij sprak de bewaker aan. Achter de beide mannen dook een tweede gestalte op. De bewaker zakte in elkaar en werd opzij de schaduw in getrokken. De Amerikaan ging het wachthuisje binnen. Hij zette zijn hoed af. De Afghaan liep doelbewust in de richting die de vrachtwagen was gegaan. Farima dook weg aan de andere kant van de band en keek wat hij deed. Toen hij in het donker was verdwenen rende ze gebukt naar rechts, ervoor zorgend om zoveel mogelijk uit het zicht van het wachthuisje te blijven. Ze wachtte even recht tegenover de Toyota en sprintte daarna naar de omheining. Ze liet zich vallen, richtte haar pistool en schoot. De linkervoorband siste en zakte in elkaar. Ze schoot nog een keer. De rechtervoorband explodeerde. Farima sprong op en rende terug naar de dichtstbijzijnde truck, wachtte, oriënteerde zich en rende toen het donkere gedeelte van de parkeerplaats op, biddend dat de Rus zich aan hun afspraak zou houden. In de verte werd geschreeuwd. Ergens voor haar ging in een cabine een lampje aan. Een portier klapte. Het geluid van de natuur viel weg. Ze dook weg achter een containerauto, volgde toen een ingeving en klom naar boven, de vrachtwagen op. Ze hijgde. Ze kon het terrein overzien. De Amerikaan stond bij de poort. Hij stond buiten, rustig zo te zien. Een motor sloeg aan. Er werd weer geschreeuwd, nu duidelijk van links. Toen werd ze verblind door een volle bak licht die uit de hemel leek te komen vallen, grote felle lampen bovenop een rijdende cabine. Een motor raasde, het licht bewoog haar kant op.

Dat is mijn Rus, dacht ze, die woesteling doet het op zijn eigen manier. Ze hoorde hem schakelen. Hij reed in een enorme stofwolk in de richting van de poort. Het licht zwaaide voor hem uit. Farima stond op. Ze keek. Nog één minuut, hooguit, dan zou hij haar op een meter of vijftig passeren. Ze kroop achteruit, nam een aanloop en sprong op het canvas van de vrachtwagen die naast haar stond. Ze rolde door en liet zich op de grond vallen. Nog veertig meter. Ze sprintte. De Amerikaan bij de poort schreeuwde. Hij had haar gezien. Hij schoot. Ze dook onder een tankwagen. Een kogel schampte af op een vuldop aan de zijkant. Het maakte een hard metalig geluid gevolgd door een jankend gefluit. De Rus was nu een meter of twintig van haar vandaan. De Amerikaan schoot nog een keer. De Rus draaide het zoeklicht in zijn richting. Farima begon te sprinten, twee, drie, vijf, tien meter. Toen zag ze de zwarte schaduw van de Afghaan die tegen het portier zat geplakt.

Hij denkt dat ik in de cabine zit, dacht ze, maar hij heeft het mis. Ze verlengde haar passen, omklemde haar pistool, sprong, greep zich vast aan zijn jasje en sloeg in op het gezicht dat zich naar haar had toegedraaid. Zijn vrije hand knelde om haar pols, maar toen ze zich liet vallen moest hij haar laten gaan. Voor ze de grond raakte voelde ze zijn gewicht alweer op zich neerkomen. Ze bleef rollen en merkte dat hij van haar afschoof. Ze trapte zich verder bij hem vandaan en zag toen in een razende rubberstank de twee achterwielen langs haar hoofd schieten. De Afghaan had minder geluk. Ze zag, maar hoorde nog meer, hoe zijn onderbenen onder de banden door gingen. Het kraakte als dor hout. Hij gilde als een kind dat de gruwelijkheid van de eigen pijn niet onder ogen kan zien. Farima kwam zo snel ze kon overeind en rende achter de vrachtwagen aan. Ze hoorde de Amerikaan schieten. De achterste container kwam dichterbij. Ze rende nog sneller. Vlakbij. Nog dichter. Toen klemden haar vingers zich om de klink van de achterste containerdeur. Ze kokhalsde omdat haar keel en neus vol zaten met zand. Onder haar voeten verscheen asfalt. Ze gleed uit, maar hield vast. De slagboom kraakte, een gedeelte ervan sloeg aan de onderkant tegen het chassis en raakte even later haar voet. Bijna liet ze los. De pijn boorde zich in haar lichaam. Ze zag de vlam uit het wapen van de Amerikaan die ze aan haar rechterkant passeerde. De kogel kaatste tegen het metaal naast haar. Hij schreeuwde. En schoot. Farima bad. Haar benen stuiterden over het asfalt. Ze begon te tellen. Twintig tellen, dacht ze, na twintig tellen mag ik loslaten. Het licht van de parkeerplaats verdween achter haar. Toen ze bij de twintig was overtuigde ze zichzelf dat ze het nog vijftien tellen langer vol kon houden. En daarna nog eens vijftien, en nog eens tien. Ze schreeuwde om hulp vlak voor het zwart werd voor haar ogen, maar ze merkte niet meer dat de vrachtwagen remde en stopte. Ze merkte ook niet dat de Rus haar vingers loswrikte van de klink en dat hij haar naar binnen droeg, de cabine in.

Borman had naar de verdwijnende achterlichten van de vrachtwagen gekeken en hij had bewondering gevoeld voor de vrouw die uit alle macht voor haar leven vocht, hoewel hij wist dat dat uiteindelijk tevergeefs zou blijken te zijn. Hij schoot nog een keer in de lucht. Daarna pakte hij zijn zender en zocht contact met zijn superieuren in Kabul. Toen hij was uitgesproken liep hij het parkeerterrein op en ging naar zijn metgezel die bewusteloos in het zand lag. Zijn rechterbeen leek een eigen leven te leiden. Het schokte als de poot van een pas gedode kip.

*

Ludde likte zijn lippen af.

'Dat was lekker.'

Mahnaz boog haar hoofd in een spottende dankbetuiging. Ze was bezig de borden te verzamelen.

'Je galgenmaal', zei Yasin, hij rekte zich uit, 'we gaan de video zo nog een keer bekijken.'

'Eerst koffie.'

Mahnaz liep naar de keuken. Samir liep naar de gang. Ludde probeerde te gaan staan in een poging de bloedsomloop in zijn benen weer op gang te krijgen.

'Wanneer ga je me nou eens eindelijk vertellen waarvoor ik hier ben?'

Yasin kwam overeind. Om zijn mond speelde een klein lachje.

'Alleen al omdat je Nederlander bent ben je verantwoordelijk voor de misdaden van je land in Afghanistan, Irak en Iran', hij duwde met zijn wijsvinger tegen Luddes borst zodat die terugviel in zijn stoel, 'maar we hebben vooral iets tegen jou persoonlijk. Die aanklacht gaan we in een rechtszaak behandelen.'

Ludde keek schaapachtig omhoog.

'Heb je rechten gestudeerd of zo?'

'Ja, een beetje', antwoordde Yasin, 'als keuzevak op school. Maar in dit geval wil ik je eerlijk veroordelen volgens het islamitisch recht.'

'Dat ik mijn leven verdedigd heb tegen een terrorist kan je me toch moeilijk kwalijk nemen.'

'Dat is dan ook geen onderdeel van de aanklacht.'

'Welke aanklacht...', Mahnaz kwam uit de keuken met een dienblad vol koffie en een schaal met koekjes, '...welke aanklacht', probeerde Ludde nog een keer, maar hij werd genegeerd door Yasin die een handvol koekjes en een kopje pakte.

'Waar blijft Samir?'

Mahnaz liep naar de gang. Ze bleef lang weg. Ludde en Yasin zeiden niets meer tegen elkaar. Toen Samir binnenkwam rook Ludde de sigarettenlucht waarin hij een lichte vleug weed meende te herkennen. Hij boog zich naar hem toe.

'Heb je een sigaret voor me?'

Samir keek onzeker naar Yasin.

'Straks mag hij een sigaret in zijn eigen hok. Nu niet, ik wil die stink-zooi hier niet.'

Ludde hoorde agressie in de stem van Samir toen hij antwoordde.

'Je rookt anders zelf ook.'

'Ik rookte', antwoordde Yasin, 'je weet heel goed dat ik gestopt ben.'

'Ja, drie maanden geleden. In de tijd dat je nog gewoon Jan heette.'

Yasin leek boos te worden maar hield zich in.

'Dit soort opmerkingen doet de zaak geen goed', zei hij, 'we gaan door met de video. Maar eerst dit.'

Hij zette een sporttas op de tafel en haalde er een brede leren riem uit waarin aan de binnenkant een aantal rode cilinders te zien waren die onderling waren verbonden door een blauw en een geel draadje.

'Dit zijn vlinderbommen. We kunnen die op afstand laten ontploffen. Kijk maar naar die bomen voor het effect.'

Yasins blauwe oog dat Ludde aankeek leek levenloos, alsof het uit ijswater bestond. Hij gaf de riem aan Samir. Op het scherm was opnieuw het groepje dennenbomen te zien. Daarna kwamen de hand en het mobieltje. Toen richtte de camera zich weer op de bomen. Om het grootste exemplaar zat een riem die identiek was aan de riem die Samir in zijn handen had.

'Nu moet je je voorstellen dat jij die boom bent.'

Mahnaz keek een andere kant op. Samir giechelde nerveus.

De camera had Samirs hand en het mobieltje weer in beeld. Een vinger drukte op een toets, toen kwam de ontploffing, het groepje bomen, de boom die langzaam om zijn as draaide en omviel. Ludde voelde zich misselijk worden. Samirs gegiechel werd een hikkend gelach. Yasin keek nog steeds gebiologeerd naar het scherm hoewel dat intussen zwart was geworden.

'En toen kwam de boswachter.'

Samir ging staan. Zijn armen en benen hadden ruimte nodig om zijn verhaal met gebaren en bewegingen te ondersteunen.

'In een auto, zo'n fourwheeldrive, weet je nog Yasin? En wij als gekken naar onze eigen auto, wegwezen. Hij heeft ons nooit een keer gezien, slippen jongen, door dat bos. Ik ben zeker twee uur bezig geweest om hem weer schoon te krijgen.'

Hij deed alsof hij een hogedrukspuit vasthield. Yasin staarde nog steeds voor zich uit. Mahnaz keek naar de luxaflex.

'Wat bedoel je met dat ik me moet voorstellen dat ik die boom ben?', Ludde vroeg het ogenschijnlijk rustig, maar hij voelde een koude woede in zichzelf opkomen, 'welk zielig kinderplannetje hebben jullie verzonnen?'

Yasin stak een koekje in zijn mond en pakte er nog een paar van de schaal. Mahnaz stond op en liep naar de keuken. Samir, die plotseling rustig was geworden, schraapte zijn keel en keek ongemakkelijk naar Yasin voor hij aan een stotterende uitleg begon.

'Het is nog niet zeker, weet je, eerst komt er een rechtszaak, en pas als we je veroordeeld hebben voeren we het plan uit.'

'Welk plan? Veroordeeld voor wat? Veroordeeld door wie?'

'Door ons.'

'Door jullie? Voor wat?'

Deze keer antwoordde Yasin.

'Voor kindermoord.'

Ludde zakte terug in zijn stoel.

'Voor kindermoord? Waar slaat dat op?'

Yasin ging staan en liep naar de keuken waar Mahnaz bezig was om thee te zetten. Samir keek naar de grond. Plotseling, zonder dat hij daarover had nagedacht, boog Ludde zich voorover en probeerde de tape om zijn enkels los te trekken. Samir deed een halfslachtige poging om hem tegen te houden, maar toen hem dat niet lukte begon hij te schreeuwen. Yasin kwam de keuken uit, greep Ludde bij zijn kraag en trok hem overeind. Ludde ontplofte. Met een heftige beweging trok hij zich los, pakte de schaal met koekjes, en gooide die door de kamer.

'Dat is dus jullie beroemde respect? Hier heb je je respect, en die schaal-vol-koekjes-gastvrijheid van jullie.'

De koekjes kwamen vooral naast en op de bank terecht, maar één raakte het gezicht van Samir, die zenuwachtig begon te giechelen.

Toen Yasin hem sloeg viel Ludde terug in zijn stoel. Er droop bloed over zijn kin, dat even later op zijn broek terechtkwam. Samir keek naar Yasin die met een bleek gezicht naar zijn handen stond te kijken. Mahnaz kwam uit de keuken en begon de koekjes op te ruimen. Ze hoorden een trein.

Ludde probeerde rust in zijn stem te leggen hoewel hij vanbinnen nog steeds kookte. Hij haalde diep adem.

'Jullie zijn dus van plan me ergens op te blazen. Jammer dat ik dan geen maagden krijg daarboven', hij probeerde al het sarcasme in zijn stem te leggen dat hij in zichzelf kon vinden, 'die maagden zijn katholiek, wist je dat? De enige maagden die ze in de hemel hebben zijn nonnen', hij grijnsde op een manier die ook voor hemzelf maniakaal aanvoelde, 'dan hebben die ook nog eens een pleziertje', hij haalde

diep adem en spuugde een klodder bloed op de bijzettafel voor hij verderging, 'dat hebben ze er niet bij verteld hè, dat ze alleen maar oude
katholieke maagden hebben daarboven.'

Mahnaz stond nu naast hem. Ze stak hem een papieren zakdoekje
toe. Hij drukte het tegen zijn lippen. Hij rook een zoetig parfum. Toen
begon hij te huilen. Yasin keek hem geringschattend aan.

'Jij huilt wel erg makkelijk', zei hij, 'wat mij betreft beginnen we zo
met de aanklacht.'

Mahnaz keek hem geschrokken aan.

'Ik wil wachten, tot de anderen komen.'

Ze wilde verdergaan maar Yasin stak zijn hand op. Ludde snoot zijn
neus terwijl hij zijn blik op Mahnaz richtte.

'Weet je wel dat jij, als vrouw, geen maagd krijgt? Want lesbische
liefde kan natuurlijk niet. Jij mag één van die maagden zijn, maar wel de
mooiste en de belangrijkste, wees blij. Ben je trouwens nog wel maagd?
Kijk maar uit als ze er in de hemel achter komen dat dat niet zo is.'

Mahnaz liep naar de bank en ging zitten. De trek om haar mond was
weer hard geworden.

'Hij jankt niet alleen veel, hij lult ook veel.'

Yasin knikte haar waarderend toe.

Vanbuiten klonk het kenmerkende gejuich van publiek in een voetbal-
stadion. Samir stond op en liep naar de luxaflex. Hij keek naar buiten.

'Zullen we zo naar de samenvatting kijken? Ik kan me niet voorstellen dat Groningen van Sparta verliest.'

*

De Rus had moeite om zijn ogen open te houden. Hij keek naar de
vrouw die naast hem was weggezakt tegen het portier. Ze sliep. Ze
werd weliswaar steeds even wakker, als ze zich bewoog en pijn voelde
naar hij aannam, maar viel dan onmiddellijk weer in slaap. Gelukkig
had ze haar voet niet gebroken. Gekneusd en een lelijke wond was zijn
conclusie geweest nadat hij haar had onderzocht.

Ik zou haar ook kunnen dumpen, dacht hij, ergens aan de kant van
de weg, kijken wat er nog meer in die tas van haar zit. Maar dat doe ik
niet. Ik heb een goed karakter, ik ben de barmhartige Samaritaan. Ik heb
vandaag een vrachtwagen verdiend, ik moet tevreden zijn, anders ein-
dig ik net als de visser weer in een oude ketel. Hij richtte zijn blik op het
dashboard, en, na even aarzelend opzij te hebben gekeken om te controleren of de Afghaanse hem niet zou betrappen op zijn misschien niet al

te mannelijke manier van omgaan met zijn vrachtwagen, klopte hij met de toppen van zijn vingers op het instrumentenpaneel.

'Goed gedaan liefje', mompelde hij, 'je ruit is nog heel, je motor doet het nog, nu moet je me nog zo snel mogelijk op de boot zien te brengen.'

De vrouw kreunde maar werd niet wakker. Hij schatte haar op een jaar of veertig. Zwarte krullen die ze eigenlijk onder een hoofddoek hoorde te hebben. Geen doorsneevrouw, dat was duidelijk, niet genoeg respect voor regels, te bedreven met wapens, te veel geld. Ze kreunde weer. Om de een of andere reden kreeg hij daar zin van om thuis te zijn. De mooiste vrouwen woonden in Rusland, zeker in het Zuiden. En hij kende er een paar uit de topcategorie. Hij geeuwde. Hij vroeg zich af of zijn passagier een vrachtwagen zou kunnen besturen, en als ze dat al kon, of haar dat ook zou lukken met die voet van haar. Hij moest slapen, maar hij moest ook zo snel mogelijk naar Turkmenbashi, de boot op, over de Kaspische Zee, naar Bakoe. Weg uit Turkmenistan. Zouden ze achtervolgd worden? In elk geval niet door die twee van de parkeerplaats. Hij had het geluid van de brekende botten gehoord. Hij begon te fluiten. Nog zevenhonderd kilometer. De vrouw naast hem werd wakker. Ze rekte zich uit, strekte haar gewonde voet en zette er gewicht op. Dat ging klaarblijkelijk. Achter haar, door het glas van het raam was te zien hoe de horizon licht werd.

'Waar zijn we?'

'Een stuk voor Asjchabad.'

'Je hebt me dus niet in Mary afgezet.'

'Het is nogal moeilijk een bewusteloze vrouw af te zetten. Het leek me beter om door te rijden. Ik wil zo snel mogelijk dit land uit zijn.'

'Je zult wel moe zijn, moet ik het van je overnemen?'

De Rus knikte.

'Graag. Je rijdt dus verder mee.'

'Ja, ik wil hier ook weg.'

Ze verwisselden van plaats op een uitgestrekte parkeerplaats. Ze startte.

'Is er ook iets dat je niet kunt?'

Ze glimlachte met haar ogen op de spiegel gericht.

'Tot voor kort kon ik geen Rus aardig vinden', haar ogen verlieten de spiegel en richtten zich op hem, 'maar vannacht heb ik dat ook geleerd. Bedankt.'

*

Ludde zat op zijn matras. Voor hem zat Samir op zijn hurken, een houding die hij schijnbaar moeiteloos vol kon houden. Ze rookten beiden een sigaret.

'Dus we wachten.'

'Ja, we wachten op de anderen.'

'Welke anderen?'

'Daar wil ik het niet over hebben.'

Ludde tikte as op een schoteltje dat tussen hen in stond.

'Ben jij zo gelovig dat je ervoor wilt moorden?'

'Daar praat ik ook niet over.'

'Waarom niet?'

'Waarom huil jij zo gemakkelijk? Ben je bang om dood te gaan?'

'Of ik bang ben om dood te gaan? Wat denk je?', Ludde drukte zijn sigaret uit, 'maar dat ik zo gemakkelijk huil heeft daar niets mee te maken, dat snap ik zelf ook niet. Denk je dat jullie mij m'n shag terug zouden kunnen geven?'

'Ik zal het vragen. Mannen huilen niet.'

Samir ging naar de andere kamer en kwam even later terug met het pakje shag.

'Ik moet het wel weer mee terugnemen. Yasin is bang dat je anders brand gaat stichten.'

'Goed gedacht van Yasin', Ludde pakte een vloeitje, 'Yasin is jullie baas hè, of krijgt hij ook weer opdrachten? Van een van die anderen die nog moet komen?'

Samir schudde zijn hoofd.

'We hebben geen bazen', hij gaf Ludde vuur, 'en we gaan je niet zomaar vermoorden, dat gebeurt alleen als de rechtbank je schuldig verklaart.'

'Dat is een hele troost. Die rechtbank zijn jullie drieën en die anderen die nog komen begrijp ik. Ik kan je wel vertellen dat ik heel wat gedaan heb in mijn leven, maar kindermoord zat daar niet bij.'

'Je hoort morgen wel waar het om gaat.'

Ludde had ineens genoeg van het gesprek.

'Rot nu maar op, ik heb je hier niet meer nodig', hij gaf zijn nog brandende sigaret aan Samir, 'je zit me in de weg.'

Samir doofde de sigaretten. Hij giechelde.

'Je bent de hele tijd stoned', constateerde Ludde, 'ik word gevangen gehouden door een hasjverslaafde, een bazige puber en zijn onderdanige zus voor God mag weten welke misdaad.'

Samir rechtte zijn rug.

'Wees blij dat ik dingen voor je doe. Ik ben aangesteld als je advocaat, en heb ervoor gezorgd dat we je vannacht niet vastbinden. We gaan om de beurt de wacht houden. Dat heb je aan mij te danken.'

'Fijn', Ludde probeerde niet al te sarcastisch te klinken, 'fijn dat ik een advocaat heb die bomgordels maakt.'

Samir kleurde, maar er klonk ook trots in zijn stem toen hij antwoordde.

'Hoe weet je dat?'

'Omdat jij zo'n type bent, een intelligent knutselaartje. Je zou tandarts moeten worden', Ludde ging liggen, 'voor de rest lijk je me niet erg nuttig als terrorist. Volgens mij ben je een gewone jongen die een gewoon leven zou moeten leiden. Een meisje met een fleurig hoofddoekje, leuke kinderen, op vakantie in Marokko, een reis naar Mekka. Zoals het nu lijkt ben je over een week of twee óf dood, óf je zit voor de rest van je leven in de gevangenis. Dan ben je misschien voor sommigen drie maanden lang een held, en daarna is iedereen je vergeten, ook je geloofsgenoten, voor zover ze al niet direct de pest aan je hebben.'

Hij sloot zijn ogen.

'Zou je de deur dicht willen doen, het tocht hier.'

's Nachts was Ludde niet in staat zijn dromen en de realiteit uit elkaar te houden. Het werd er niet beter op toen hij opstond. Hij had moeite om zichzelf te vertrouwen omdat hij met een vreemd soort afstandelijkheid constateerde dat er op elk moment, bij elke gedachte, bij elk aardig of onaardig woord tranen in zijn ogen konden springen. Hij voelde zich trillerig, in staat om tegelijkertijd te huilen, om zich heen te slaan en in elkaar te zakken. Hij schuifelde in het donker naar het raam en trok het gordijn naar beneden dat Samir en Yasin weer met punaises hadden vastgezet. Buiten was nog steeds niets anders te zien dan de muren van de binnenplaats. Hij liep terug naar zijn hoek en voelde iets onder zijn voet. Het schoteltje, de asbak. Van het ene op het andere moment voelde hij zich weer normaal. Hij bukte zich, gooide de peuken onder zijn matras, draaide het schoteltje om en ging er met zijn volle gewicht op staan. Het brak. Ludde tastte de stukken aardewerk af, koos een middelgrote scherf met een goede scherpe rand en stopte die in zijn broekzak. De rest legde hij bij de peuken onder het matras. Toen liep hij naar de deur. Een goedkoop exemplaar. Op slot natuurlijk, maar met een goed gerichte aanloop was hij zo op de gang. Maar dan? Er waren twee trappen naar beneden. De buitendeur was stevig, daar kwam hij niet zomaar doorheen. Waar zouden ze slapen? Ze hielden om de beurt de wacht, had

Samir gezegd. Waar bewaarden ze het pistool? Hij moest eerst een echt wapen hebben, besloot hij. Zou er nu iemand wakker zijn? Hij klopte op de deur. Er werd vrijwel onmiddellijk gereageerd. Yasins stem.

'Wat wil je?'

'Plassen.'

De sleutel werd omgedraaid, de deur ging open. Ludde liep naar het toilet. Yasin bleef in de gang met het pistool in zijn hand. Toen Ludde klaar was ging hij voor de spiegel staan en pakte zijn tandenborstel. Terwijl hij poetste bestudeerde hij zijn gezicht. Kleine bloedkorsten bij zijn lippen. Een doorkomende baard. Rode ogen, verward vet haar. Hij spuugde zijn mond leeg en legde de borstel neer. Oude afgeleefde tanden. Hij stonk. Hij opende een laatje in het toiletkastje en bekeek de inhoud. Er lag een oud medicijndoosje, een kam, een stukje ver- bandgaas en al die andere dingen die je bij iedereen in een toiletkastje tegenkomt. Plotseling, vlak voor hij het deurtje weer sloot voelde hij een wolk van blijdschap door zijn lijf trekken. Hij keek verbaasd naar zijn ogen in de spiegel, op zoek naar een verklaring, maar hij had na een mi- nuut nog steeds geen idee waar die ongeremde blijheid vandaan kwam. Hij merkte dat hij neuriede, en lachte een naar zijn eigen gevoel een beetje een idioot lachje. Hij legde zijn handen op zijn knieën, stond op, begon te zingen, deed zijn kleren uit en stapte onder de douche. Yasin bonsde op de deur maar Ludde zong nog harder. Toen hij zich schoon genoeg voelde pakte hij een scheermes.

*

Na een paar uur slapen deed de Rus zijn ogen open. Vlak nadat Farima achter het stuur was gaan zitten had hij nog opgelet, maar hij had al snel gezien dat ze met evenveel gemak reed als hijzelf.

Het was druk geworden. Vrachtvervoer vooral, iets minder perso- nenauto's, veel lokaal traag verkeer. Farima remde af, schakelde terug en passeerde een kar met een paard ervoor.

'Waar heb jij zo leren rijden?'

'Ik ben in een land opgegroeid waar het handig is om dingen te kun- nen.'

'Maar niet voor een vrouw, niet in Afghanistan.'

'Je bedoelt dat vrouwen bij ons dat soort dingen niet kunnen leren', antwoordde ze, 'dat is ook zo, helaas, maar ik ben zo'n type dat het dan toch doet.'

Hij keek haar twijfelend aan.

'Alsof elke vrouw bij jullie dan niet voor ze het weet dood onder een stapel stenen ligt.'

Farima gaf gas.

'Dat valt ook wel mee, dat gebeurt vrijwel nooit, maar het is waar dat ik een bevoorrechte positie had. Wat vervoer je eigenlijk?'

'Opium.'

'Daar zit goeie handel in', zei ze, 'maar het is ook nogal risicovol. Nu even serieus.'

'Ik vervoer voornamelijk lucht. Ik heb op de heenreis voedsel gebracht voor Unicef. Er staan nu dozen met speelgoed achterin.'

'Dat lijkt me een nobele vracht.'

'Het is gewoon werk.'

Hij pakte een tas van zijn slaapplaats, haalde er een appel uit en begon te eten. Farima keek strak voor zich uit maar kon niet voorkomen dat het water haar in haar mond liep. Ze slikte en keek onwillekeurig even opzij. De Rus begon te lachen.

'Ik heb geen manieren, sorry, jij hebt ook honger natuurlijk.'

Ze knikte.

De Rus haalde een sinaasappel en een stuk brood tevoorschijn. Hij legde het brood naast haar in het vak achter de versnellingspook.

'En dorst ook waarschijnlijk.'

Farima knikte weer.

Ze passeerde op volle snelheid een langzaam rijdende personenauto. Uit elk raam staken de koppen van blatende lammetjes. Aan hun linkerhand verrezen halfhoge bergen die er stoffig en geel uitzagen. De Rus stak haar een afgepelde sinaasappel toe.

'Hoe vond je de poort van Asjchabad?'

'Dat enorme witte geval over de weg met dat gouden beeld in het midden?'

Hij knikte.

'Een beetje te groot. Zou jij weer willen rijden?'

'Natuurlijk.'

Farima stuurde naar de kant. De Rus nam het stuur over. Farima bukte zich en pakte drie tabletten paracetamol uit haar tas.

'Pijn?'

'Gaat wel. Ga je naar Bakoe?'

Hij knikte.

'Ik ga in Turkmenbashi op de veerboot.'

'Vind je het goed als ik meega?'

Hij knikte nog een keer.

73

'Ik kan je pas achteraf betalen.'

De Rus reageerde niet.

'Hoe ver is het nog ongeveer?'

'Een uur of vijf.'

Farima slikte de pijnstillers door met behulp van een sinaasappelpartje en maakte het zich gemakkelijk. Naar Turkmenbashi. En dan de zee over. Naar Bakoe.

*

Ludde werd wakker met het gevoel dat er een belangrijke gedachte door zijn hoofd zweefde. Op de muur van het gebouw aan de overkant van het binnenplaatsje scheen vaal maanlicht. Hij stond op. Het was doodstil in huis. Het binnenplaatsje was, zoals hij al eerder had geconstateerd, omringd door hoge muren. Nergens een raam te zien. Een meter of vijf tot aan de grond, maar als hij al beneden zou kunnen komen zat hij daar als een rat in de val. Misschien was er ergens een deur of een raam, maar als dat al zo was kon hij dat vanaf hier niet zien. Hij draaide zich om, liep naar zijn broek, pakte de scherf en probeerde de punt tussen het dubbele glas en het metalen kozijn te steken. Het materiaal lachte hem uit. Hij kraste langs het glas. De punt brak af.

Bij de deur had hij meer succes. Het hout bestond uit geperste vezelplaat en het was niet moeilijk om het slot bloot te leggen. Vier schroeven scheidden hem van de andere kant. Hij vroeg zich af of hij niet beter kon stoppen omdat hij toch niet veel verder dan de gang zou komen, maar hij kon en wilde zichzelf niet tegenhouden. Hij schoof de scherf in de kleine ruimte tussen het slot en het board aan de buitenkant van de deur en wrikte. Het slot bewoog niet, maar er ontstond wel een gat naar buiten.

Eens kijken of ze zo stom zijn, dacht hij.

Hij maakte het gat groter. De sleutel zat in het slot.

'Eerst aankleden'; hij zei het mompelend.

Even later stapte hij de gang op. Van beneden, uit het trapportaal, kwam de geur van weed. De kamer links van hem was schemerdonker. Er klonk zacht gesnurk. Voorzichtig keek hij om de hoek. Yasin lag met zijn kleren aan op de bank te slapen. Rechts was een gesloten deur, ongetwijfeld de slaapplek van Mahnaz. En beneden stond Samir te blowen. Hij keek naar de scherf in zijn hand, voelde er even aan en liep voorzichtig naar Yasin.

Ik kan hem die punt natuurlijk gewoon recht in zijn keel steken, dacht hij, die andere twee krijg ik daarna wel, maar hij wist tegelijkertijd dat hij dat niet zou doen omdat het te veel als moord voelde. In drie vlugge stappen was hij in de keuken. Geen wapen te zien. Hij dacht na. Het pistool lag natuurlijk bij de baas. Bij Yasin dus. Hij bestudeerde de omgeving van het slapende lichaam, maar zag niets, zakte door zijn knieën en keek onder de bank. Ook niets. Onder het kussen dan. Een wapen hoorde onder het kussen te liggen, zoals een huissleutel altijd onder de deurmat ligt. Hij liet zich verder zakken. Yasin draaide zich om, maar het was de trap die kraakte. Ludde had binnen een paar seconden de afstand overbrugd naar de balustrade die het trapgat van de gang scheidde. Hij hurkte en wachtte. Samirs hoofd werd zichtbaar tussen de spijlen. Hij merkte niets totdat Luddes linkerhand zijn zwarte paardenstaart naar zich toe trok. Zijn mond ging open, maar hij kwam niet verder dan wat gerochel omdat zijn gezicht met de zijkant tegen de spijlen werd getrokken.

Ludde zette de scherf vlak onder Samirs rechteroog.

'Je houdt je kop, of je bent blind', zei hij zo zacht mogelijk, 'ga op je knieën zitten, nu.'

Samir kreunde. Ludde duwde de punt verder in het vel. Onder het oog begon het te bloeden.

'Doe wat ik je zeg.'

Ludde trok Samirs staart nog steviger naar zich toe. Samir kreeg tranen in zijn ogen.

'Mannen huilen niet', siste Ludde, 'kniel, schiet op.'

Hij wrikte even met de scherf. Samir bracht zijn rechterhand omhoog en maakte een moeizame stekende beweging met een mes dat hij kennelijk in zijn hand had gehad.

'Nog één centimeter verder en ik snij je oog eruit. Leg neer dat ding. Voor je, op de trap.'

Ludde kerfde even door het wondje. Het mes ging naar beneden. De deur aan de overkant ging open. Ludde keek op.

'Laat hem los.'

Mahnaz leunde tegen de deurpost van haar slaapkamer. Ze had het pistool losjes in haar hand. Ludde zuchtte en ontspande zijn vingers. Samir rolde naar beneden.

'Stom van je', zei Mahnaz, nu zullen we je weer vast moeten binden. Daar zal Yasin blij mee zijn, die was het er toch al niet mee eens.'

'Ja', antwoordde Ludde, 'en hij zal je ook vertellen dat je je zo niet aan een man hoort te vertonen.'

Mahnaz keek even langs haar lichaam, dat ze zo te zien snel in een laken had gewikkeld.

'Nood breekt wet', zei ze, 'en denk nou niet dat meisjes met hoofddoekjes preuts zijn, want dat zijn ze niet.'

*

'Henri de Geus'

De Geus keek op van het dossier dat hij aan het lezen was. Het was vroeg in de ochtend.

'Ik heb iets beters voor je te doen.'

Voor hem stond zijn nieuwe baas. Bazin beter gezegd. Een jonge vrouw. Capabel. Hij mocht haar wel. Ze ging tegenover hem zitten.

'Of ben je op dit moment met iets belangrijks bezig?'

De Geus schudde zijn hoofd, schoof achteruit en zette zijn voeten tegen de rand van zijn bureau. Zijn bazin verzette haar stoel zodat ze niet meer tegen zijn zolen hoefde aan te kijken. Het glimlachje om haar mond irriteerde hem totdat hij zich realiseerde dat die irritatie voortkwam uit het feit dat hij meende te zien dat zij dacht dat hij haar probeerde te provoceren. En dat was niet het geval, hij zat nu eenmaal graag zo.

'Niet echt. Hoewel de mensen die het aangaat dat niet met me eens zullen zijn.'

Hij wees naar het dossier.

'De Mediacentrale. Je weet wel, die directeur en zijn stagiaire.'

'Daar kunnen we wel iemand anders aan laten werken. Ik wil dat je deel gaat uitmaken van een projectteam in het Westen. Utrecht wel te verstaan.'

De Geus liet zijn benen op de grond vallen en boog zich naar haar toe, zijn wijsvinger op haar gezicht gericht.

'Ik ga niet naar het Westen.'

Ze duwde zijn vinger opzij.

'Nooit wijzen', zei ze, 'zeker niet naar je baas. Wil je koffie?'

Ze stond op en liep naar de automaat. Ze zong zacht terwijl ze wachtte tot de machine klaar was.

'Weet je, desnoods dwing ik je met een dienstbevel', zei ze toen ze terugkwam met twee kopjes koffie, 'maar als je eerst eens naar me luistert is dat denk ik niet meer nodig.'

De Geus gromde afwerend.

'De kwestie is als volgt. Ze hebben me om jou persoonlijk gevraagd. Ik heb het dus niet zelf verzonnen...'

De Geus onderbrak haar.

'Wie zijn die "ze"?'

'De centrale recherche, afdeling terrorismebestrijding.'

'Ik heb niets met terroristen, ze kunnen me gestolen worden.'

Zijn chef produceerde plichtmatig een lachje.

'Als dat zou kunnen, graag. Vanaf nu heb je er wel iets mee. Ze zeggen dat je er verstand van hebt. Door je ervaringen in Afghanistan onder andere.'

'Hoezo Afghanistan? Dat is een eeuwigheid geleden.'

'Ik zou het niet weten. In elk geval hebben ze speciaal naar jou gevraagd.'

'Om wat te doen?'

'Je wordt een soort staflid, in je huidige rang met al je bevoegdheden.'

Ze ging staan.

'Je komt op hun kosten in een mooi hotel.'

Bij de deur draaide ze zich om.

'Bovendien nemen ze je personeelslasten van me over, en dat komt verdomd goed uit.'

'Heb ik al "ja" gezegd dan?'

De Geus was ook opgestaan.

'Ik heb een half uur geleden doorgegeven dat je aan het begin van de middag bij ze op de stoep staat, Henri.'

De Geus pakte zijn tasker en stopte die in de zak van zijn colbert.

'Dan zal ik me maar gaan voorbereiden.'

Terwijl hij zijn spullen bij elkaar zocht dacht hij eraan hoe jong hij was geweest in Afghanistan. En hoe naïef.

*

Yasin keek naar Samir die met een bleek gezicht op de bank zat.

'Je bent een eikel.'

Samir staarde naar de vloer. Mahnaz kwam de kamer binnen met vier kopjes thee.

'Als je echt serieus met ons doel bezig zou zijn zou je niet blowen.'

Samir pakte een kopje. Ludde zat naast de bank op de stoel. Zijn enkels en polsen zaten vast. Mahnaz zette een kopje voor hem neer en keek onzeker naar haar broer.

'Hij zal toch iets moeten drinken.'

Toen Yasin niet antwoordde liep ze naar het raam en draaide de luxaflex open. Het eerste licht van de dag sijpelde naar binnen. Ze keek een paar seconden naar buiten, deed een stap opzij, draaide de luxaflex weer dicht en wenkte Yasin. Hij liep naar haar toe, drukte twee lamellen uit elkaar, keek, en leek te schrikken. Samir slurpte aan zijn thee. Onder zijn rechteroog had zich een korstje gevormd. Ludde strekte zijn rug. Yasin begon zachtjes te zingen nadat hij de luxaflex had losgelaten. Mahnaz ging zitten en roerde in haar kopje. Ludde sloot zijn ogen.

*

Borman schoof zijn hoed naar achteren. In het telefoontje bij zijn oor hoorde hij de stem van zijn superieur, maar hij verstond hem niet door de herrie die de startende helikopter maakte; de helikopter waar hij zijn Afghaanse collega even eerder in had getild. Hij moest naar de achterkant van het portiersgebouwtje lopen om te kunnen antwoorden.

'Ze is de grens over gegaan. Ik denk dat ze op weg is naar Bakoe, daar moet in elk geval de Russische vrachtwagen heen waarmee ze reist. Als dat zo is moeten ze de veerboot nemen in Turkmenbashi. Onze Afghaanse vriend is uitgeschakeld.'

Hij luisterde even.

'Dat komt inderdaad goed uit', antwoordde hij toen, 'ik vlieg met hem mee terug naar Kabul. Als je zorgt dat je een goeie man hebt bij de veerboot kun je haar daar gemakkelijk pakken.'

*

Yasin was met Mahnaz op de gang gaan staan, waar ze ongeveer vijf minuten fluisterend met elkaar hadden overlegd, wat Samir niet erg op prijs leek te stellen. Toen ze daarna erg actief werden bleef hij toekijken hoe alles werd opgeruimd, afgewassen en afgestoft. Gladde oppervlakten werden afgenomen. Alle kleren werden ingepakt. De sporttas met aanvalsmateriaal, zoals Yasin de tas waarin ze de bomgordel bewaarden bijna liefkozend noemde werd midden op de tafel voor Ludde neergezet. Een vuilniszak werd gevuld met allerlei kleine dingen waar mogelijk vingerafdrukken op zouden kunnen zitten.

Ludde probeerde anders te gaan zitten.

'Zo te zien gaan jullie weg. Als je wilt dat ik meega dan kun je me beter nu losmaken want het duurt wel even voor mijn bloed weer stroomt.'

'Hij heeft wel gelijk', Mahnaz keek Yasin vragend aan.

'Oké, ik hou hem wel in de gaten', Yasin nestelde zich op de bank met het pistool in zijn hand, 'dan kan ik hem meteen vertellen wat de bedoeling is. Snij hem maar los. Maar doe hem eerst de gordel om.'

Samir pakte de rugzak, maar Yasin hield hem tegen.

'Jij niet, ga jij maar stofzuigen, Mahnaz kan ik tenminste vertrouwen.'

Samir liet de rugzak los.

'Zonder mij had je die gordel niet eens gehad.'

Hij liep mokkend naar de keuken.

Mahnaz kwam met een mes in haar hand naar Ludde toe en sneed de tape om zijn polsen door. Luddes vingers stroomden vol bloed. Hij verbeet de pijn.

'Overeind.'

Yasin maakte als een cowboy een opgaande beweging met de loop van zijn pistool.

'Ik kan niet staan als ik aan de stoelpoten vastzit. Als je nou eerst eens één been losmaakt', Ludde wendde zich tot Mahnaz, 'dan val ik tenminste niet onmiddellijk om.'

Ze deed wat hij voorstelde, pakte daarna de gordel en deed die om zijn middel. Daarna sneed ze ook zijn andere been los. Yasin had intussen een oud mobieltje uit de rugzak gehaald.

'De grap is', zei hij, 'dat ik alleen maar op dit knopje hoef te drukken, dan ontploft de riem, en jij ligt in twee stukken.'

'Dan hoop ik maar dat je de toetsen geblokkeerd hebt', antwoordde Ludde, 'dat het niet per ongeluk gebeurt, dat zou zonde zijn van al het werk dat jullie eraan hebben gehad. Of Samir eigenlijk. Dat is toch wel de slimste van jullie drie zo te zien.'

'Als hij niet zoveel zou blowen zou hij best mee kunnen komen', zei Yasin, 'je hebt al begrepen dat we gaan verhuizen. Ik wil niet met z'n allen tegelijk over straat. Je krijgt een adres waar je alleen heen moet gaan, maar maak je geen illusies, ik loop bij je in de buurt, je kunt dus maar beter niet proberen ervandoor te gaan.'

'Waarom gaan we hier weg?'

'Het lijkt er op dat we in de gaten gehouden worden.'

Ludde ging zitten.

'Mag ik mijn shag?'

Hij voelde zich onverschillig, alsof het hem allemaal niet aanging, een gevoel dat zich langzaam in hem had ontwikkeld sinds de aanval op Samir, een paar uur geleden.

*

De Rus parkeerde de vrachtwagen op de kade naast een lange rij rood-bruine treinwagons.

'Vanaf hier moet je je alleen redden. Ik ga mijn papieren regelen. Ik zie je straks wel aan boord', hij begon zijn spullen bij elkaar te zoeken, 'we hebben trouwens erg veel geluk dat die boot er is, ik heb hier ook wel eens vier dagen staan wachten.'

'Gaat de vrachtwagen niet mee?'

'Nee, de containers gaan op een trein die vervolgens aan boord rijdt. Er kunnen geen vrachtwagens op deze ferry. Je kunt je het beste op gaan knappen en daarna een kaartje kopen. Ze hebben hier prima douches.'

Farima voelde zich nerveus worden. Ze wilde niet alleen zijn.

'Waar ga jij dan heen?'

'Zoals ik al zei, de papieren regelen', hij ritste zijn tas dicht, 'en ik wil nu betaald worden.'

Farima maakte geen aanstalten iets te gaan doen. Ze staarde naar drie aftandse havenkranen die op de kade stonden. De Rus zette zijn tas op zijn knieën.

'Kom mevrouw, iets meer tempo graag. Nogmaals: knap jezelf een beetje op. Dat vinden de havenautoriteiten leuker. En ik wil mijn geld.'

Farima schudde haar hoofd in een bruuske poging haar gedachten weer op gang te krijgen. Flarden van dingen die ze onderweg had gezien spookten door haar hoofd. Lage zandheuvels, eindeloos, af-gewisseld met stukken waarop wat groens groeide. Bergen aan de linkerkant, soms vlakbij, soms ver weg. Opgloeiende remlichten. Ezels. Een kameel. Toen kreeg ze het gevoel dat ze wakker schrok. De Rus zwaaide met zijn hand voor haar ogen.

'Hallo.'

Ze schudde nog een keer met haar hoofd.

'Sorry, ik ben een beetje verreisd denk ik.'

'Wie niet, kom op, we hebben dingen te doen.'

Farima rommelde in haar zadeltas, haalde de portefeuille tevoor-schijn en pakte een stapeltje bankbiljetten.

'Tel maar na.'

Toen ze uitstapte werd haar voorhoofd gevangen in het snijpunt van twee haaks op elkaar staande lijnen in de zoeker van het geweer van een man die comfortabel op de stoel van de kraandrijver in de tweede havenkraan zat.

Hij zag door zijn telelens hoe ze een zadeltas over haar schouder gooide en in zijn richting liep. Hij hoefde de loop nauwelijks bij te stellen om haar in het vizier te houden. Hij bracht een microfoontje voor zijn mond.

'Ik heb haar in beeld, instructies graag. Ze loopt trouwens mank, klopt dat?'

*

De Geus stak het kaartje in de sleuf van de hotelkamerdeur, gooide zijn tas op het bed en plofte ernaast. Goed bed. Hij deed het grote aan de wand gemonteerde beeldscherm aan en opende de nieuwssite van de omroep. Niets bijzonders aan de hand. Hij zapte langs de kanalen. Het enige dat zijn aandacht even trok was een flard pornografie. Betaal-tv. Hij schakelde het scherm weer uit en legde zijn handen onder zijn hoofd.

Lid van een projectteam terrorismebestrijding, dacht hij, dat schiet op.

De projectleider, die zich had voorgesteld als Da Silva, en die een even lange en schrale gestalte als hijzelf had, had hem ontvangen in een ruime kamer waar een riant bureau stond. Ze waren op een comfortabele bank in de zithoek gaan zitten. Een secretaresse had de bestelling opgenomen. Cappuccino, espresso, een broodje tartaar en een broodje gezond. De terroristenbestrijders hadden klaarblijkelijk meer geld om te spenderen aan eten en het inrichten van een kantoor dan een gewoon politiekorps zoals dat van Groningen.

'Jij hebt in Afghanistan gediend.'

De Geus had geknikt.

'Mijn baas zei al dat het daar iets mee te maken had.'

Da Silva had gelachen.

'Vasthoudend type, die baas van jou, ze eiste dat wij je voor een half jaar zouden betalen terwijl we je waarschijnlijk maar een paar dagen nodig hebben en bovendien moesten we een viersterrenhotel voor je reserveren.'

'Carla weet zo te zien dat jullie het kunnen betalen.'

'Zo, tutoyeer jij je baas? Omdat het een vrouw is zeker. Ik heet trouwens Jochen. Jochen da Silva.'

'Spanjaard?'

'Spaanse grootouders die hier kwamen gastarbeiden.'

De koffie en de broodjes waren binnengebracht. Nadat ze elk een broodje hadden verorberd was Da Silva verdergegaan.

'Het gaat om een oude dienstmakker van je, ene...', hij had op een

81

papier gekeken, '...ene Jan van der Veen. Ken je die?'

De Geus had weer geknikt zonder zijn verbazing te laten merken.

'Je hebt met hem samengewerkt in het noorden van Afghanistan. Je was daar een soort militair hulpverlener, ja toch?'

'Ik zat bij de marechaussee.'

Da Silva had weer op zijn papier gekeken.

'Ik zou graag willen dat je me vertelt wat je je nog van Van der Veen herinnert.'

En dat had De Geus gedaan. Jan van der Veen, een paar jaar jonger dan hijzelf. Een briljante man, vooral als het op talen aankwam, die binnen de kortste keren met de lokale bevolking kon praten.

'Ik trok een paar maanden met hem op, samen met een hoop anderen overigens. Het was wel een leuke vent. Een beetje zwaar op de hand, gereformeerde opvoeding. Hij komt uit een bekend CDA-gezin. Zijn vader was minister geloof ik, en zijn broer was staatssecretaris van Defensie. Ik ben hem uit het oog verloren toen ik werd overgeplaatst om ergens anders jongens op de vingers te kijken die waterputten aan het slaan waren die vervolgens door een onzichtbare vijand weer werden dichtgegooid.'

Zijn gesprekspartner had een bladzijde van het dossier omgeslagen.

'Verder herinner je je niets bijzonders?'

'Nee.'

'Hij herinnert zich jou beter. Hij heeft gevraagd of jij hem wilt bijstaan, als een soort raadsman.'

De Geus had vragend gekeken en de projectleider had hem verteld dat Van der Veen getrouwd was met een Afghaanse en in Afghanistan was gebleven.

'*He went native*, zoals de Engelsen dat noemen. Wij weten dat hij na zijn trouwen heeft samengewerkt met moslimfundamentalisten, genoeg om hem van landverraad te kunnen beschuldigen. Maar zoals je al opmerkte: hij komt uit een dure familie, dus dat zal wel niet gebeuren. Niet zolang geleden heeft hij contact opgenomen met onze ambassade in Kabul. Hij is ernstig ziek en kan daar niet behandeld worden. Hij wil terug. We hebben hem verteld dat wij hem onmiddellijk zouden arresteren als hij op zou komen dagen. Toen stelde hij ons een overeenkomst voor via zijn broer de ex-staatssecretaris die er nogal op aandrong dat we met hem gingen praten. Hij wilde een vrijgeleide. Hij denkt niet lang meer te leven te hebben. Het ging hem vooral om zijn vrouw, die daar om de een of andere reden niet veilig is zonder hem. Hij geeft ons er zijn aantekeningen voor terug die hij al die jaren heeft gemaakt. En omdat we weten dat hij in contact stond met de allerhoogste leiders daar, zijn die aantekeningen misschien wel interessant. Dus hebben we zijn aanbod geaccepteerd. Hij en zijn vrouw komen overmorgen aan op Schiphol. Hij wil jou als chaperon. Jij moet hem afhalen, jij moet bij onze gesprekken met hem aanwezig zijn, enzovoort. Zie je dat zitten?'

De Geus had geknikt, naar hij nu dacht misschien te vroeg. Er waren hem te veel dingen niet verteld. Maar hij was moe. Laat maar gebeuren wat er moet gebeuren, dacht hij, eerst maar eens slapen. Het overkwam hem niet elke dag dat hij 's middags op een bed kon gaan liggen om niets te doen. Hij besloot ervan te genieten.

*

Ze liepen samen de trap af, Mahnaz voorop, daarna Samir, daarna Ludde. Yasin sloot de rij. Mahnaz liep de ingang van de parkeergarage voorbij, ging een onverlichte hoek in, sloeg linksaf en stopte voor een roodgeschilderde deur.

'De catacomben', zei Yasin.

De deur gaf toegang tot een nauwe ruimte waarvan het plafond grotendeels gevuld was met rioleringsbuizen. Mahnaz pakte een zaklamp en liep door een plas roodbruin water naar een houten plaat die tegen de achtermuur stond. Ernaast lagen een koevoet en een moker. Het tochtte. Samir trok de plaat opzij en verwijderde een vochtig stinkend dekbed uit een gat in de muur.

'Jij eerst', Yasin wees naar Mahnaz, 'dan onze held, dan ik, dan Samir. Samir neemt het gereedschap mee.'

Mahnaz klom door het gat. Ludde volgde haar en zag dat hij op de binnenplaats was uitgekomen die hij vanuit zijn kamer had gezien. Hoog boven hem hing het verdorde plantje. De andere twee volgden. In de muur aan de linkerkant zat een raam met ondoorzichtig gewapend glas waar Samir het gevorkte uiteinde van de koevoet in sloeg. Zonder veel moeite kwam een groot stuk glas mee naar buiten. Hij legde de koevoet op de grond, schopte de rest van het glas naar binnen en verdween. Mahnaz volgde. Toen ze naast Samir stond pakte ze het pistool over van Yasin en richtte de loop op Ludde. Ze wenkte. Hij klom naar binnen. Yasin gooide de tassen achter hen aan. Ze kwamen in het andere gebouw in een zelfde soort kelder terecht als waar ze net waren uitgekomen en liepen door een zelfde soort gang. Bij de voordeur stopten ze.

'Je gaat straks naar buiten', Yasin tikte Ludde aan met de loop van het pistool, 'naar dit adres', hij gaf hem een papiertje, 'hier staat precies wat je moet doen, eerst een stukje lopen, dan pak je de bus, en de rest wijst zich vanzelf.'

'Goh, gezellig', antwoordde Ludde, 'gaan jullie ook mee?'

Samir giechelde, schijnbaar had hij zijn zelfvertrouwen weer terug. Mahnaz keek strak voor zich uit terwijl ze met een vinger over de plakkerige leuning van de trap wreef. Yasin ging onverstoorbaar door met zijn instructies.

'Zoals ik al zei: ik volg je. Ik ben er ook als je me niet ziet', hij pakte een hangslot uit de rugzak en trok die door een tweetal gaten in de gordel om Luddes middel, 'zo, die kun je niet meer afdoen zonder dat ik het zie. Doorsnijden kun je ook wel vergeten. Samir, doorzoek hem op pennen en dat soort dingen. Ik wil niet dat hij briefjes kan schrijven onderweg.'

Hij stak zijn linkerhand omhoog waarin hij het mobieltje had.

'Als ik je met iemand zie praten dan is het boem, jij dood, je gesprekspartner dood. Nog iets vergeten?'

'Ja, een OV-chipkaart', zei Ludde, 'we willen toch niet dat ik opgepakt wordt wegens zwartrijden?'

Samir grinnikte en gaf Ludde een knipoog die waarschijnlijk waardering moest uitdrukken. Yasin pakte een kaartje uit zijn binnenzak.

'Is in voorzien', zei hij.

Ludde pakte de kaart aan en wendde zich tot Samir.

'Heeft Groningen verloren van Sparta?'

'Ja', zei Samir, 'drie-twee.'

Mahnaz opende de deur.

'Lopen', zei Yasin, 'en je weet wat je te doen staat.'

Ludde keek op zijn papiertje.

'Rechts, dan de bus nemen in noordelijke richting.'

Hij begon te lopen.

'Gezellig zo'n speurtocht', zei hij binnensmonds. Toen hij bij de halte stond zag hij Yasin de weg oversteken.

*

Jochen da Silva zat achter zijn bureau. Hij praatte tegen een blonde vrouw die op het beeldscherm voor hem zichtbaar was.

'Ik heb een goed gesprek gehad met die politieman uit Groningen. Een coöperatieve kerel lijkt me.'

'Mooi. Van der Veen en zijn vrouw zijn overigens nog niet op de ambassade in Afghanistan aangekomen. Hoe zit het met het in de gaten houden van Ludde Menkema en zijn jeugdige vrienden?'

Da Silva liet zijn luxueuze zwartleren stoel een eindje zakken.

'Hoofdinspecteur is hij, die De Geus. Met Menkema en die jongelui gaat het goed lijkt me, ze zitten nog keurig op hun plekje in Rotterdam, in de buurt van het Spartastadion. Als de Van der Veens nog niet gearriveerd zijn in Kabul kan het dus zijn dat de hele zaak niet doorgaat?'

'Zou kunnen, maar de reiscondities zijn daar niet zoals wij gewend zijn Jochen, dus ze komen heus nog wel opdagen. Heb je het met De Geus over Menkema gehad?'

'Nee. Dat leek me beter van niet. Het zijn vrienden zoals je weet.'

'Weten we al wat Menkema bij die kinderen doet?'

'Nee. We denken dat het iets met zijn verleden te maken heeft, je kent die connectie. Misschien iets met drugs, misschien zelfs terrorisme. Heb je de foto's gezien van die boom in Drenthe?'

De vrouw op het scherm knikte.

'Ze gebruiken gevaarlijk speelgoed. Ik vind dat we ze op moeten pakken, alle vier.'

'We hebben geen schijn van bewijs tegen ze. Voor die bomriem kunnen we ze misschien arresteren, maar dan zeggen ze dat het een ontwerp is voor oudjaar of zo. Per slot van rekening gaat het om een paar alledaagse vlinderbommen. En vergeet niet dat het gymnasium-klantjes zijn, die zijn erop getraind zich overal uit te lullen. Bovendien is het maar de vraag of ze een tweede riem hebben. Misschien hadden ze alleen dat ding in Drenthe. Maar we pakken ze in elk geval op voordat de rechtszaak begint, maak je geen zorgen.'

'Als ze er één kunnen maken, kunnen ze er ook twee maken. Kom je nog op de borrel vanavond? Die is beneden bij jou in het pand.'

'Ik denk het wel. Vind je dat ik De Geus mee moet nemen?'

'De Geus?'

'Die politieman uit Groningen. Het is wel een geschikte man zoals ik zei. We hebben hetzelfde postuur.'

'Neem hem dan maar mee, dan hoef ik niet meer alleen tegen jou op te kijken.'

*

Farima probeerde zichzelf te zien in de beslagen spiegel terwijl ze haar haren kamde. De ruimte hing vol stoom. Ze voelde zich heerlijk na de warme douche. Ze was weer schoon. Ze had de wond aan haar voet kunnen verzorgen, haar tanden kunnen poetsen, haar haren kunnen wassen. En ze had een paar pijnstillers naar binnen gewerkt. Naast haar stond een goedkope weekendtas met blauwe en rode strepen die ze uit de vuilnisbak had gehaald. Ze begon de inhoud van haar zadeltas over te pakken. Ze twijfelde of ze haar boerka mee moest nemen, maar legde hem toen toch keurig opgevouwen bovenop de rest van haar kleren. Ze controleerde of de geheugenkaart nog steeds veilig onder de voering van het schaakspel zat en sloot met enige moeite de rits van de tas. Als laatste stopte ze haar portefeuille in de binnenzak van haar jasje. Daarna propte ze de rest van haar kleren in een vuilnisbak. De schoonmaakster die haar overkleed en de zadeltas zou vinden zou een goede dag hebben. Ze rechtte haar rug en opende de deur. Ze voelde zich duizend keer beter dan voordat ze naar binnen was gegaan.

'Ze komt nu weer naar buiten. Wat moet ik doen?'

De man in de havenkraan richtte zijn geweer. Zijn oortje kraakte. Hij ging een beetje verzitten om te kijken of de ontvangst daardoor zou verbeteren.

'Instructies graag, ik heb hooguit twee minuten, dan is ze buiten mijn bereik.'

'Wat doet ze?'

Hij schrok van de stem die ineens zijn oor binnen daverde.

'Ze loopt in de richting van de terminal, een kaartje kopen denk ik.'

Op de achtergrond klonk gemurmel. De man op de havenkraan draaide zijn hoofd zonder de vrouw uit zijn vizier te verliezen.

'Kun je haar bagage doorzoeken als je haar daar nu neerschiet?'

'Nee, niet zonder gezien te worden. Ze loopt op openbaar terrein.'

Weer hoorde hij het gemurmel op de achtergrond voor de stem in zijn oor weer duidelijk werd.

'De opdracht gaat eerst niet door. Volg haar op de boot. We nemen weer contact op.'

De man in de kraan liet zijn geweer zakken, stond op, ontlaadde, schroefde de loop los en stopte de twee helften in een plat koffertje. Daarna daalde hij de metalen kraanladder af en liep achter de vrouw aan, het terminalgebouw binnen. Ze kocht inderdaad een kaartje naar Bakoe, constateerde hij. Toen ze geïrriteerd opkeek omdat ze vond dat hij te dicht bij haar was gaan staan verontschuldigde hij zich en deed een stap opzij. Hij zette het koffertje voor zich op de balie. Zijn linkerhand streelde het leer. Hij wachtte tot ze weg was en kocht toen zelf een kaartje.

Toen hij van de loopplank op het dek stapte had hij het gevoel dat er iemand op hem lette, maar toen hij omkeek zag hij alleen een man in een goedkoop leren jack die een paar officieel uitziende papieren bestudeerde. Toen hij verderliep keek de Rus op en richtte zijn ogen weer op het koffertje.

'Ik moet me al sterk vergissen als daar niet een geweer in zit', zei hij in zichzelf.

*

Hoge Limiet, dacht Ludde terwijl hij naar het adres keek op het papiertje dat hij van Yasin had gekregen, wie woont er nou in een straat die Hoge Limiet heet. Hij was zojuist de bus uitgestapt. Ondanks de gordel om zijn middel voelde hij zich vrij, vrolijk bijna. Hij schampte een vrouw in een keurig mantelpakje, maar kon door nog net op tijd opzij te stappen erger voorkomen. Ze glimlachte. Hij glimlachte ook.

Dood kunnen we altijd nog, dacht hij terwijl hij omkeek. Geen Yasin te zien. Hij voelde aan de gordel, maar trok zijn hand snel terug. Waarom risico's nemen? Hij zag een opstijgend vliegtuig en concludeerde dat hij in de buurt van Zestienhoven moest zijn. Hij wilde dat hij het vliegtuig naar Eelde kon nemen, naar huis, zijn schildpad dag zeggen. Misschien naar Werda, de kroeg in. Hij pakte zijn shag. Roken op straat, ook zo'n prettige bezigheid. Zijn euforische gevoel nam toe. Bovennormale vrolijkheid, het gevoel dat hij iedereen aankon, alles aankon. En zeker Yasin. Waarom niet wachten, ergens in een portiek? Waarom zou hij Yasin niet bij zijn nek grijpen en hem zijn hersens inslaan? Hij had hem die ochtend dat stuk aardewerk in zijn keel moeten steken, dat had hij moeten doen. Hij knikte overdreven en stemde daarna hardop in met zijn eigen gedachten. De oude man die hij zojuist was gepasseerd bleef staan en keek hem na, maar Ludde lette daar niet op. Zijn ogen zochten een portiek waar hij zich zou kunnen verstoppen. Hij zwaaide met zijn armen alsof hij een zaal vol mensen toesprak. De oude man tikte tegen zijn voorhoofd. Yasin kwam half hollend de hoek om en ging naast Ludde lopen.

'Wat ben je aan het doen man, hou daar mee op.'

Ludde keek opzij.

'Oh, daar ben je. Ik praat', zei hij, 'tegen mezelf. Maar nu ik weer gezelschap heb praat ik daar wel tegen.'

Ze kwamen op een laanachtige weg die aan een park grensde. Yasin stopte bij een wit huis met een aantal dakkapellen.

'Hier gaan we naar binnen.'

'Toe maar', zei Ludde, 'een riant bezit.'

Yasin knikte met ingehouden trots.

'Het huis van oom Peter', zei hij, 'die er overigens niet is.'

Ludde stopte.

'Jij bent toch een Afghaan? Waarom heet jouw oom dan Peter?'

Ze liepen langs de zijkant van het huis, kwamen op een groot gazon en liepen over het gras naar de deur van een chaletachtig tuinhuis. Yasin bukte zich, haalde een sleutel onder een bloempot vandaan en opende de deur. Pas toen gaf hij antwoord.

'Dat begrijp je wel tijdens het proces.'

'Ja, dat proces. Ik heb het idee dat ik weinig kans maak met dat islamitisch recht van jou.'

Yasin reageerde veel agressiever dan Ludde had verwacht. Hij bracht zijn tweekleurige ogen vlak bij Luddes gezicht. In die ogen was haat te zien. Ludde deed geschrokken een stapje terug. Toen ze binnen waren zag hij dat het tuinhuis genoeg plaats bood aan een klein gezin. Het had een keuken, slaapkamers en een open haard.

*

De Geus legde de telefoon neer. Hij moest naar een bedrijfsfeestje. Goed voor de onderlinge verstandhouding. Hij trok zijn jas aan en liep naar het vernieuwde Utrecht rond het Centraal Station. Het water terug in de stad. Een betonnen waterbak naar wat hij ervan had begrepen. Opgeleukte ouderdom. Even later zat hij aan een cafétafeltje.

*

Maria belde aan bij Werda in de Visserstraat. Er werd niet opengedaan. Chagrijnig drukte ze nog een keer op het knopje. Toen scheurde ze een bladzijde uit haar agenda.

'De Geus was bij me om te vragen of ik iets bijzonders aan Ludde heb gemerkt de laatste tijd. Ik weet niets. Jij misschien?'

Ze stapte op haar fiets en reed door naar de Westerbinnensingel. Voor haar voormalige kantoor fietste ze wat langzamer. Ze huiverde toen ze op de hoek bij de Astraat een volle laag oostenwind in haar gezicht kreeg. Vanavond zou het misschien gaan sneeuwen had ze begrepen. Sneeuw in het voorjaar. Ze besloot zo snel mogelijk naar huis te gaan en net zo lang binnen te blijven tot alles aan haar warm was.

*

De ferry voer tussen de strekdammen door de Kaspische Zee op. Het water was spiegelglad. Farima stond tegen de leuning en zag het haventje achter de boot wegglijden. Er waaide een vlaag rook uit een van de twee vierkante schoorstenen het passagiersdek op. Ze had tranen in haar ogen. Ze was moe. Ze miste haar ezel. Ze miste haar kinderen. Ze miste zelfs haar man. Maar ze wist niet waarom ze juist nu huilde. Of overliep, zo voelde het, alsof er iets overstroomde vanbinnen, een stroom die rotzooi meenam, rotzooi die verwijderd moest worden. Van de haven van Turkmenbashi was alleen nog een aantal lampen te zien die een kabbelend lichtspoor over het water trokken dat vlak achter de boot in het kielzog in miljarden sterretjes uiteenviel, net zoveel als de hoeveelheid sterren boven haar hoofd. Lampjes van God. Of Allah. Gezegend zij zijn naam, voegde ze er in gedachten aan toe. Ze draaide zich om en ging in het midden van het dek op een bankje achter een tafeltje zitten. Ze legde haar handen gevouwen onder haar kin en sloot haar ogen. Er was nauwelijks wind, er waren geen medepassagiers. Er was alleen het donkere brommen van het schip en het zingen van het water. De tranen stroomden nog steeds tussen haar gesloten oogleden door, maar de stroom leek schoner te zijn geworden, rustiger.

'Je hebt het gehaald.'

Ze keek op. De Rus stond voor haar. Hij had een fles bier in zijn hand.

'Is het goed dat ik erbij kom zitten?'

Farima maakte een uitnodigend gebaar.

'Je huilt.'

Ze knikte.

'Dat gaat zo wel over.'

Hij knikte op zijn beurt, nam een slok en staarde ongemakkelijk voor zich uit tot Farima haar hoofd optilde.

'Zo', ze legde haar handen open voor zich op de tafel en deed alsof ze de lijnen bestudeerde, 'ik wilde je nog bedanken.'

De Rus zette de opvallend lange hals van de fles aan zijn lippen. Hij dronk en zette de fles terug.

'Weet je wat ze in Turkmenistan zeggen?', zei hij, 'ze zeggen daar dat omdat ze volgens de Koran geen wijn mogen drinken ze maar wodka nemen. Het is een pragmatisch volk. Net als wij Russen. Maar ik drink liever bier, wil je een slok?'

Farima rekte zich uit.

'Ach ja, waarom ook niet.'

'Omdat het je verboden is misschien?'

'Ik heb altijd de neiging gehad om juist dat te doen wat verboden is', ze nam een slok van zijn bier, 'en bovendien is het niet waar dat moslimvrouwen nooit drinken.'

'En jij?'

'Ik drink vrijwel nooit. Niet uit overtuiging overigens, ik vind het niet zo lekker.'

'Je prefereert marihuana, of opium.'

'Ik prefereer opium, maar niet om het te gebruiken.'

De Rus keek haar peinzend aan.

'Er is voor een Afghaan maar één manier om aan zoveel geld te komen als jij hebt. En dat is handel in drugs of in wapens, of allebei.'

'Dus volgens jou ben ik een drugshandelaar.'

'Niet dan?'

'Als ik een drugshandelaar ben zou ik maar met me uitkijken als ik jou was.'

'Dat doe ik ook. Zal ik nog iets te drinken halen? Dan kijken we nog een beetje om ons heen', hij maakte een brede armzwaai over de roerloze watervlakte rondom het schip, 'de gokautomaten zijn toch stuk.'

Hij stond op en liep naar de deur die naar het binnenste van het schip leidde. Bij de reling stond de man met het leren koffertje tussen zijn voeten.

*

De deur ging open. Mahnaz kwam binnen met een volle boodschappentas.

'Is Samir er nog niet?'

Yasin keek op uit zijn krant. Ludde zat op de bank. Zijn enkels zaten aan elkaar vast. De gordel zat weer veilig in de tas. Hij legde het sportkatern opzij.

'Hij zal wel naar een koffieshop zijn', zei hij.

'Als dat zo is breek ik zijn benen', antwoordde Yasin.

Hij volgde Mahnaz met zijn ogen.

'Wat eten we?'

'Couscous met lamsvlees.'

'Heb je al gebeden?'

Mahnaz deed haar hoofddoekje af en gooide het naast de boodschappentas.

'Als jij zo blijft zeuren, dan ben ik op een bepaald moment vertrokken, neem dat maar van mij aan.'

Yasin ging verontwaardigd staan.

'Het is mijn taak om ervoor te zorgen dat jij je aan je plichten houdt.'

Ludde hoorde de ergernis in zijn stem. Mahnaz pakte haar hoofd-doekje weer op, maakte er een prop van en smeet het driftig naar het hoofd van haar broer.

'Heb je al gebeden Mahnaz? Je moet je hoofddoek om Mahnaz. Let op dat je geen mannen aankijkt Mahnaz. Wat eten we Mahnaz? Nou weet je wat jij doet? Je kookt je eigen eten maar.'

Ze liep naar de stoel waar ze haar jas overheen had gegooid. Yasin was in twee lange passen bij de deur, maar Mahnaz was niet van plan zich tegen te laten houden. Ze sprong als een kat tegen hem op. Haar handen begroeven zich in zijn haar. Ze liet zich vallen, en, toen hij ge-dwongen door de pijn wel met haar mee naar de grond moest gaan, sprong ze op, gooide de deur open, rende over het gras en verdween. Yasin kwam overeind. Ludde grinnikte.

'Vrouwen', zei hij, 'vrouwen, het zijn aparte wezens', hij probeerde zijn mond te houden, maar dat lukte niet, 'misschien is ze ongesteld. Je weet wel, dat ze onrein is, mag ze dan eigenlijk wel koken?'

Hij zweeg even toen hij de moordlust in Yasins ogen zag maar kon zich toch weer niet inhouden.

'Ik probeer alleen maar te helpen, als oudere man met een beetje meer ervaring…'.

Yasin sprong op hem af. Ludde dook weg en tilde zijn benen op. Yasin struikelde. Toen hij overeind kwam zaten zijn ogen vol met tranen.

'Ja, ja, we janken wat af met z'n allen', zei Ludde, 'kun je het allemaal niet meer aan? Waarom stop je dan niet met deze flauwekul. We kunnen allemaal gewoon naar huis, we zeggen niets tegen niemand…'

Yasin liep naar de keuken.

'Ach hou jij je bek, kindermoordenaar.'

Ludde was meteen stil, en het bleef geladen stil in de kamer tot de deur openging en Samir binnenkwam. Mahnaz liep achter hem.

'Wat is hier aan de hand?'

Yasin ging door met het snijden van een paar uien. Mahnaz ging naast hem staan, aaide hem even over zijn rug en pakte het mes uit zijn handen.

'Laat mij maar.'

'Hij noemde me weer een kindermoordenaar', zei Ludde, 'sinds die tijd zijn we een beetje stil.'

Mahnaz duwde Yasin bij het keukenblok vandaan.

'Ik kook wel verder', zei ze terwijl ze haar hoofddoekje omdeed, 'ik wil nu ook niet langer meer wachten tot ze komen. We beginnen van-avond met hem', ze wees met het mes naar Ludde, 'en als het kan moet je wat minder bazig zijn. We zijn een team, en we moeten werken als een team, oké?'

Yasin trok een vel van de rol keukenpapier en veegde zijn handen schoon. Daarna ging hij zitten en pakte zijn krant weer op.

Ludde sloot zijn ogen en zakte tegen de leuning van de bank. Hij droomde weg. De geluiden die Mahnaz in de keuken maakte knoopten op wonderlijke wijze de beelden van de Franse cel waarin hij ooit had vastgezeten aan elkaar. In zijn droom zat er een klein kind in de hoek met het uiterlijk van Maria maar met Mahnaz' wilde bos haar in een bak zand met een tank en een straaljager. Hij wilde ernaartoe om het kind op te pakken maar schrok wakker. Samir plofte naast hem neer.

'De couscous is klaar', hij wreef zich vergenoegd in zijn handen.

Luddes ogen vielen weer dicht. In de misschien drie minuten die hij sliep kwam het kind met een mes op hem af en moest hij eindeloos ren-nen voor zijn leven. Samir schudde hem door elkaar.

'Kom op man, pak dat bord aan.'

Mahnaz stond voor hem.

Ludde zweette.

'Kan ik me straks even douchen?'

Samir en Mahnaz keken naar Yasin die zijn krant liet zakken. Hij knikte en pakte de couscous die voor hem op het tafeltje stond. Toen wees hij met zijn vork naar de krant.

'Heb je gelezen dat onze zusters in opstand zijn gekomen?'

Samir keek op.

'Welke zusters bedoel je?'

'De zusters die in de tehuizen de billen van de oude Nederlanders moeten wassen.'

Hij pakte de krant en sloeg die open bij een foto waarop tientallen vrouwen waren te zien, de meesten met hoofddoeken, hoewel er ook een meid met een bos blond haar tussen stond.

'Oh, je bedoelt verpleegsters die dementen verzorgen, dat werk doet mijn nichtje ook', antwoordde Samir.

'Ik bedoel onze geloofszusters, die de heidenen schoonhouden als die van zichzelf niet meer weten hoe ze heten.'

Ludde keek op, maar zei niets.

Yasin ging verder.

'Ze weigeren om die lichamen nog langer aan te raken.'

Hij grinnikte tevreden.

Mahnaz duwde een krul terug onder haar hoofddoekje.

'Ze staken gewoon', zei ze, 'voor hoger loon.'

'En die Soedanese verpleegster dan, die ontslagen is omdat ze weigerde om Ommens, die politicus, te verzorgen na zijn hersenbloeding, daar staken ze toch ook voor?'

'Ik zou die man ook niet willen aanraken, eerst zegt hij dat we allemaal radicale terroristen zijn en nu hij zelf niet meer weet waar het toilet is mogen meisjes met hoofddoekjes hem opeens schoonmaken', Samir stak zijn vork in de lucht, 'jullie werken voor volk en vaderland, wees daar trots op!'

Mahnaz lachte. Ludde zette zijn bord op tafel.

'Wat zijn jullie dan als jullie geen radicale terroristen zijn?'

Samir bloosde en leek even niet te weten wat hij moest zeggen, maar toen klaarde zijn gezicht op.

'Wij zijn vrijheidsstrijders, wij vermoorden niemand die het niet verdient. En hij verdient het, toch Mahnaz?'

'Dat zal straks duidelijk worden uit de aanklacht', het was Yasin die reageerde, 'als jullie afwassen, dan maak ik de kamer in orde.'

'Ik wil me douchen', zei Ludde, 'als ik van moord word beschuldigd ben ik graag schoon.'

Hij voelde zich plotseling weer prima, ondanks de bijna onbedwingbare drang om zijn vastgebonden benen te bewegen.

*

Farima keek rond in haar hut. Klein, afgebladderd, maar nog steeds comfortabel. Ze draaide de deur op slot, kleedde zich uit en poetste de gore nasmaak van het bier uit haar mond. Ze bukte zich, pakte het schaakspel, deed het open, zette het op het bijzettafeltje en plaatste de stukken. Ze stapte onder de douche die zonder problemen deed wat hij moest doen, droogde zich af en ging bovenop de dekens liggen. Ze legde haar pijnlijke voet op een kussen. Het was warm. Uit het schip klonk het sonore gedreun van de machines. Ergens op de gang gooide iemand een deur dicht. Ze sliep.

De man met het koffertje stond nog steeds op het dek. Hij had naar de Russische klanken die tussen de vrouw en haar metgezel werden uitgewisseld geluisterd, hoewel hij er niets van verstond. Halverwege hun gesprek was hij even naar binnen gegaan omdat er een oproep was binnengekomen.

'Je moet haar laten verdwijnen. Ze heeft een boek bij zich, een soort dagboek, met een roodleren omslag. Dat moet je aan ons leveren.'

'Geen probleem', had hij geantwoord, 'ik werk haar wel over de reling. Ik neem aan dat jullie ook haar sleutels en dat soort dingen willen hebben?'

De stem aan de andere kant had bevestigend geantwoord. Toen hij weer buiten was gekomen hadden zijn slachtoffer en haar metgezel nog steeds op dezelfde plek gezeten. Hij had gewacht, terwijl hij over de zee had uitgekeken waarop geen golf te zien was, alleen een lange gele baan van maanlicht. Het leek alsof de boot door een zachte zwarte steensoort voer die gewillig week voor de boeg en zich even gewillig weer sloot als de boot gepasseerd was.

Toen de vrouw was opgestaan was de man blijven zitten. Hij was zelf ook gebleven. Hij wist waar de hut van de vrouw was, maar de Rus was een complicerende factor. Wat ging die doen? Wat hadden die twee afgesproken? Hij wilde er zeker van zijn dat hij zijn doelwit straks alleen in haar hut aan zou treffen. De Rus was opgestaan en naar hem toe gekomen. Verlegen om een praatje waarschijnlijk. Hij had de Russische groet wel verstaan, maar had zich beperkt tot afwerend kijken. De man was overgegaan op het Engels.

'Nice evening.'

Hij had weer niet gereageerd.

'Nice suitcase.'

Op dat moment had het hem moeite gekost om zijn ogen niet op de koffer aan zijn voeten te richten. In plaats daarvan had hij de man aangekeken met een blik die voldoende was geweest om hem af te laten druipen.

Nu werd het tijd om te doen waarvoor hij werd betaald.

Hij pakte zijn koffertje en liep naar binnen. De Rus zat aan de bar met drie lege bierglazen voor zich en een vol glas in zijn hand. Zo te zien was hij de schade aan het inhalen die hij had opgelopen door het trage drinktempo van zijn reisgenote. De man met het koffertje ging in een hoek zitten en wachtte. De Rus dronk gestaag verder, maar legde ook af en toe zijn hoofd op de bar. Hij leek meer onder invloed dan de hoeveelheid bier die hij had ingenomen rechtvaardigde. Dit baarde de man met de koffer zorgen, maar tot zijn tevredenheid zag hij even later dat de Rus een heupflacon uit zijn broekzak pakte waaruit hij een flinke slok nam. Wodka ongetwijfeld. Hij was echt dronken, zoals het een Rus betaamt. Even later stond de Rus op, waarbij hij zich vast moest houden aan zijn barkruk. Hij wankelde licht bij zijn eerste stappen, maar daarna had hij zichzelf weer onder controle. De man met de koffer volgde hem tot hij zag dat de Rus mompelend in zichzelf in de gang verdween waar hij zijn hut had. Wat hij niet zag was dat de Rus zich na een meter of tien omdraaide, en, nu niet meer wankel, terugsloop naar de hoek van de gang.

*

'Waarom denken jullie dat de politie wist waar we zaten?'

Samir legde de theedoek op het aanrecht en keek naar Yasin.

'Er stond een man met een snor op de stoep.'

'Zo.'

Samir trok een spottend gezicht, Yasin keek een beetje onzeker naar Mahnaz.

'Zij vond dat verdacht.'

Mahnaz knikte.

'Die man deed zeg maar helemaal niks. En hij stond er al voor de derde keer.'

'Dat hoeft helemaal niets te betekenen.'

'Nee. Maar als ze ons toch op de een of andere manier in de gaten hadden, dan...'

Yasin onderbrak haar.

'Volgens mij is dat niet zo, maar goed.'

'Het kan toch zijn dat ze jullie in Drenthe toch gezien hebben?'

Samir schudde zijn hoofd.

'Daar waren we te snel voor.'

'Oké, goed. Maar stel dat het toch zo is. Dan kennen ze de codes van onze mobieltjes en van de auto. Dan weten ze precies waar we zijn.'

Yasin keek naar Samir.

'Ik vond dat ze misschien wel gelijk had.'

Samir knikte na een paar seconden nadenken.

'Ik ben het er ook wel mee eens. Maar ik zou in het vervolg graag over dit soort zaken meebeslissen.'

Mahnaz keek naar Yasin, die zonder te reageren verderging met het inrichten van de kamer. Hij had een tafel aan de zijkant gezet. Op de tafel stonden drie glazen en een karaf water. Ludde staarde naar buiten. Het begon donker te worden, niet alleen omdat de avond viel, maar ook omdat er wolken waren te zien aan de westkant van de hemel. Er zat ander weer aan te komen, constateerde hij. Water vanaf zee, terwijl het land nog koud was. Dat zou sneeuw kunnen betekenen. Of ijzel.

'We gaan zo beginnen.'

Ludde keek op. Yasin zat achter de tafel aan de linkerkant. Samir drentelde rond. Mahnaz zette koffiekopjes neer.

'Ik wil eerst nog even roken.'

Samir liep naar de tuindeuren. Hij leek zenuwachtig.

Ludde probeerde op te staan.

'Dat wil ik ook wel.'

Yasin knikte maar Mahnaz protesteerde.

'Dan moet hij los, dat kan niet.'

'Dank je', zei Ludde sarcastisch, 'als je de tape nou eens wat ruimer om mijn enkels doet, met een decimetertje tussenruimte, dan kan ik wel lopen, maar niet rennen. Een kluister noemen wij boeren dat, voor als je een koe wilt melken, zodat zijn achterpoten niet in de emmer trappen.'

'Melken ze hier nog in een emmer?', Samir keek hem verbaasd aan, 'dat doet zelfs mijn opa in Marokko niet meer.'

Yasin gebaarde ongeduldig.

'Laat Marokko erbuiten. Doe maar wat hij zegt.'

Even later schuifelde Ludde langs de rododendron naar een bankje, met Samir achter zich aan. Hij ging zitten en haalde zijn shag tevoorschijn.

'Kom je erbij zitten?'

Samir schudde weifelend zijn hoofd. Hij keek naar het pistool in zijn hand.

'Ik vertrouw je niet.'

Ludde keek hem verbaasd aan.

'Vertrouw je me niet? Vreemd.'

Samir kleurde. Hij deed een stap achteruit, stopte het pistool met de loop in zijn broekzak en pakte een zakje weed, waarna zijn hand weer naar zijn binnenzak ging, ongetwijfeld om tabak te zoeken. Maar hij vond niets. Ludde stak zijn sigaret aan. Hij grijnsde naar Samir.

'Kun je het niet vinden?'

Samir keek naar het tuinhuis, waarschijnlijk om te controleren of Yasin op hem lette, pakte daarna het pistool weer in zijn hand en ging naast Ludde zitten.

'Kun jij een joint voor me draaien?'

Ludde pakte het weedzakje aan. Nadat hij drie vloeitjes aan elkaar had geplakt, de tabak erin had gelegd en de weed eroverheen had gekruimeld keek hij opzij.

'Dus straks begint die zogenaamde rechtszaak?'

Samir schoof een eindje bij hem vandaan.

'Ja. Ik ben je verdediger. Yasin wil dat we ons aan de islamitische rechtspraak houden, ik weet er verder ook niet zo veel van.'

'En je verdedigt me tegen wat?'

'Tegen de aanklager, Mahnaz. Yasin is de rechter.'

Ludde plakte de joint dicht.

'Yasin die drie maanden geleden nog gewoon Jan heette.'

Samir glimlachte nerveus.

'Ja, zo heet hij.'

'En nu heet hij Yasin', Ludde gaf de joint aan zijn buurman, 'waarom dat?'

'Omdat hij dat wilde.'

'Ken je hem al lang?'

Samir hield zijn aansteker bij het in elkaar gedraaide uiteinde van de vloeitjes en ademde diep in voor hij antwoordde.

'Al sinds de basisschool. Hij kwam erbij in de tweede groep, samen met Mahnaz.'

'Vluchtelingen.'

'Nee, niet echt, ze woonden bij een Afghaanse oom die overigens wel gevlucht was.'

Hij begon een beetje te lachen.

'Die oom was gek. Die had een oorlogstrauma, hij was officier geweest. Toen de Russen uit Afghanistan werden gegooid moest hij ook weg.'

'Een communist dus.'

Samir nam nog een diepe trek.

'Communist? Had je die daar? Die oom stond soms midden in de nacht in zijn tuintje zogenaamd op vliegtuigen te schieten. Overdag lag hij meestal in een bed in de kamer. Weet je, hij was in Afghanistan officier, maar zijn tuintje in Nederland was niet groter dan een postzegel, en dan had hij nog geluk dat hij niet in een flat zat.'

'En toen heette Yasin gewoon Jan.'

'Jan is ook een naam in Afghanistan, dus dat kan best.'

'Wat was hij voor jongen?'

Samir aarzelde voor hij antwoordde.

'Hij was altijd nogal wild', zei hij toen, 'maar soms zat hij ook weken achter elkaar alleen maar te gamen, dan zag je hem niet. En later had hij vaak ruzie met zijn oom, dan moest Mahnaz het weer goedmaken. Die stond er altijd een beetje tussenin.'

'En jij?'

Voor Samir kon antwoorden ging de deur van het tuinhuis open. Mahnaz stak haar hoofd naar buiten.

'Komen jullie?'

Het klonk alsof ze riep om te komen eten.

Samir ging staan. Ludde volgde met tegenzin tot hij de verroeste spijker zag die boven de donkere grond onder de rododendron uitstak. Hij liet zich op zijn knieën vallen. Samir draaide zich geschrokken om en richtte het pistool.

'Wat doe jij nou?'

'Struikelen.'

Samir grinnikte.

Terwijl Ludde overeind kwam drong als een plotselinge bliksemflits in een donkere nacht tot hem door waarom hij de vorige avond ineens zo vrolijk was geworden. Het was dat medicijndoosje dat hij had gezien in het toiletkastje. De hele dag hadden zijn hersenen gewerkt aan een associatie die nu pas tot zijn bewustzijn doordrong. Hij was aan het afkicken van een tekort aan serotonine, of een teveel, hij vergat altijd wat het was. Hij had al een dag of vier geen antidepressiva geslikt. Vandaar het huilen, het dromen en de rare vrolijke buien. Er trok een golf van opluchting door zijn lichaam die ervoor zorgde dat hij begon te neuriën. Hij snapte zichzelf weer. Hij stopte de spijker in de boord van zijn sok. Toen hij binnenkwam neuriede hij nog steeds. Mahnaz keek hem verbaasd aan. Ze wees op een stoel in het midden van de kamer. Hij knipoogde naar haar, ging zitten en realiseerde zich toen dat hij op de drie anderen een idiote indruk maakte. Hij hield zijn mond.

*

De Geus had een leeg jeneverglaasje in zijn hand. Hij keek naar de rug van de blonde vrouw die zich net professioneel aan hem had voorgesteld. Ze was het hoofd van de afdeling waar Da Silva onder viel. Ze had haar haar in een paardenstaartje schuin bovenop haar hoofd. Ze was klein, ongeveer van zijn eigen leeftijd, opvallend maar smaakvol gekleed en ze had erg intelligente ogen. Jochen da Silva stond naast hem. Hij had een glas bier in zijn hand.

'Dat was onze baas', zei hij, 'of coördinator beter gezegd.'

'Wat doet ze precies?'

Da Silva nam een slok bier.

'De boel in de gaten houden en in goede banen leiden.'

'Waar praten jullie hier zoal over?'

'Over van alles en nog wat, maar niet over werk. Hoe is dat nou, in het Noorden wonen? Saai zeker.'

'Erg saai', beaamde De Geus, 'daarom woon ik er ook.'

Hij wenkte de ober.

'Een dubbele jonge jenever in een wodkaglas graag. Met suiker. En een lepeltje.'

De ober tikte iets in op een apparaatje.

Jochen da Silva grijnsde.

'Je dacht dat je hem een moeilijke bestelling gaf hè, maar dit is een eersteklas zaak jongen, hij komt het je zo met een stalen smoel brengen. Ik geloof trouwens dat ik bij de baas word verwacht, ze zwaait.'

Hij liep weg. De Geus stond ietwat verloren rond te kijken, maar gelukkig werd hij al snel gestoord door de ober, die inderdaad een onbewogen gezicht had. De Geus nam een slokje. Zijn ogen waren gericht op Da Silva die nerveus naar zijn chef had staan luisteren en nu een antwoord gaf op een zo te zien indringende vraag. Het antwoord beviel haar kennelijk niet. Ze praatte driftig en wees op haar horloge. De Geus liep langzaam in hun richting tot hij binnen gehoorsafstand was.

'Ik vind ze echt wel, vanaf morgen...'

Ze onderbrak hem.

'Morgen, hoezo morgen, je moet nu iets gaan doen, denk je dat ik nog meer risico wil lopen?'

De Geus kwam nog een stap dichterbij.

'Iets waarbij ik kan helpen?'

Jochen da Silva draaide zich naar hem om. Zijn gezicht was rood aangelopen.

'Nee, dit zijn jouw zaken niet.'

Hij zei het zacht, maar met een afstandelijke bijna agressieve ondertoon.

De Geus wilde antwoorden, maar de vrouw die maar net tot hun beider borstkas reikte en daardoor omhoog moest kijken om de woordenwisseling te kunnen volgen stak haar hand op. Er speelde een lachje om haar mond.

'Misschien is het toch niet zo onverstandig om de hoofdinspecteur in te lichten. Hij kent Menkema toch?'

'Ludde Menkema? Wat is er met Ludde Menkema?'

Jochen da Silva accepteerde de correctie van zijn bazin met bewonderenswaardige souplesse.

'Die is verdwenen.'

'Ja, dat weet ik.'

'Ja, jij was hem kwijtgeraakt, maar wij niet, wij wisten wel degelijk waar hij zat. In Rotterdam. Het punt is dat wij hem nu ook kwijt zijn...',

Da Silva pakte een glas bier van een dienblad dat hen voorgehouden werd, '...samen met zijn vriendjes. Dit zal wel voor jou zijn.'

Hij pakte een halfvol wodkaglas waarin een klein laagje suiker lag. 'Zijn vriendjes?'

'Drie jongelui. Kom mee naar boven, dan leg ik het je uit.'

*

De smalle scheepsgang werd schemerig verlicht door kale peertjes, waarvan er verschillende kapot waren. De man opende zijn hut, zette zijn koffertje in de hoek, ging weer naar buiten en sloot de deur achter zich. Hij liep naar rechts tot hij bij een metalen trap kwam, liep twee dekken naar beneden, ging weer een gang in en stopte voor kamer nummer 412. Hij legde zijn oor tegen de deur en luisterde. Tevredengesteld haalde hij een sleutelbos uit zijn zak, pakte een dun staafje en stak dat in het slot. Hij bewoog zijn vingers en duwde de klink voorzichtig naar beneden. De deur kierde open. Twee seconden later was hij binnen. Hij sloot de deur achter zich. Naarmate zijn ogen wenden aan het donker kon hij meer van het lichaam van de slapende naakte vrouw op het bed onderscheiden. Ze lag met haar armen onder haar hoofd, haar rechter-onderbeen hing half naast het matras. Ze was nat van het zweet dat zwak glansde in het spaarzame licht dat op de een of andere manier de ruimte binnenkwam. De man haalde een zaklampje tevoorschijn. Een felle, sterk omlijnde lichtcirkel ging systematisch over de bagage, flitste over het schaakspel en concentreerde zich toen op de op de grond liggende kleren. Hij zocht in de broekzakken. Niets. De jaszakken. Ook niets. De schoenen. Ook niets. In de tas vond hij een in een doek gewikkeld pakje. Hij opende het, keek ernaar, glimlachte tevreden, legde het op het tafeltje, stond voorzichtig op en pakte een handdoek van een haakje naast de ingang van de douche. In twee stappen was hij bij het slapende lichaam.

Ze deed een seconde of vijf nadat hij haar mond en neus had dichtge-drukt haar ogen open. Het duurde nog een aantal seconden voordat hij de paniek zag verschijnen. Ze begon met haar benen te trappen. Haar borsten die onder zijn rechterarm beklemd lagen voelden aan als kruik-jes. Warm, vol water. Een knie raakte hem in zijn rug. Hij duwde nog iets harder. Ze probeerde te schreeuwen maar kwam niet veel verder dan nauwelijks hoorbaar gekreun. Hij lachte haar vriendelijk toe, bijna oprecht geïnteresseerd in haar doodsstrijd. Toen viel ze slap. Te plotse-ling. Hij glimlachte waarderend, wachtte tot ze al haar krachten had verzameld en ving de daaropvolgende aanval met gemak op. Achter hem ging de deur open. Toen ze de tweede keer slap viel, deze keer langzamer, liet hij de handdoek voorzichtig los en boog zich voorover om te luisteren of ze nog ademde. De grote moersleutel raakte hem achter zijn rechteroor, verbrijzelde het bot en schampte af. De tweede klap kwam op zijn nek terecht, maar de eerste klap was al voldoende geweest. Behalve kleine botsplintertjes die losraakten en met de stroom bloed meedreven, naar buiten, het matras op, gebeurde er in zijn hoofd niets meer.

De Rus luisterde naar het hart van Farima, legde zijn lippen over haar mond en ademde uit. Zijn handen, die hij tussen haar borsten had gelegd, duwden haar oprijzende borstkas weer naar beneden. Hij wachtte tot de lucht terugkwam en blies weer. Hij nam het zichzelf kwalijk dat hij een erectie voelde opkomen. Al snel begonnen haar oogleden te knipperen.

*

Samir stond glazig bij het raam naar het onverlichte huis aan de andere kant van het gazon te kijken, terwijl Yasin op de middelste stoel achter de tafel schoof en Mahnaz redderend heen en weer liep. In de lichtbundels van de tuinverlichting waren minuscule druppeltjes grijzig water verschenen die helderwit werden nadat ze waren vastgevroren aan de struiken. Yasin trommelde met zijn vingers op de tafel. Ludde had zijn benen voor zich uitgestrekt. Ergens tikte een klok. Mahnaz ging naast Yasin zitten. Ze keken elkaar aan. Samir had zijn voorhoofd tegen het glas gelegd.
    'Laten we beginnen.'
    Yasin nam het woord.
    'We zijn hier om Ludde Menkema voor het gerecht te dagen. Mahnaz hier is de aanklager, Samir is de verdediger en ik ben de rechter.'
    'En ik ben de al veroordeelde verdachte.'
    Ludde trok zijn voeten naar zich toe.
    Yasin negeerde zijn opmerking.
    'De aanklager heeft het woord.'
    Ludde keek naar Mahnaz, hij merkte dat hij nieuwsgierig was. Ze trok een zwart mapje naar zich toe.
    'Ik wil aan de verdachte vragen of hij de mensen op deze foto herkent.'

Ze gaf Ludde een computerscan. Hij zag zichzelf, lang geleden. Naast hem stond een vrouw, een meisje eigenlijk, klein van stuk, met donker krullend haar dat werd bedekt door een hoofddoekje. Naast haar stond een man die niet veel groter was. Op de achtergrond was een geel gebouw te zien.

'Dat ben ik', Ludde wees, 'die man was een collega van me. Dit is een foto uit de tijd dat ik als militair in Afghanistan zat. Hoe kom je hieraan?'

'Hoe heten die mensen?'

Mahnaz had haar ellebogen op de tafel gezet met haar handen in elkaar geklemd. Haar knokkels waren wit. Ludde voelde zich verward. Hij staarde naar de foto. Farima heette ze, dat zou hij nooit vergeten. Mooie en gevaarlijke Farima. De man heette Van der Veen.

'Dat is Jan van der Veen en die vrouw heet Farima', hij wees op de foto, 'haar achternaam ben ik kwijt moet ik eerlijk zeggen. Ze was tolk, een soort verbinding met de lokale bevolking. Het was een aparte vrouw. Later zijn ze met elkaar getrouwd.'

Mahnaz' handen leken nog verder te verkrampen.

'Hoezo was die vrouw apart?'

'Omdat ze een aparte positie leek te hebben, ik weet niet waardoor. De meeste vrouwen daar zag je niet, in elk geval hun gezichten niet. Ze sprak uitstekend Engels, ook Russisch en Frans geloof ik.'

Hij keek naar zichzelf. Een lange schrale jongen. Zwart vettig iets te lang haar. Een zonnebril.

'Dit is lang geleden.'

Mahnaz zei niets. Samir keek nog steeds uit het raam. Ludde keek weer naar de foto. Van der Veen en hijzelf, zo jong allebei, zo verschillend, zo…, hij zocht naar het woord in zichzelf, … zo goedwillend. Farima, mooie vreemde Farima leek hem aan te kijken. Op het moment dat hij zijn ogen van de foto losmaakte en naar Mahnaz keek zag hij het.

'Jij bent haar dochter.'

Mahnaz ontspande zichtbaar.

'En jij bent dus haar zoon.'

Ludde keek naar Yasin. Samir keek opgelucht om, alsof nu alle kou uit de lucht was.

'Waarom dan deze poppenkast? Van der Veen was een collega van me, een vriend. Hadden jullie me niet gewoon kunnen vertellen dat hij jullie vader is?'

Mahnaz had haar handen in haar schoot gelegd.

'Volgens hem was je zijn vriend helemaal niet.'

Yasin duwde haar bijna opzij om het woord over te kunnen nemen.

'Mijn vader zegt dat jij een verrader bent.'

Hij zei het met een vlakke stem, maar aan zijn lichaamshouding was te zien dat hij wachtte op een aanleiding om te gaan schreeuwen of iets anders te doen waardoor hij zijn emoties kon laten gaan.

Ludde voelde zich ineens weer doodmoe.

'Eerst was ik een kindermoordenaar, nu een verrader.'

'En een lafbek.'

Luddes lichaam zakte in elkaar. Hij sloot zijn ogen. Toen hij ze na een tijdje weer opendeed richtte hij het woord tot Yasin.

'Ik heb hier geen zin meer in.'

Hij ging staan, maar viel terug omdat hij de tape om zijn enkels vergeten was. Yasin kwam naar hem toe. Ludde gaf hem een duw, stond weer op en begon in de richting van zijn slaapkamer te strompelen. Toen Yasin hem tegenhield begon hij te vloeken.

Samir stak een vinger op en begon met een geaffecteerde stem te doen alsof hij een verslaggever was.

'De verdachte kon zich niet langer beheersen', hij maakte een dramatisch gebaar naar de vloer, 'hij stond op na het horen van de schokkende aanklacht, maar toch, orde moet er zijn.'

Hij giechelde en gooide een glas water in het gezicht van Ludde die hem, plotseling rustig, aankeek.

'Jíj bent tenminste nog stoned', mompelde hij, 'maar die twee daar zijn gek.'

*

De Geus en Da Silva hadden vanuit het restaurant de lift genomen naar Da Silva's kantoor.

'De kwestie is als volgt', Jochen da Silva zat op de hoek van zijn bureau, 'ik had je niet alles verteld. Dat vonden wij niet nodig, ik en mijn chef.'

'Over Ludde Menkema.'

'Over Ludde Menkema inderdaad.'

Da Silva pauzeerde.

'Even mijn gedachten ordenen.'

'Over dat jullie hem kwijt zijn.'

'Wij zijn hem kwijt. En dat meisje ook, en haar broer en het vriendje...' de ordening kwam moeizaam op gang, '...weet je overigens wie dat zijn, die broer en zus?'

De Geus schudde zijn hoofd.

'Je hebt me alleen verteld dat hij in het gezelschap is van een paar jongelui. Ik neem aan onder anderen dat meisje met wie wij hem gezien hebben.'

'Ja, dat zijn de kinderen van Jan van der Veen', Da Silva keek De Geus veelbetekenend aan, 'die wonen al jaren in Nederland. Bij een oom in Groningen. Ze zitten beiden op het Praediniusgymnasium. Het is overigens een tweeling.'

'Ik snap niet waar je het over hebt. Wat heeft dit met Menkema te maken?'

'Alles. We hielden een oogje op die jongelui, al sinds dat geval in Drenthe, en helemaal de laatste tijd toen we die afspraak met hun vader hadden gemaakt. En zoals je weet zit er ook nog een politieke kant aan, door zijn broer, de ex-staatssecretaris. We zagen dat ze contact met Menkema zochten. Dat meisje deed dat.'

'Ik snap er helemaal niets van. Welk geval in Drenthe?'

'Daarom moest jij Menkema volgen. Jullie raakten hem kwijt, maar wij hadden hem vrij snel weer gevonden, de volgende dag', Da Silva ging staan, deed een la open en haalde een stapeltje foto's tevoorschijn, 'vertel eens collega, waarom werkt jouw vriend samen met een stelletje terroristen?'

De Geus fronste zijn voorhoofd.

'Hoezo terroristen? Zijn die kinderen terroristen? Kinderen van Van der Veen?'

'Ja, dat zei ik al.'

Jochen da Silva gooide de foto's op het bureau. De Geus pakte ze op, keek ernaar en gooide ze terug.

'Een kapotte boom.'

'Kom hoofdinspecteur, kijk eens beter', Da Silva wees, 'zie je die riem? Zo'n motorrijdersriem weet je wel, die ze gebruiken om hun nieren op hun plek te houden of zoiets. In die riem hadden die kinderen vlinderbommen gemonteerd, tien stuks om precies te zijn. Enig idee waarom?'

'Nee. En nu ben je ze kwijt.'

'Ja. We wisten waar ze zaten, maar ze zijn door een gat in de muur verdwenen. Heb je een suggestie?'

'Ik begrijp tot nu toe dat je wist waar ze zaten, maar dat ze nu weg zijn.'

'Juist.'

'Dan zou ik ervoor zorgen dat alle opnamen van alle beveiligingscamera's die rond hun voormalige schuilplek zitten in beslag worden genomen.'

Da Silva haalde een telefoontje uit zijn binnenzak en gaf een order door, wat een paar minuten duurde. De Geus zat enigszins verweesd voor zich uit te kijken. Toen Da Silva klaar was keek hij De Geus opgewekt aan.

'Goed idee van je hoofdinspecteur. En heb je intussen bedacht waarom Menkema besloot zich aan te sluiten bij dat groepje?'

De Geus ging staan, liep naar de zithoek en liet zich op de luxueuze bank vallen.

'Ik kan me niet voorstellen dat Ludde ook maar iets met terrorisme te maken heeft.'

De andere man keek hem aan.

'Zal ik een suggestie doen?'

'Dat hoeft niet', zei De Geus, 'dat kan ik zelf wel. Als het geen terrorisme is, dan zal het wel om drugs gaan.'

Da Silva knikte.

'Dat denken wij ook', hij liep naar de zithoek waar hij zich vlak voor De Geus opstelde, 'maar er is vaak een relatie tussen terreur en drugssmokkel. Ik neem aan, hoewel je Menkema kende in Afghanistan, dat jij daar zelf niets mee te maken hebt?'

De Geus keek omhoog. Da Silva leek te menen wat hij vroeg.

'Ik heb nooit iets verdachts gemerkt. En wat mijzelf aangaat, jij hebt ongetwijfeld de mogelijkheid om daar alles over op te zoeken. Doe dat, en je zult niets vinden. Ik ben altijd in hart en nieren een goede politieman geweest, ook toen al.'

'Wat niet wegneemt dat er in zo'n periode waar jonge jongens op een exotische plaats bij elkaar zitten best rare dingen afgesproken kunnen worden. En wij weten dat er wel degelijk iets verdachts was aan Menkema. Hij handelde daar in drugs', Jochen da Silva ging zitten, 'en wij hebben in jouw dossier toch wel een klein vlekje gevonden dat daarmee te maken heeft.'

De Geus boog afwachtend zijn hoofd.

'Vertel maar.'

'Zelf geen idee? Je lijkt niet erg verbaasd over het feit dat Menkema in Afghanistan in drugs handelde.'

'Omdat ik dat wist. Ik heb dat geval als marechaussee onderzocht. Het ging om een kleine hoeveelheid op een feestje.'

'Meer dan genoeg om de hele zaak daar in gevaar te brengen.'

'Meer dan genoeg om iedereen een leuke avond te bezorgen kun je ook zeggen. Hij is niet eens naar huis gestuurd.'

Jochen da Silva grinnikte.

'Dat was dus jouw vlekje. Met een beetje kwade wil zouden we kunnen denken dat je een reden hebt om hem in bescherming te nemen.'

'Ja. Als je paranoïde bent wel.'

'Wij zijn paranoïde. Dat hoort bij ons vak.'

'Denk je dat ik morgen de plek kan zien waar Ludde vast heeft gezeten?'

'Vastgezeten? Jij denkt dat ze hem vasthouden? Goed, we gaan morgen kijken. En ik begrijp dat wat jou betreft het onderwerp drugshandel in Afghanistan is afgehandeld?'

'Inderdaad.'

'Maar toch', zei Da Silva, 'maar toch, later heeft Menkema wegens drugs in een Franse cel gezeten, dus zo onschuldig is hij nou ook weer niet.'

'Volgens mij is hij er toen ingeluisd.'

'Volgens mij ook.'

*

Farima keek de lange schaars verlichte gang in.

'Geen camera's?'

De Rus stond vlak achter haar.

'Niet dat ik zie.'

'Toch denk ik dat we hem beter door de patrijspoort kunnen duwen', Farima keek om, 'hoe heet jij eigenlijk?'

'Josef', de Rus zei het met een kleine glimlach, alsof hij op die vraag had gewacht, 'ik ben vernoemd naar mijn vader, en die was vernoemd naar onze grote leider.'

'En moordenaar, zoals al je landgenoten.'

Hij keek haar aan terwijl zijn lachje verdween, draaide zich om, liep naar de patrijspoort en stak zijn hoofd naar buiten.

'Ik denk dat we hem hier wel doorheen krijgen, als we niet wachten tot hij stijf is.'

Farima keek naar de dode man op het bed.

'Hij is niet zo breed nee', zei ze, 'ik denk dat we eerst zijn schouders moeten doen, als die erdoor gaan volgt de rest ook wel.'

Josef gromde instemmend, bukte zich, pakte het lijk op alsof hij een omaatje vanuit haar bed op een stoel tilde en schoof het hoofd door de opening.

'Jij moet hem er verder door zien te krijgen.'

Farima wurmde zich naast het lichaam en probeerde de beide schouders naar elkaar toe te duwen. De bleke lippen van de dode man vlak bij haar gezicht openden zich. Er klonk een diep grommend geluid. Farima liet los en viel achteruit tegen de zijwand. De Rus keek haar grijnslachend aan.

'Dat komt omdat je de lucht uit z'n longen perst.'

'Dat weet ik, maar ik neem toch het recht om even te schrikken', ze schudde haar hoofd, 'volgens mij moet toch eerst een van zijn armen naar buiten, dan zijn hoofd, en dan de rest. Dan staan zijn schouders meer in lijn met zijn rug.'

Ze ging weer staan. Josef deed een stapje terug waardoor het hoofd uit de patrijspoort zakte. Farima pakte de arm die het dichtst bij haar lag, stak die naar buiten en tilde daarna het hoofd weer op de rand. Josef duwde. Farima ondersteunde de rug.

Ze schoven het lijk verder totdat het zwaartepunt aan de buitenkant van de boot lag.

'Eén, twee drie in godsnaam', Josef sloeg een kruis.

Ze lieten los en wachtten op de plons.

'Die zijn we kwijt', Josef keek Farima aan, 'wat heb jij tegen Russen? Zonder deze Rus was je nu dood geweest.'

Farima liet zich op het bed zakken.

'Ik heb niets tegen deze Rus', zei ze. Haar stem klonk schor, 'maar ik heb alle reden om niet van Russen in het algemeen te houden. Ze zijn grof en ze zuipen', ze zweeg even, 'en ze hebben nogal wat van mijn familieleden en mijn volk vermoord.'

Josef ging naast haar zitten en sloeg een arm om haar heen.

'Die jongens konden vaak niet anders', hij trok haar hoofd tegen zich aan, 'weet je, ik hoop dat er een hel is. Dan kunnen daar al die mannen heen die andere mannen hier op aarde daar al naartoe hebben gestuurd.'

Farima liet haar hoofd even op zijn schouder rusten, maakte zich toen los en ging staan.

'Kom, we gaan kijken of we iets interessants kunnen vinden in zijn hut.'

Ze wees met haar duim naar de patrijspoort.

De ogen van Josef drukten teleurstelling uit.

'Goed. Ik wed dat er een sluipschuttersgeweer in dat koffertje zit.'

Farima liep naar de deur.

'Hoe kwam je op het idee me te komen redden?'

Josef antwoordde met iets van trots in zijn stem.

'Dat koffertje viel me op de kade al op. En toen we op het dek een biertje dronken stond die man me te lang te dicht in de buurt', ze liepen de gang in, 'en omdat ik een ruime fantasie heb vond ik de gedachte niet onlogisch dat hij iets met jou te maken had, dus toen besloot ik maar een beetje te doen alsof ik dronken was en volgde hem.'

Farima keek om.

'Josef', zei ze, 'ik ben blij dat Allah je op mijn pad heeft gestuurd.'

Josef grinnikte.

'Dat zou betekenen dat Allah ook ongelovige Russen kan sturen.'

'Natuurlijk', zei Farima, 'dat weet ik niet alleen, dat geloof ik ook.'

*

'Ik zal de aanklacht voorlezen', zei Mahnaz, terwijl ze naar Yasin keek met een blik waarmee ze om toestemming vroeg om te beginnen, 'wij beschuldigen Ludde Menkema van het medeplichtig zijn aan het vermoorden van drie weeskinderen in Afghanistan omdat hij aan de vijand vertelde waar onze vader Jan van der Veen woonde.'

Ludde keek haar verbijsterd aan en begon, nadat dat wat ze had gezegd dieper tot hem was doorgedrongen te lachen. Hij wees op zijn voorhoofd.

'Jullie zijn echt gestoord', zei hij toen hij zichzelf weer een beetje onder controle had, 'dit gaat echt helemaal nergens over.'

Yasin leek zijn reactie niet erg op prijs te stellen. Hij kwam half overeind en greep de rand van de tafel vast, alsof hij zichzelf tegen moest houden. Zijn koude blauwe oog keek strak. Het bruine oog zwom onbestemd rond.

'Als je je mond niet houdt schiet ik je persoonlijk dood op dat gras daar', Yasin wees naar het wit berijpte gazon, 'en het kan me niet schelen wat er daarna gebeurt.'

Hij sloeg driftig op de tafel. Samir schraapte zijn keel, maar toch piepte zijn stem toen hij het woord nam.

'Je mag blij zijn dat je nog een kans krijgt.'

Ludde reageerde geprikkeld.

'Wat zou ik dan gedaan moeten hebben?'

Yasin keek opzij, naar Mahnaz. Ze keek op het papier.

'Wij, Yasin en ik, zijn geboren in Afghanistan. Onze vader was een Nederlandse militair. Hij werd verliefd op een Afghaanse, dat was mama. Voor hij trouwde moest hij natuurlijk moslim worden, maar dat deed hij uit volle overtuiging…', ze keek op toen ze zag dat Ludde instemmend knikte, '…daar ben je het mee eens zie ik.'

'Zeker, je vader was erg geïnteresseerd in het moslimgeloof, absoluut.'

Mahnaz keek opgewekt naar Yasin die voldaan terugkeek. Ook Samir glunderde.

'Dat vinden jullie fijn om te horen', constateerde Ludde, 'nou kinderen, hij meende het echt. Ga verder, het begint interessant te worden.'

'Toen wij zes jaar waren kwam jij bij mijn ouders op bezoek', Mahnaz keek even op van haar papier, 'er woonden drie weeskinderen bij ons. Een dag nadat jij weer was weggegaan kwamen er soldaten. Ze schoten mama's vader dood, onze opa. Ze gooiden granaten in de slaapkamer. Toen waren Omed, Emal en Dunya ook dood. Dat waren onze vriendjes. Vlak daarvoor hadden we nog met elkaar gespeeld.'

Ze keek Ludde weer aan.

'Papa zei dat jij ons hebt verraden.'

Ludde keek voor zich uit. Hij wist heel goed over welk bezoek ze het had. Hij herinnerde zich dat hij die weeskinderen snoepjes had gegeven. Hij herinnerde zich nu ook het zoontje dat Jan van der Veen hem vol trots had laten zien. Het dochtertje, Mahnaz, kon hij zich niet meer voor de geest halen.

'Dit wist ik niet, dat van die soldaten', hij schrok even toen Yasin bruusk ging verzitten, 'en ik heb er ook echt niets mee te maken.'

Samir keek nerveus naar Yasin.

'Yasins vader zegt van wel, en die was erbij.'

'Wij ook', Yasin probeerde het te zeggen alsof het hem niet aanging, maar zijn stem trilde van woede. Mahnaz legde een hand op zijn onderarm. Yasin keek naar Ludde die zijn ellebogen op zijn knieën had gezet en zijn hoofd in zijn handen hield.

'Zal ik je vertellen wat ik me herinner?'

Ludde ging rechtop zitten.

'Dat moet je zelf weten.'

'Omeds hoofd was er half af. Dunya ging maar door met schreeuwen. Emal niet. Die lag erbij alsof hij een pop was. En toen ik bij Dunya kwam keek ze me aan en ging dood.'

Het was erg lang stil in de kamer totdat Ludde enigszins timide reageerde.

'Ik heb er echt niets mee te maken.'

Samir stond op en liep naar het raam.

'Het sneeuwt', zei hij, 'kijk maar.'

Mahnaz glimlachte naar Yasin.

'Weet je nog hoe het kon sneeuwen waar wij woonden in Afghanistan? Papa heeft daar sleetje met ons gereden, die slee had hij zelf gemaakt, prachtig gewoon. Het is zo mooi daar.'

De top van Yasins wijsvinger ging doelloos over het tafelblad. Samir kwam terug. Hij kuchte.

'Ik wil iets zeggen', hij kuchte nog een keer, 'ik wil iets zeggen als zijn advocaat', hij wees naar Ludde, 'ik wil voorstellen dat hij maar moet bewijzen dat hij er niets mee te maken heeft.'

Mahnaz knikte voorzichtig terwijl ze haar broer aankeek.

'Dat moet toch ook volgens de voorschriften? Hij heeft toch het recht te vertellen wat hij ervan vindt?'

'Als papa zegt dat het zijn schuld is lijkt me dat meer dan genoeg.'

Ludde schraapte zijn keel.

'Ik schrijf wel op wat er volgens mij gebeurd is, als dat mag.'

'Je gaat je gang maar.'

Yasin liep naar de deur en ging naar buiten. Mahnaz liep achter hem aan. Samir pakte het pistool dat Yasin op de tafel had achtergelaten.

'Je wilt het dus opschrijven.'

'Ja, ik wil best vertellen wat ik me uit die tijd herinner, maar of dat veel zal helpen vraag ik me af. Ik denk niet dat zij daar erg open voor staan.'

Ludde wees naar buiten.

Door het dunne laagje sneeuw op het gazon liepen twee paar voetsporen die eindigden bij de silhouetten van Yasin en Mahnaz. Ze stonden met de armen om elkaar heen.

Samir en Ludde keken zwijgend toe totdat Samir het woord nam.

'Na die moorden zijn ze naar Nederland gestuurd. Ze zaten bij mij in de klas op de basisschool.'

'Ze lijken ouder dan jij bent.'

'Ja, een jaartje. Ze moesten een beetje achterstand inhalen.'

*

Farima opende het koffertje. De Rus floot bewonderend.

'Dat dacht ik al, een eersteklas geweer', zei hij, 'daarmee schiet je over honderden meters iemands neus van zijn gezicht.'

'O', zei Farima, 'waarom zou je dat willen doen?'

'Mag ik?'

De Rus pakte het koffertje uit haar handen, bestudeerde de verschillende onderdelen en begon het wapen in elkaar te zetten. Farima keek rond, maar zag niets dat haar van belang leek.

'Kijk eens in dat laatje?'

Ze deed wat hij vroeg terwijl hij de zoeker op de patrijspoort richtte.

'Zit er wat in?'

'Ja, een portefeuille.'

'Met wat erin?'

'Geld. En een identiteitsbewijs.'

De Rus legde het geweer naast zich neer.

'Ken je de naam?'

'Nee, wil jij het geld?', ze overhandigde hem een stapeltje bankbiljetten, 'je kunt wat mij betreft dat ding ook meenemen', ze wees naar het geweer, 'maar bedenk wel dat het misschien een gevaarlijk bezit is, aangenomen dat die moordenaar vrienden had.'

'Nou, vrienden had hij vast niet, maar wel collega's misschien, en zeker een opdrachtgever. De kans is groot dat ze hem opwachten in Bakoe. Als ze jou zien zal het niet zo moeilijk voor ze zijn om te bedenken dat er iets fout is gegaan.'

'En dan zullen ze het ook niet zo moeilijk vinden om te begrijpen dat jij er iets mee te maken hebt, aangenomen dat ze weten dat we samen in Turkmenbashi zijn gearriveerd.'

De Rus schroefde het geweer uit elkaar, deed de onderdelen terug in het koffertje en legde het stapeltje bankbiljetten ernaast.

'Dus zullen we elkaar moeten helpen.'

Vijf minuten later sloten ze de deur achter zich.

'Het is van belang dat ze jou niet te zien krijgen in de haven, pak je spullen en kom naar het containerdek, over een half uur.'

Hij keek haar breed lachend aan.

'Hoe dit ook afloopt, het is tot nu toe een mooi avontuur. En als ik eraan ga, wat ik niet geloof, dan ga ik als een rijk man.'

*

Ik was net twintig toen ik voor de eerste keer naar Afghanistan ging. Ik was beroepsmilitair, maar ik heb weinig gevochten. Helemaal niet eigenlijk. We zaten met een kleine groep in het Noorden, daar was niet zo heel veel aan de hand. We waren speciaal opgeleid om opbouwwerk te doen, wat vooral neerkwam op waterputten slaan, wegen en gebouwen repareren, de gezondheidszorg op poten zetten, dat soort dingen. We waren niet zo erg succesvol. In het kamp kwam ik jullie vader tegen. Zoals ik al zei was hij goed in talen. In ons kamp vonden

besprekingen plaats, waar ik overigens nooit bij was. Jullie vader wel, omdat hij
de taal sprak. Jullie moeder, althans zij die later jullie moeder zou worden, was
daar soms ook bij, omdat zij Engels sprak. Wij vonden er toen niets raars aan dat
zij dat werk deed, maar achteraf was het dat misschien wel, omdat ze een vrouw
was, en vrouwen hebben in Afghanistan niet zo heel veel te vertellen. Vrouwen
worden daar beschouwd als bezit dat verhandeld kan worden. Voorbeeld: als er
daar een conflict is, dan lossen ze dat soms op door hun dochters uit te huwelij-
ken aan de tegenpartij, en dat noemen ze dan een natte oplossing. Jullie moeder
was dus een uitzondering. Later begreep ik dat dat iets te maken had met de
positie van haar familie in dat gebied. Ik heb geen idee of jullie dat weten, maar
jullie verwanten daar zijn erg rijk omdat ze veel grond bezitten en omdat ze
handelen. Handel in opium. Ik begrijp dat jullie al een hele tijd in Nederland
wonen, en jullie opleiding wordt dus denk ik met drugsgeld betaald.

Ludde keek naar de laatste zin en overwoog die weer te schrappen,
maar deed dat niet. Hij keek om naar Samir.
'Ik ben moe, ik ga morgenochtend wel verder.'
Samir geeuwde.
'Ik zal je wel vast moeten maken', zei hij, 'en je wilde je toch nog dou-
chen?'
Zijn stem klonk verontschuldigend, alsof hij iets goed te maken had.

*

Farima hurkte tegen de metalen wand naast de schuifdeur die naar het
containerdek leidde. Ze keek over de schouder van Josef die voor haar
zat. Hij wees naar de lange rijen wagons.
'Zie je die blauwe container daar links, tussen die grijze?'
Ze knikte.
'Ik ga naar dat hok waar de bewakers zitten. Zodra ik binnen ben
loop jij naar die container en je kruipt erin. Laat de deur op een kier
staan, die doe ik op het laatste moment dicht, anders stik je.'
Farima knikte weer.
'En je laat me er bij het vliegveld weer uit.'
Nu was het zijn beurt om te knikken. Door de openstaande achter-
deuren van de veerboot stroomde het zachtgele licht van de opkomende
zon. Een zoetig ruikende wind waaide naar binnen. Farima snoof.
'Dat is de geur van Bakoe, het ruikt daar naar olie en geld', zei Josef,
'als je hier eerst oversteekt en dan daar langs die wand loopt zal alles
wel goed komen. Neem dit met je mee.'

Hij gaf haar het koffertje van de man wiens lijk in het water van de Kaspische zee dreef, een paar kilometer in de richting van de zon die ze nu heerlijk warm op de huid van haar gezicht voelde. De Rus stond op. Ze wachtte tot hij het kantoortje was binnengegaan waarvan de ramen aan de binnenkant dropen van de condens; warme adem die vermengd met wodkadamp was neergeslagen op het glas. Farima liep zo snel ze kon naar de overkant, rende langs de wand, klom op de wagon en stopte hijgend achter de blauwe container. Even later was ze binnen. Het was er ijskoud. Ongeveer de helft van de ruimte was gevuld met kartonnen dozen. Ze trok de deur naar zich toe maar liet een kleine kier open. Voorzichtig probeerde ze of ze op de dozen kon zitten. Dat kon. Toen begon het wachten.

In de container was het donker, donkerder nog dan een nacht zonder sterren thuis kon zijn. Ze hoorde vrachtwagens rijden. Af en toe schokte de trein als ze een stukje voor- of achteruit reed. Geluiden leken in de verte te verdwijnen en klonken dan weer onverwacht dichtbij. Farima's mond ging open in een geeuw die pijn deed aan haar kaken. De lucht in de ruimte was smerig. Uit de kartonnen dozen kwam een scherpe geur, verf waarschijnlijk, vrolijke verf op de kleurige prulletjes die de officiële economie van haar land voortbracht. Een hard geluid van metaal op metaal bonsde door de ruimte. Een mannenstem, een andere man die antwoordde door een portofoon, ze ging omhoog, schommelde en daalde. Een hard klokgeluid alsof er met een hamer tegen de zijwand van de container werd geslagen, het verdwijnen van de stemmen. Mannengeschreeuw in de verte en weer dichterbij en even later het landen van een container naast de hare. Een hele tijd niets. Farima sloop naar de deur en morrelde aan de sluiting. Ze kreeg hem niet open. Ze wilde lucht. Frisse lucht. Toen hoorde ze het portier. Er sloeg een motor aan. Ze reden een klein stukje, stopten, reden, en stopten. Een stem, een andere stem, Josef, gelach en toen weer rijden. Ze stikte. De inhoud van de kartonnen dozen gaf door het bewegen nog meer van de niet te verdragen geur af. Om zich heen hoorde ze het verkeer van een grote stad. Ze passeerden een rotonde, reden weer een stuk, stopten en gingen weer verder. Farima ging op de bodem zitten. Haar ogen vielen dicht. Ze stopten weer, deze keer langer. Ze geeuwde nu bijna onafgebroken. Ze liet zich op haar zij vallen, ze zakte weg, ze droomde, ze wist dat ze droomde maar had geen idee waarover, ze wist dat ze wakker moest blijven, dat ze wakker moest worden. Ze ging dood, misschien was ze al dood. Een schel licht hielp haar. Iemand sloeg haar op haar wangen. Ze deed haar ogen open. Josef keek haar bezorgd aan.

'Twee keer stikken binnen een halve dag lijkt me wat overdreven', zei hij, 'ik had niet door dat de zuurstof zo snel op zou zijn. Sorry.'

Farima kwam overeind. Ze trilde over haar hele lichaam, ze had het koud.

'Waar zijn we?'

'Bakoe Airport.'

Ze liep wankelend naar de deur van de container. De zon blikkerde op een pagodeachtig rood gebouw op een kleine honderd meter afstand. Ze keek Josef aan. Haar lippen bewogen moeizaam.

'Hier scheiden zich onze wegen.'

'Eindelijk maar toch.'

Hij sprong op de grond en stak haar een hand toe.

'Ik ben je veel dank verschuldigd', zei Farima toen ze naast hem stond.

'Ik voel mij meer dan voldoende gecompenseerd', hij deed zijn armen uit elkaar alsof hij de hele stad wilde omvatten, 'als je hier volgend jaar terugkomt, en je vraagt naar Josef, dan kent iedereen me. Dan ben ik rijk.'

'Als je in de tussentijd maar goed op jezelf past.'

Farima pakte haar weekendtas.

'Jij ook.'

'Dat zal ik doen. En de groeten aan moedertje Rusland.'

'Ik blijf hier in Azerbeidzjan, maar even goed bedankt.'

Hij reed pas weg toen hij haar het gebouw binnen had zien gaan.

*

Ludde streepte de laatste zin van de vorige avond net zo lang door tot de woorden niet meer leesbaar waren.

Hoewel er ook veel Afghanen verslaafd zijn verbouwen ze daar opium omdat dat veel geld oplevert. Het is dus niet zo gek dat er politieagenten, stamhoofden en regeringsleiders zijn die bij die handel zijn betrokken. Opium is denk ik trouwens niet het echte probleem in jullie vaderland. Het is meer dat de mensen geen opleiding hebben, zeker de vrouwen niet, en dat er andere mensen zijn die graag willen dat dat zo blijft, en daarvoor wordt de Koran toch wel misbruikt, denk ik.

Jullie vader, Jan, was toen natuurlijk nog jong, net zo jong als ik was, mis-

schien zo'n vijf jaar ouder dan jullie nu zijn. We zagen alles als een avontuur. Jan vond het prettig van huis weg te zijn. Hij was gereformeerd als jullie dat iets zegt, dus het geloof in schuld en angst zat er diep in. Zijn familie hoort bij de Nederlandse christelijke elite, het soort mensen dat het voor het zeggen heeft. Jullie weten vast wel dat een oom van jullie vader een verzetsheld was in de Tweede Wereldoorlog. Jan was daar trots op, maar hij was zelf niet zo dapper. Ik heb wel eens met hem zitten praten over God en dat soort dingen, maar dat was niet echt een succes. Het geloof in welke god dan ook heeft naar mijn mening meer kwaad dan goed gedaan, zo dacht ik toen, en zo denk ik nu nog steeds. Het grootste nadeel is dat slechte mensen ons wijs kunnen maken dat wat ze doen niet slecht is omdat ze zogenaamd een god aan hun kant hebben, of ze nu mar- telen of moorden. En het gevolg is dat je bang moet zijn, want voor je het weet zit je ergens vastgebonden aan een stoel dingen op te schrijven.

Ludde legde zijn pen neer en keek naar buiten. Schuin achter hem zat Mahnaz. Hij voelde zich steeds bozer worden. Hij had genoeg van de drie pubers die hem vasthielden. Maar na een tijdje pakte hij zijn pen weer op.

Jan, jullie vader, dacht daar anders over. Hij vond juist dat het geloof de enige manier is om uit te kunnen maken of iets goed of slecht is. Maar hij was toch minder blij met zijn opvoeding. Hij was een onzekere jongen, op zoek naar een andere waarheid dan de waarheid die hem was verteld, zodat hij zich aan de ene kant los kon maken van zijn ouders, maar aan de andere kant toch dezelfde kon blijven. Die andere waarheid vond hij in de islam. Het kostte hem niet zo veel moeite om de christelijke wetten in te ruilen voor de islamitische. Die lijken be- hoorlijk veel op elkaar. Jullie vader is iemand die niet zonder regels van buitenaf kan leven. In de periode dat hij met dat geloof bezig was kreeg hij steeds meer contact met Farima, jullie moeder.

Ludde stopte met schrijven. Hij overwoog of hij moest vertellen dat ook hijzelf Farima regelmatig sprak. Of meer nog dan dat. Je kon behoorlijk met haar lachen. En ze was nogal avontuurlijk, bijvoorbeeld toen ze dat blokje hasj had meegenomen, en zo hem en zijn maten een leuke avond had bezorgd. Daarna had hij De Geus ontmoet, de marechaussee die hem had ondervraagd en die hem had laten lopen. Farima was een mooi jong meisje. Hij was verliefd op haar geweest, maar had tegelijkertijd geweten dat dat een onmogelijke liefde was, en als hij ergens niet van hield, ook toen al, dan waren het onmogelijke liefdes. En zij had hem ook leuk gevonden. Hoe oud zou ze zijn geweest? Zeventien misschien.

Een puber is een met hormonen afgeladen mens, ook een meisje van zeventien in Afghanistan.

Aan het eind van ons dienstverband bleek Jan dus islamiet te willen worden, ook omdat hij met jullie moeder wilde trouwen. Dat ging nog niet zo gemakkelijk, maar uiteindelijk denk ik dat de militaire en de politieke top van beide landen besloot dat het een mooi symbool van de toenemende vrede was, en ze gaven hem zijn zin. We hebben een prachtig feest gehad. Een sprookje. Mooie foto's in de kranten, tot de New York Times aan toe. Stoere mannen met geweren in hun hand, gesluierde meisjes, een aftandse circusleeuw die de boel kwam opvrolijken, de Nederlandse opperbevelhebber, de ambassadeur. Prachtig allemaal. Jullie hebben er vast wel foto's van gezien.

Jaren later kreeg de Nederlandse overheid informatie waaruit bleek dat jullie vader zich bezighield met de bevrijding van Afghanistan, zoals dat daar door sommige groepen werd genoemd. De Nederlandse regering noemde het terrorisme. Ze verdachten hem ervan dat hij verantwoordelijk was voor de dood van Nederlandse militairen. Toen kwam het moment dat ze mij vroegen om naar hem toe te gaan. Het feit dat zijn broer staatssecretaris was zal ook wel een rol hebben gespeeld, jullie vader was voor hem een politiek risico.

Ludde rechtte zijn rug.
'Heb je iets te drinken voor me?'
'Ben je klaar?'
'Nee. Ik ben nog zeker een uur bezig.'

*

De Geus stond met zijn handen gevouwen voor zijn buik in de deuropening. Naast hem stond een oudere man met een gele hangsnor die De Geus zonder duidelijke reden afkeer inboezemde.
'We hebben alles onderzocht, dus je kunt vrij rondkijken. Benieuwd of je nog iets vindt wat wij niet hebben gezien.'
'Wat hebben jullie dan gezien?'
'Weinig eigenlijk, ze hadden alles behoorlijk goed opgeruimd', de man met de snor keek op een lijst die hij in zijn handen hield, 'we hebben een plek in een slaapkamer gevonden waar kleine scherven lagen van een kapot schoteltje met asresten, in diezelfde slaapkamer lag een gordijn dat oorspronkelijk was vastgezet met punaises. In de slaapkamer links heeft een vrouw geslapen, alleen. Op de bank een jongen, haar broer. Dat weten we tegenwoordig direct, erg gemakkelijk die dna-ana-

lyse ter plekke. Op dezelfde bank, bij toerbeurt mogen we aannemen het vriendje. Ze zijn weggekomen door een gat beneden in de stookruimte. Maar het meest interessante is misschien wel dit...', hij trok een foto los van onder een paperclip, 'weet je wat dit is?'

De Geus bestudeerde de foto.

'Een opengesneden stuk tape dat ergens omheen heeft gezeten. Waar heb je dat gevonden?'

'In de slaapkamer.'

'Conclusies?'

'Geen. Dat die jongelui en Menkema hier zaten wisten we al. We weten ook wie die kinderen zijn. Ik kan natuurlijk wel vragen stellen. Dat gordijn verduisterde de slaapkamer van Menkema. Waarom? Er is een schoteltje stukgegaan. Per ongeluk? En tape. Waarvoor?'

De Geus liep de gang in en keek in de slaapkamer aan zijn rechterhand.

'Daar zat Menkema.'

De rechercheur kwam naast hem staan.

'Een kale bedoening zoals je ziet.'

De Geus deed een stap naar binnen en draaide zich om naar de deur.

'En dit gat hier, dat hebben jullie niet gezien?'

'Ja natuurlijk wel. Ik wilde even kijken of je oplette. Dat gat is van binnenuit gemaakt met een stuk van dat kapotte schoteltje.'

'En dus?'

'Dus scherpen we onze speculaties aan. De mogelijkheid dat Menkema hier niet vrijwillig zat is aannemelijk geworden.'

De Geus knikte.

'Dat lijkt mij ook. Bovendien komt dat beter overeen met hoe ik de man ken. Het is misschien een wat losgeslagen jongen, maar het is geen crimineel, en zeker geen terrorist.'

'Ik had wat anders begrepen. Hij zat toch vast in Frankrijk?'

De Geus liep naar het raam.

'Denk je dat er enige kans is dat jullie zijn aankomst op video hebben? Hangt er misschien een camera buiten bij de ingang?'

'Nee, die is er niet. Hier in het portaal ook niet. Wel bij de ingang van de parkeergarage, maar daarop zie je alleen dat er twee auto's naar binnen worden gereden. Een oude Volvo en een even oude Focus.'

'Wie reed?'

'Het vriendje reed de Focus, het meisje de Volvo.'

'Dan is de kans bijna honderd procent dat Menkema hier tegen zijn zin zat. Die Volvo is van hem. Hij laat nooit iemand anders aan het stuur.'

'De volgende vraag is dan dus waarom?'

'Ik vraag me eerder af waar hij nu is. Heb je dat haartje gezien op die foto?'

'Dat op die tape zat geplakt?'

'Ja.'

'We laten het dna-profiel op dit moment onderzoeken.'

'Je had toch zo'n apparaat?'

'Dat is helaas stukgegaan.'

*

Farima liep de winkel binnen. Ze liet haar hand langs een rek met broeken glijden terwijl ze naar de toonbank liep. Ze vond het een heerlijk gevoel. De verkoopster keek op.

'Hebt u hier een wasgelegenheid voor het personeel?'

De jonge vrouw glimlachte verbaasd en afstandelijk.

'Hoezo?'

'Omdat ik me wil opfrissen.'

'Dat kunt u op het damestoilet van het vliegveld doen.'

'Dat weet ik. Maar ik prefereer wat meer privacy. Bovendien heb ik haast. U kunt intussen een mantelpakje van Gucci klaarleggen, met alle toebehoren. Als het kan snel, mijn vlucht gaat over een uur. Ik zou het ook op prijs stellen als u een aantal paren bijpassende schoenen zou willen halen bij uw buren, zodat ik kan kiezen, en ook een mooie koffer graag. Waar is uw wasgelegenheid?'

De verkoopster aarzelde, boog toen lichtjes haar hoofd alsof ze zich overgaf, liep naar de winkeldeur en deed die op slot.

'Komt u maar mee. Hoe denkt u te betalen?'

'Cash.'

*

De Nederlandse regering gaf me opdracht contact te zoeken met jullie vader. Ik moest zoveel mogelijk te weten komen over wat hij te maken had met Afghaanse terroristen, of vrijheidsstrijders zoals hij ze noemde. Het tweede doel was om te onderzoeken of hij openstond voor een dubbelrol. Ik heb die opdracht aangenomen, ten eerste omdat ik wel zin had in een avontuur, ten tweede omdat ik het geld goed kon gebruiken, ten derde omdat ik het leuk vond om weer naar

Afghanistan te gaan, omdat het daar zo mooi is. Ik ging naar Kabul per vlieg-
tuig, daarna naar het Noorden, richting Herat, met een militair konvooi. Toen
richting Meymaneh, daar zat hij in de buurt, maar niemand wist precies waar.
Ik heb in mijn hotel verteld dat ik met hem wilde praten omdat ik aannam dat
die vraag wel bij hem terecht zou komen, en dat was ook zo. Ik werd opgehaald,
toen moest ik nog een dag en een nacht reizen, het laatste stuk op een paard. Ik
ontmoette jullie vader en moeder in hun huis in een vallei, waar jullie geboren
zijn naar ik aanneem. Ik herinner me dat Jan Yasin aan me liet zien, die dus
ook Jan heet eigenlijk, heb ik begrepen. Mahnaz kan ik me niet herinneren. Ik
had van het begin af aan al geen vertrouwen in mijn opdracht, daarom heb ik
gewoon verteld wat ik kwam doen, dus mijn opdracht was sowieso al mislukt,
maar daar zat ik niet mee. Ik vond Jan veranderd, minder open, minder aardig,
strakker. Hij was nogal fanatiek gelovig geworden naar mijn idee. Ik denk dat
hij het type is dat een god nodig heeft zodat hij die aan zijn geluk kan laten kna-
gen. Jullie moeder liep in een boerka wat ik haar daarvoor nooit had zien doen.
We hadden daar een nutteloos gesprek over, Jan en ik. Bewaar me voor mensen
die alles zeker weten. Hij leek op een heilige, hij had een soort Jezus-uiterlijk, al
zal die vergelijking hem niet bevallen, en jullie ook niet misschien. Ik ben drie
dagen in jullie geboortehuis geweest. Toen ik terugvloog vanaf Kabul werd ik
op een tussenstop op vliegveld Orly bij Parijs vastgezet omdat ze hasjiesj in
mijn bagage vonden. Dat moet iemand in Afghanistan erin hebben gestopt. Ik
heb in Frankrijk een jaar vastgezeten. Ik heb niets doorgegeven aan de autori-
teiten over de woonplaats van jullie ouders wat ze al niet bekend was, ik bedoel,
de lokale autoriteiten wisten echt wel waar jullie huis stond. En soldaten van
andere landen kwamen daar ook niet, of het moet een commandoactie zijn ge-
weest, maar dat lijkt me sterk, want welk belang zouden ze, de Amerikanen
bijvoorbeeld, of voor mijn part de Nederlanders, hebben om zoiets te doen? En
als het wel commando's waren, en het doel was om jullie vader uit te schakelen,
dan hadden ze dat ook echt wel gedaan. De beschuldiging van jullie vader dat
ik hem in de val heb gelokt slaat nergens op. Tot op de dag van gisteren wist ik
niet eens wat er was gebeurd.

Ludde legde zijn pen neer. Hij dacht aan de dingen die hij niet had opgeschreven. Aan het gesprek met Farima in een hoekje van die prachtige
tuin, waar een ezel hen trouwhartig had aangekeken. Ze had hem gevraagd om te proberen Jan ervan te overtuigen dat hij met haar en de
kinderen naar Nederland moest gaan. Hij had dat geprobeerd, maar
had haar de volgende dag op dezelfde plek moeten vertellen dat Jan
er niet over piekerde om te doen wat zij vroeg, omdat hij vond dat hij
en zijn gezin in Afghanistan hoorden. De woede was daarna zichtbaar

van haar afgespat, ondanks de boerka die haar lichaam bedekte. En natuurlijk herinnerde hij zich vooral het moment tussen de containers van het legerkamp, veel eerder, toen een kleine toenaderende beweging van zijn kant en een soortgelijke beweging van haar kant in een kus was geëindigd, waar hij, als hij eerlijk was, nog steeds trillerig van werd als hij eraan terugdacht. En hij dacht ook dat hij, als hij dit hele gedoe zou overleven, er misschien achter zou kunnen komen of het Jan van der Veen was geweest die hem dat jaar gevangenisstraf in Frankrijk had bezorgd. Als dat zo was zou hij hem met plezier aan de Nederlandse regering uitleveren.

*

De rechercheur draaide met zijn linkerhand aan zijn snor terwijl hij met zijn rechter naar een kaart van Rotterdam wees.

'Bij deze kruisjes hebben we officiële camera's, camera's van de gemeente zeg maar. Waar ik rondjes heb gezet hangen camera's van burgers, meestal van een winkel. Die horen geen opnames te kunnen maken van de straat, wat natuurlijk niet wil zeggen dat ze dat ook niet doen.'

'Waar hebben we de meeste kans op succes?'

De rechercheur liet zijn snor los.

'Bij het Spartastadion hangen er een paar, bij het Marconiplein, omdat de Calandlijn daar loopt, en hier nog een waar de Horvathweg en de Spangense Kade samenkomen. Volgens mij kunnen we het beste beginnen met het Marconiplein.'

Even later gleden de beelden voorbij, meestal vaag, meestal zo vol mensen dat het moeilijk was om wie dan ook te herkennen.

'Waar letten we op?'

'Een vrij lange man, zwart sluik haar, loopt een beetje gebogen, waarschijnlijk in gezelschap van drie jongelui. Eén voor hem, twee achter hem.'

Ze keken.

Haastige, dik aangeklede mensen. Reizigers. Moeders met kinderwagens. Een groepje zwervers dat in de luwte van een gebouw wegkroop voor de wind.

Rechts in de bovenhoek van het scherm versprong een klok. Na een tijdje betrapte De Geus zich erop dat hij individuele mensen volgde en daardoor vergat naar de rest te kijken. Om de een of andere reden wilde hij weten of die vrouw in haar rode jas rechtdoor zou gaan. De jongen op het skateboard was erg goed, maar ook een gevaar voor andere mensen. Een lange man in een grijze overjas zou heel goed Ludde hebben kunnen zijn, maar hij was alleen, en hij liep veel te gedreven, te gehaast. Niet zoals Ludde, die nooit haast had, maar altijd een beetje traag slenterde. En die overjas. Niets voor Ludde. Ludde droeg leren jasjes.

Het Marconiplein leverde niets op.

Het stadion ook niet, behalve een gesprek over de wedstrijd die Groningen van Sparta had verloren, een gesprek dat De Geus snel afkapte omdat hij voetbal leuk vond, maar niet interessant genoeg om er al te lang over na te praten, zeker niet als hij geacht werd om als noorderling de aanhanger van FC Groningen te spelen die de spot van een Spartaan gewillig over zich heen diende te laten komen. Daarna wilde een gesprek niet meer erg vlotten, ook niet in de kantine waar ze even later naartoe waren gegaan, zodat ze beiden snel dooraten om weer verder te kunnen met de resterende opnamen.

Vijf minuten later hadden ze beet.

'Dat is hem', De Geus veerde op vanuit zijn onderuitgezakte houding, 'zo loopt die man.'

Ze keken toe hoe Ludde de brug overstak en verdween in een straat aan de andere kant van het water.

'Zo te zien is hij alleen', zei de rechercheur, 'hij had zo naar ons toe kunnen komen. Dat wijst niet erg op gevangenschap. Hij loopt naar de Vierambachtstraat.'

'Kan dat beeld een eindje terug?'

De Geus boog zich dichter naar het scherm om beter te kunnen kijken.

'Zie je dat?'

Ongeveer twintig seconden nadat Ludde uit het beeld was verdwenen rende een jonge man over de brug.

De rechercheur keek een beetje meewarig opzij.

'Je bedoelt dat dat joch achter Menkema aan loopt?'

'Zoiets.'

'Dat lijkt me sterk. Ik heb bij dat huis gesurveilleerd, en ik heb niet zo'n knaapje gezien.'

De Geus stond op.

'Kan ik die opnames meekrijgen? Ik ben benieuwd wat mijn collega hiervan vindt.'

*

121

Farima ontspande toen het vliegtuig eerst Azerbeidzjan en daarna Georgië achter zich had gelaten en zich boven de Zwarte Zee bevond. Ze sloot haar ogen en dommelde weg in een aangename dagdroom die al gauw overging in een diepe slaap.

'Het prijskaartje zit nog onder haar schoenen', fluisterde de stewardess tegen haar collega, 'ze heeft ze in Bakoe op het vliegveld gekocht. Dat kost daar een vermogen.'

Haar collega knikte.

'Ze zal haar Azerbeidzjaanse minnaar wel hebben bestolen en nu op weg zijn naar een nieuw leven in Zwitserland.'

'Of ze is een rijke weduwe die ineens wilde gaan skiën en geen tijd had om zich om te kleden.'

'En dan koopt ze dat soort kleren zeker. Heb je haar handen gezien? Dat zijn werkhanden. En ze heeft een Turkmeens paspoort, waarom is ze niet vanaf daar gevlogen?'

Ze keken elkaar even aan.

'Kom, aan het werk, voor je het weet zijn we in Genève.'

*

Yasin gaf het door Ludde beschreven A-viertje aan Mahnaz, stond op en liep naar de keuken. Samir liep achter hem aan. Ludde zat op de bank voor zich uit te kijken. Hij voelde zich leeg en moe. Doodmoe. Het soort moeheid dat ontstaat door te weinig frisse lucht, te weinig beweging en te veel gedachten. Mahnaz las. Af en toe flitsten haar ogen even in Luddes richting, maar hij koos ervoor om haar te negeren. Buiten op het gazon pikte een merel in een halfvergane appel. Ludde trok zijn benen op de bank en draaide zich moeizaam op zijn rug. Hij sloot zijn ogen en viel bijna direct in een half bewust, half onbewust soort slaap. Er ritselde papier. Mahnaz liep ook naar de keuken. Ludde hoorde stemmen, maar hij luisterde niet. Zijn geest was in een cel in Frankrijk. Een bewaker schudde hem heen en weer.

'Die verdediging van jou slaat nergens op.'

Ludde deed zijn ogen open. Yasin.

'Wat?'

'Ik zeg dat het onzin is wat je schrijft.'

Ludde kwam overeind.

'En hoe wil jij dat bepalen? Was jij erbij of was ik erbij?'

'Ik was erbij. Ik weet wat ik gezien heb. En mijn vader was er ook, en die vertelde dat jij ons verraden hebt aan de Nederlandse regering.'

Ludde schoof zich verder omhoog tegen de bankleuning.

'De Nederlandse regering heeft geen enkel belang bij het vermoorden van kinderen.'

'Je hoeft iets niet expres te doen om toch schuldig te zijn.'

Samir pakte het A-viertje. Mahnaz was naast Yasin komen staan, ze had donkerrode vlekken in haar nek. Haar ogen schitterden alsof ze koorts had. Yasin ging op de bijzettafel zitten en boog zich zo ver voorover dat zijn gezicht vlak bij dat van Ludde was.

'Papa zei dat het Nederlandse commando's waren die hem moesten uitschakelen.'

'Nederlandse commando's op een moordmissie in Afghanistan? We zijn de Amerikanen niet.'

Samir keek op.

'Wat heb je tegen ons geloof?'

Yasin reageerde geprikkeld.

'Niet daarover Samir. Het is toch geouwehoer wat hij zegt.'

Samir legde het papier op zijn schoot. Het leek alsof hij een zekere angst moest overwinnen voor hij durfde te antwoorden, maar toen hij dat deed klonk zijn stem bijna opstandig.

'Volgens mij gaat alles wat we hier doen alleen maar over ons geloof', zei hij, 'waarom ben ik hier anders? Of is dit hele gedoe een persoonlijke afrekening van jou? Zit ik hier je familie-eer te redden of zo?'

Hij sprong op en liep de tuin in.

'Afkickverschijnselen', zei Yasin, 'hij heeft al twaalf uur niet geblowd.'

'Ik krijg anders ook de indruk dat je me hier alleen vasthoudt omdat je de pest aan me hebt, of misschien omdat je beroemd wilt worden, en dat je dat geloof er maar een beetje bij haalt om een goeie smoes te hebben. Als je goed gelezen hebt wat ik heb geschreven snap je wel wat ik bedoel.'

Ludde peuterde aan de korst naast zijn lippen. Mahnaz stond op.

'Ik ga thee maken.'

In plaats van naar de keuken liep ze naar buiten waar ze een sigaret van Samir bietste.

'Lekker kopje thee zal dat worden', zei Ludde, 'volgens mij laten je troepen je in de steek Yasin. En weet je wat het is, het is zoals ik al schreef: als de Nederlandse regering je vader wilde uitschakelen, dan hadden ze dat heus wel gedaan. En dat geldt zeker voor de Amerikanen.'

'Ze kregen de kans niet. Mijn vader hield ze tegen met zijn eigen lichaam.'

'Hij deed wat?'

'Hij liep naar buiten terwijl de kogels om hem heen vlogen met de koran in zijn hand, en toen hielden ze op met schieten'.

'Dat lijkt me een sterk verhaal.'

'Mijn vader liegt niet. Hij is moslim.'

Yasin keek met een intense blik naar Ludde, bijna alsof hij steun verwachtte.

'En moslims liegen niet.'

'Een echte gelovige niet.'

'Allah bewaar me voor gelovigen.'

Yasins hand vloog omhoog, maar hij hield zich nog net op tijd in.

'Iemand als jij mag die naam niet zomaar gebruiken.'

'En daar wordt ik dus zo moe van. Eerst moesten we in ons land de dominees de mond snoeren, met al hun regeltjes, en toen dat net een beetje gelukt was kwamen jullie. En wat je vader betreft, het is zijn woord tegen het mijne, en omdat ik weet dat ik niet lieg is het dus je vader die fout zit.'

'Over twee dagen is hij hier. Dan zal je wel anders piepen.'

Ludde keek verrast op.

'Komt je vader hier? Als dat zo is pakken ze hem op.'

'Dat zou je wel eens tegen kunnen vallen. Jij bent mijn welkomstcadeau.'

'Je bent gek. Weet je vader hiervan?'

'Nee, maar reken maar dat hij blij zal zijn.'

'En je moeder?'

'Mijn moeder doet wat mijn vader zegt.'

'Dan is ze wel erg veranderd. Dat temperament van jou heb je van haar, niet van hem.'

Toen Mahnaz en Samir weer binnenkwamen liep Mahnaz direct door naar de keuken. Samir ging zitten en sloot zijn ogen. Toen Mahnaz terugkwam gaf ze Ludde een prop keukenpapier.

'Je bloedt.'

Haar blik ging naar Yasin.

'Je maakt alles veel erger zo, met dat slaan.'

Ludde drukte de prop tegen zijn lip.

'Hij slaat vooral mensen die zich niet kunnen verdedigen.'

Yasin keek verontwaardigd naar zijn zus.

'Ik heb hem met geen vinger aangeraakt.'

Hij knipperde met zijn ogen, draaide zich toen plotseling om, ging de tuin in en verdween langs het huis.

'Volgens mij huilde hij, ik zou maar achter hem aan gaan om hem te troosten.'

Ludde gooide het bebloede keukenpapier op het bijzettafeltje. Mahnaz zuchtte.

'Als je zo klein bent als Yasin toen was, en je ziet dat de kinderen waar je vlak daarvoor nog mee zat te spelen zomaar ineens dood zijn, en ook nog op zo'n verschrikkelijke manier, dan doet dat iets met je, om het zacht uit te drukken.'

'En jij? Heb jij daar geen last van?'

'Ook wel, maar ik heb ze pas later gezien toen ze al helemaal in doeken waren gewikkeld. En ik ben geloof ik wat nuchterder dan hij is. Yasin heeft nog heel vaak nachtmerries.'

'Dat snap ik. Maar ik voel er niets voor om zijn zondebok te zijn. Ik heet niet Isaac en Yasin is Abraham niet. Dat verhaal staat toch ook in de Koran, dat Abraham zijn zoon moest offeren?'

Samir leek wakker te worden.

'Dat wat je over de christenen schreef vind ik interessant', zei hij, 'ik heb in de derde klas een werkstuk over ze gemaakt, in de werkgroep godsdienst.'

'En?'

'Je hebt wel gelijk dat het op elkaar lijkt, al die regels en ideeën over vrouwen en zo, maar dat wil nog niet zeggen dat het hetzelfde is.'

Ludde had geen zin om te antwoorden. Zijn gedachten werden in beslag genomen door Yasin. Samir droomde weer weg. Mahnaz liep naar het raam.

'Ik vraag me af waar Yasin blijft', zei ze tegen niemand in het bijzonder, 'ik vind het vervelend dat hij zomaar wegloopt, dat deed hij vroeger ook altijd al.'

Luddes stem klonk spottend toen hij antwoordde.

'Als het hem te moeilijk werd zeker. Je hebt van die mensen die alleen maar kunnen vechten of vluchten.'

'Jij hebt de wijsheid wel in pacht hè', antwoordde Mahnaz, 'voorlopig ben je wat mij betreft gewoon een moordenaar.'

Samir ontwaakte weer uit zijn gedachtespinsels, die ongetwijfeld sterk werden gestimuleerd door de hasjiesjwolken in zijn hoofd.

'Geloof jij ergens in?'

'Nee, gelovigen zijn me te gevaarlijk.'

Samir haalde zijn schouders op.

'Ook niet-gelovigen kunnen fanatiek zijn.'

'Daar heb je gelijk in. Je hebt altijd mensen die bereid zijn te moorden voor hun heilige mening', zei Ludde, 'elke overtuiging brengt er wel een paar voort. Kijk maar naar jezelf.'

Samir negeerde het laatste deel van Luddes opmerking.

'Waarom zou dat zijn denk je?'

'Omdat ze dan de baas kunnen spelen. En de vrouwen zijn altijd de lul.'

'Dat is wel erg cynisch', zei Mahnaz.

'Dat is zoals het is.'

Samir begon te giechelen.

'Vrouwen die de lul zijn…', hij wilde er iets aan toevoegen, maar dat lukte hem niet omdat hij steeds verder in zijn giechelbui verstrikt raakte.

Ludde lag met zijn ogen gesloten op de bank en viel in een halfgedroomde fantasie waarin hij Farima meenam uit Afghanistan, een fantasie die hij de afgelopen tien, vijftien jaar vaker had gehad. Het idee dat hij haar misschien terug zou zien maakte hem nerveus.

*

Jochen da Silva stond met zijn handen op zijn rug bij het raam dat uitzicht bood op het centrum van Utrecht.

'Zolang wij hier zitten, zolang zijn ze hier ook aan het bouwen', zei hij, 'het economisch hart van Nederland.'

'Ik dacht dat dat Rotterdam was', zei De Geus, 'mijn theorie is dus dat Ludde Menkema onder dwang bij die kinderen van Van der Veen zit.'

'Dat zei je ja', Da Silva keerde zich om en liep naar zijn bureau, 'heb je zin in een broodje?'

'Ja, graag. Je lijkt niet erg onder de indruk.'

'Het doet er niet toe of ik onder de indruk ben. Ik probeer je argumenten na te lopen. Menkema probeerde te ontsnappen uit zijn kamer, daar aan de Spaanse Bocht. Dat zeg je omdat er van binnenuit een gat in zijn kamerdeur is gemaakt. Maar een hard bewijs is het niet.'

'Nee, maar Ludde Menkema is geen terrorist en ook geen crimineel.'

'Maar toch zou het kunnen dat hij met hen samenwerkt. Ze komen per slot van rekening uit een familie van drugssmokkelaars. En die kinderen wonen in Groningen, hij ook, alles kan dus.'

'Ik woon ook in Groningen en ik ben ook in Afghanistan geweest. Mijn tweede argument', De Geus stak twee vingers op, 'is dat stukje tape.'

'Wat voor broodje wil je?'

'Broodje gezond graag. En een espresso.'

De Geus stond op uit de zithoek en liep op zijn beurt naar het raam.

'Ik vind het niet echt fraai wat ze daar gemaakt hebben', hij wees naar het station, 'die nieuwe gracht is niks.'

Jochen da Silva reageerde niet, hij had zijn hoofd om de deur gestoken en zei iets onverstaanbaars tegen zijn secretaresse. Even later kwam hij naast De Geus staan.

'Henri, ik neig ernaar om je gelijk te geven.'

'Laat jij wel eens iemand anders achter het stuur van je auto als je zelf in staat bent om te rijden?'

Da Silva schudde zijn hoofd. Hij tikte met de nagel van zijn wijsvinger op het glas.

'Nee. Alleen als ik en mijn vrouw naar een feestje gaan, dan kan ik tenminste drinken.'

'Nou, Menkema doet dat zeker niet.'

'Maar diezelfde Menkema loopt wel alleen door de stad. Hij had naar ons toe kunnen komen.'

'Met een bomgordel om zijn middel.'

Jochen da Silva draaide zich een kwartslag om.

'Verdomd, dat kan natuurlijk', zei hij, 'dat hij zo'n gordel om had. Is dat te zien op die opname?'

'Nee.'

'Ze kunnen zo'n ding op afstand met een mobieltje af laten gaan. En dat mannetje dat achter hem aan loopt zou inderdaad heel goed de jonge Van der Veen kunnen zijn', Da Silva deed de deur open voor zijn secretaresse die een dienblad droeg, 'het zou ook een verklaring zijn voor die bomgordel op zich, ik bedoel, zo'n ding is helemaal niet geschikt om een aanslag mee te plegen, maar je kunt hem wel gebruiken om iemand op te blazen.'

De Geus pakte een broodje.

'Het is een dwangmiddel zou je kunnen zeggen.'

'Juist. Als dat haartje op die tape van Menkema blijkt te zijn kunnen we ervan uitgaan dat je gelijk hebt. Maar voor we dat weten zijn we weer een poosje verder, het apparaat is stuk.'

'Dat begreep ik al. Wat ontbreekt is het motief. Wat moeten die kinderen met Ludde?'

'Het zou kunnen dat het antwoord op die vraag wel in hun Afghaanse verleden ligt', antwoordde Da Silva, 'Van der Veen en zijn vrouw hebben trouwens nog steeds niets van zich laten horen.'

'En wat doen we nu?'

'Wachten tot ze op komen dagen. En wat betreft Menkema en die kinderen, daar blijft de opdracht hetzelfde, namelijk uitzoeken waar ze zijn.'

'Heb je al enig idee?'

'We hebben een aanknopingspunt.'

'En dat is?'

'Dat is dat Mahnaz van der Veen gisteren gepind heeft bij een Lidl in Schiedam. Ze heeft gierst gekocht, dus ze zullen wel couscous hebben gegeten.'

*

Farima stond voor de imposante eikenhouten deur van een voornaam pand in een rustige straat in Genève. Ze drukte op de bel. Ze moest wachten en voelde dat er in die tijd naar haar gekeken werd. Toen de deur openzwaaide ging ze naar binnen en merkte door de weldadige warmte in de hal van het gebouw pas hoe koud ze het had. Er ging een binnendeur open waardoor een oudere man verscheen die er gedistingeerd uitzag.

'U wenst?'

'Ik wil graag een onderhoud met de directeur.'

Ze zag dat de man haar licht geamuseerd aankeek en haalde een sleutel uit haar tas. Hij keek ernaar, knikte, draaide zich om en liep voor haar uit de gang in. Bij de vijfde deur rechts ging hij een kamer binnen.

'Ik zal uw komst aankondigen. Wie kan ik zeggen dat er is?'

'Een vrouw met een sleutel.'

'Zoals u wenst. Kan ik verder nog iets voor u doen?'

'Ja, iets te eten en te drinken graag. En een overjas die bij het weer hier past, maar ook bij mijn kleren. En een prepaid tasker, zo klein mogelijk.'

De man verliet de kamer.

Niet lang daarna verscheen er een vrouw die een kom groentesoep en een glas thee voor haar neerzette.

'Zit hier varkensvlees in?'

De vrouw schudde haar hoofd en trok zich terug. Farima nam de kom soep in haar handen en voelde plotseling tranen in haar ogen. In de zijwand ging een goed verborgen deur open. Een krom lopend mannetje met een gouden bril op zijn neus, die duur maar toch slordig gekleed was, kwam naar haar toe. Hij nam tegenover haar plaats.

'U bezit een sleutel van een van onze kluizen?'

Farima zette de soepkom neer.

'En datgene wat daarin zit.'

Ze zei het vinniger dan ze had bedoeld.

'Wij hebben onze regels mevrouw en moeten voorzichtigheid betrachten', antwoordde hij, 'mag ik even kijken?'

Hij draaide de sleutel een paar keer om tussen zijn vingers voor hij een vergrootglas pakte en de vertanding zorgvuldig bestudeerde. Daarna stond hij op en liep naar de deur waardoor hij zojuist binnen was gekomen. Farima moest zichzelf tegenhouden om niet uit haar stoel op te springen om hem de pas af te snijden. Hij verdween, maar kwam vlak daarna weer terug.

'Ik neem aan dat u de procedure kent? Wij hebben nadere gegevens van u nodig. Wilt u deze vragen als onderdeel van onze veiligheidsprocedure beantwoorden?'

Farima glimlachte toen ze het handschrift van haar vader herkende. Hij had een aantal vragen opgeschreven die alleen echte intimi zouden kunnen beantwoorden. Hoe heette de overgrootmoeder van de ezel? Wat was de koosnaam die hij voor Farima gebruikte? Waaruit bestond het klopsignaal dat ze gebruikten als ze na het invallen van het donker voor de poort stonden? Het kostte haar geen enkele moeite de antwoorden te geven. De man wachtte tot ze klaar was en vergeleek haar antwoorden met de gegevens in een leren map die hij voor zich op de tafel had gelegd. Klaarblijkelijk was hij tevreden.

'U hebt de code ook naar ik aanneem?'

Farima knikte.

'Wilt u mij volgen?'

Hij leek toeschietelijker te zijn geworden. Ze daalden een trap af, passeerden een getralied hek zoals je dat ook in gevangenissen aantreft, en kwamen bij een kluisdeur die de man opende door aan een tweetal schijven te draaien, een handeling die hij min of meer verborg door vlak voor de deur te gaan staan. Ze kwamen in een lange smalle ruimte waarvan de wanden bedekt waren met kluisjes, op dezelfde manier onder, boven en naast elkaar gerangschikt als de graven op de kerkhoven van Zuid-Europa.

Ze stopten in het midden aan de rechterkant.

'Ga uw gang.'

Farima stak de sleutel in het daarvoor bestemde gat en draaide.

'Nu hoeft u alleen nog de code in te tikken, wat ons betreft bent u geautoriseerd.'

De man draaide zich om en wilde weglopen.

'Kunt u nog even wachten?', Farima tikte de code in en trok het deurtje open, 'als ik hier klaar ben zijn er enkele zaken die geregeld moeten worden. Doe ik dat ook met u?'

Hij knikte.

'U kunt de kluis gewoon sluiten als u klaar bent.'

Toen de kromme man moeizaam de trap op was gelopen en weer achter zijn bureau zat pakte hij de telefoon.

'Ik moet de opening melden van een kluis die onder jullie toezicht staat.'

De stem die antwoordde had een Amerikaans accent.

'Dank. Wat is de inhoud van die kluis?'

'Volgens mij ben ik niet verplicht om dat te zeggen.'

'Nee, maar het zou ons wel helpen.'

'De vader van de vrouw die de kluis opende had er alleen een paar boekjes liggen. Ik neem aan dat daar de codes in staan van de bankrekeningen waar zijn geld staat geparkeerd.'

'Dank. Er wordt vanmiddag nog een kleine bijdrage op uw rekening gestort.'

De bankier boog zijn hoofd.

*

Mahnaz liep naar het raam met een schoonmaakdoek in haar handen. Yasin was nog steeds weg. Samir keek op van Luddes tekst die hij voor de tweede keer aan het lezen was. Voor hem lag het pistool.

'Toch heb jij volgens mij iets tegen moslims.'

Ludde stak zijn aan elkaar gebonden polsen omhoog.

'Ja, dit.'

Mahnaz had net een pot met een grote sanseveria verzet en probeerde de zwarte aangekoekte rand aarde op de vensterbank weg te poetsen. Ludde trok zijn benen naar zich toe. Hij kreunde.

'Ik word hier gek van. Kunnen jullie me niet even een rondje laten lopen op het gazon? Of me loslaten? Wil je nou echt de rest van je leven opgesloten zitten? Want dat gaat er gebeuren, neem dat maar van mij aan. Ik heb een jaar in de gevangenis gezeten, en het is geen lolletje als je dat denkt.'

'Persoonlijke overwegingen zijn niet zo belangrijk.'

Samir pakte een sigaret, stak die aan en bracht die naar Ludde.

'Als de kat van huis is dansen de muizen op tafel, maar evengoed bedankt', zei Ludde, 'volgens mij laten jullie je door Yasin gebruiken.'

'Ik laat me niet door Yasin gebruiken. Ik wil helpen om de wereld een beetje beter te maken.'

'Nou, ga dan vrijwilligerswerk doen in een moeilijke buurt in Groningen of zo, help kinderen met hun huiswerk, zet een fabriek op in Marokko en vlieg erheen met je privévliegtuig. Wat je nu doet is voor niemand goed.'

'Toen ik dat verhaal van Yasin en Mahnaz hoorde leek het mij terecht dat jij werd gestraft.'

'Leek het je terecht. En hoe denk je daar nu over?'

'Ik denk dat ik het overlaat aan hun vader en moeder.'

'Die komen echt niet.'

'Die komen wél', Mahnaz schoof de sanseveria terug op zijn oorspronkelijke plaats, 'je hebt Samirs vraag nog niet beantwoord. Wat heb jij tegen moslims?'

'Ik heb niets tegen moslims, ik heb iets tegen mensen die denken dat ze gelijk mogen hebben ten koste van een ander. Ik wil met rust worden gelaten als ik het ergens niet mee eens ben. Ik bedoel, als de oude Germanengod Wodan mij een boek had gegeven tijdens een onweersbui op de Waddenzee, en daar stond in dat iedereen verplicht elke avond bier moet drinken, en jij zou het daar niet mee eens zijn, dan zou ik jou dus mogen vermoorden, volgens hetzelfde principe.'

Hij keek Mahnaz aan, die een beetje lachte.

'Je draaft door.'

'Nou, ik zie het verschil niet. Waarom zou ik jou niet mogen vermoorden omdat jij geen bier drinkt, wat in mijn heilige boek staat, en waarom mag jij mij wel vermoorden omdat ik wel bier drink omdat in jouw heilige boek staat dat dat niet mag? En Wodan was tenminste niet bang voor vrouwen, zoals de woestijngoden', Ludde rekte zich uit, 'ik moet echt beweging hebben, ik ben gewend twee keer per week hard te lopen.'

Mahnaz keek naar Samir.

'Als we hem de gordel omdoen, dan kan hij op het gazon.'

'Graag, ik wil echt graag naar buiten. Maar weet je zeker dat je in staat bent dat knopje in te drukken als ik ervandoor ga? Ik bedoel, ík ben in één klap dood, maar jullie moeten mijn twee helften bij elkaar vegen. Bloedende darmen vermengd met stront, een hart dat nog ligt te trillen, longen met kankervlekjes, dode ogen die je toch nog aankijken. Hebben jullie wel eens een lijk gezien kinderen? Weet je wel dat dat beeld steeds maar terugkomt, elke nacht dat je niet kan slapen ergens in een gevangenis, waar je in gezelschap bent van doodsaaie fanatiekelingen die alleen maar over wraak en eer kunnen praten, die niets moois kunnen zien en nooit eens om zichzelf kunnen lachen?'

Mahnaz was bleek geworden terwijl Ludde aan het woord was. Haar stem klonk schor maar ook spottend toen ze antwoordde.

'Je hoort jezelf wel erg graag praten hè? Ik heb al kinderlijkjes gezien toen ik zes was. En vraag maar aan Yasin hoe angstbeelden er 's nachts uitzien. Vergeet dat lopen maar.'

Mahnaz verdween in de keuken waar ze met veel lawaai aan de afwas begon.

*

Borman stapte een winkel binnen waar ze alles verkochten wat je van leer kunt maken. Hij liep zonder de koopman achter de toonbank te groeten door naar achteren, schoof een kralengordijn opzij, ging naar buiten en stak een binnenplaats over. Tegen de binnenmuur liep een trap die naar een plat dak leidde. De Amerikaan ging op een muurtje zitten. Hij keek een smalle steeg in waar een slapende kat het enige teken van leven was. Hij draaide zijn hoofd pas om toen hij achter zich een aanzwellend gehijg hoorde en er een rood hoofd boven de dakrand verscheen.

'Dag collega.'

Borman knikte ter begroeting. Een kleine dikke man veegde de resten van iets wat hij net had gegeten van zijn lippen voor hij steunend ging zitten.

'Hoe is het met je?'

'Goed. Heb je haar te pakken gekregen in Turkmenbashi?'

De dikke man schudde zijn hoofd.

'Nee. We lieten haar de boot op gaan in de veronderstelling dat het daar gemakkelijker zou zijn. Maar onze huurling heeft schijnbaar gefaald. Hij is nergens te vinden, en Farima Faghiri ook niet…', hij boerde luid, '…tenminste tot voor kort.'

'Hoezo?'

'Ze is getraceerd in Genève, waar ze toegang heeft gekregen tot de familiekluis…', hij boerde nog een keer, '…sorry. En dat was niet de bedoeling.'

'Wat was de bedoeling dan wel?'

'Dat jij dat voorkomen had.'

'Ik moest haar van jou naar Turkmenistan laten gaan.'

'Omdat je haar gemist had in haar huis.'

'Omdat ze weg was. Waarom moest ik haar daarna laten lopen?'

'Omdat ik er de zin niet van inzag om dat dagboek met de Afghanen te delen.'

'Dat was bij haar huis ook gebeurd.'

'Nee, want ik had geregeld dat je Afghaanse vriend daar zou worden uitgeschakeld. Jij zult opnieuw aan de slag moeten.'

'In Genève? Dat zal moeilijk worden.'

'Nee, we gokken erop dat ze naar haar kinderen in Holland gaat.'

'En hoe vind ik haar daar?'

'We kennen het nummer van haar nieuwe mobiel, of een tasker eigenlijk, zo'n Chinees ding. Zodra ze dat gebruikt weten we precies waar ze is.'

'En wat wordt er dan van mij verwacht?'

'Ik wil dat dagboek. De Afghanen krijgen haar geld en haar leven.'

Borman stond op.

'Is het waar wat ze zeggen?'

'Wat?'

'Dat die Nederlander een bijeenkomst beschrijft tussen de topmensen van Al Qaida, de stamoudsten en de topmensen van ons eigen land?'

De dikke man kwam steunend overeind zonder te antwoorden.

'En dat onze huidige presidente daar als minister van Buitenlandse Zaken zelf bij was?'

De dikke Amerikaan liep naar de trap. Nu antwoordde hij wel.

'Als jij dat dagboek nu maar te pakken krijgt is het tenminste zeker dat dat allemaal niet is gebeurd.'

Borman knikte.

'Ik snap het, regelen jullie een ticket?'

'Vergeten we dat soort dingen ooit?'

*

Farima's tasker projecteerde een toetsenbord op het schrijftafeltje. Haar vingers gleden over de virtuele letters. Op het schermpje verschenen zinnen die ze keer op keer veranderde, steeds zoekend naar de juiste woorden. Toen ze klaar was tikte ze uit haar hoofd het nummer in van het mobieltje dat ze aan haar kinderen had meegegeven, lang geleden, toen ze voor het laatst bij haar op bezoek waren geweest.

Ze klapte het toestel dicht, stond op en liep naar het raam. Het water van het Meer van Genève sloeg met korte kabbelende golfjes tegen de boten die aan de kade voor haar hotel lagen afgemeerd. De pijn in

haar voet zeurde. De bijna dichtgegroeide wond was een beetje opgezwollen. Een eenzame zeilboot trok een witte streep door het blauwe
water, een beeld dat zomerse warmte suggereerde, maar de mensen
op de kade droegen dikke jassen. De bergen in de verte waren tot ver
onder de boomgrens bedekt met sneeuw. Ze dacht aan haar dode man.
Ze dacht aan haar kinderen, aan de laatste keer dat ze ze had vastgehouden, toen ze veertien jaar waren geweest, beginnende volwassenen
die vervreemd rond hadden gelopen op de plek waar ze de eerste helft
van hun leven hadden doorgebracht. Haar tweeling, Mahnaz en Jan.
Jan, een slimme jongen, die ze vooral op een krukje naast haar man had
zien zitten, luisterend naar zijn verhalen en lessen. Mahnaz was anders.
Naar Afghaanse maatstaven was ze al een vrouw, maar ze gedroeg zich
als een kind. Een klein opdondertje, kleiner dan haar broer, volop le-
vend, rennend door de tuin, klimmend tegen de hellingen van de kloof,
het paardrijden dat ze in drie weken onder de knie had gekregen. De
vertrouwelijke gesprekken die ze hadden gevoerd in een voor een veer-
tienjarig kind wonderlijk goed Engels. Slimme kinderen, allebei. Al die
vragen van Mahnaz, over haar vader die weinig aandacht voor haar
had. Over de boerka die ze aan moest als ze naar de markt ging. Farima
dacht ook aan de bevalling, een bevalling die ze had volgehouden omdat je simpelweg geen andere keus hebt, maar ook omdat ze steun vond
bij de gedachte dat haar kinderen uiteindelijk naar Nederland zouden
gaan, en dat zij dan mee kon. Maar ze waren zonder haar weggestuurd,
om in het huis van een met de Russen meegevluchte neef te gaan wonen, in de regenachtige stad in het noorden van het land waar haar man
geboren was. Jan had haar verboden met ze mee te gaan, omdat ze bij
hem hoorde. Hij was een witte Afghaan geworden, weggedoken in een
systeem dat hem paste als de jongensjas die hij vroeger zondags naar de
kerk had aangehad. Hij zag alleen de liefde en de zachtheid, de onderlinge hulp. Hij wist niet dat hij een naïeve witte man was in een wereld
waar gebruiken golden die hij niet kende omdat hij er zelf geen last van
had. Aan de andere kant had hij haar zonder dat hij dat wist beschermd
tegen de aasgieren om haar heen omdat ze dachten dat hij een heilige
was, na zijn ook voor haar onverklaarbare optreden tijdens die overval.

Farima pakte haar tasker. Haar kinderen hadden nog niet geantwoord. De zeilboot was aangekomen. Als er iets was wat ze altijd had
gewild was het zeilen. Misschien omdat Ludde Menkema zelfs in de
woestijn naar de zee had geroken.

*

'Hoe ken jij Ludde Menkema?'

Jochen da Silva stapte over een dode boomstam.

'Dat staat in mijn dossier naar ik aanneem.'

'Ja, maar het lijkt me interessant om te kijken wat je weglaat', Da Silva trok zijn jas dichter om zich heen, 'het is koud hier in Drenthe.'

'Nou, in Afghanistan was het niet koud, behalve 's nachts dan.'

'Hoe zat dat nou precies met die hasjaffaire?'

'Dat heb ik je toch al verteld? Zoals je weet werd Menkema beschuldigd van hasjhandel, maar hij had niet meer gedaan dan eenmalig een kleine hoeveelheid aannemen. Hij deelde het met zijn kameraden. Niemand had ervoor betaald, dus dat was geen handel te noemen, hoewel het natuurlijk wel een overtreding was die hem zijn carrière kostte. Maar ik denk niet dat hij dat erg vond.'

De Geus duwde een laaghangende tak opzij.

'Zijn we al in de buurt?'

Jochen da Silva keek op zijn tasker.

'Als we hier rechtdoor lopen', hij wees naar het dichtbegroeide bos voor hen, 'dan is het nog vierhonderd meter. Maar we nemen het pad.'

'Juist, en hoe zat het dan met die affaire in Frankrijk, want daar weet jij vast meer van dan ik.'

'Hij werd op Orly betrapt met hasj in zijn bagage.'

'Dat had ik al begrepen. Maar hij kwam toen uit Afghanistan, jaren nadat hij was afgezwaaid. Wat moest hij daar? En wat ik ook niet begrijp is dat hij hasj mee zou hebben genomen uit Kabul. Zo stom is hij niet.'

'Heb je hem er nooit naar gevraagd?'

'Wel geprobeerd, maar hij was er nogal gesloten over.'

'Ik weet wat hij in Afghanistan deed.'

De Geus stopte.

'Vertel.'

'Hij was daar met een regeringsopdracht. Hij moest Van der Veen overhalen om ook voor ons te gaan werken. Die opdracht mislukte. Van der Veen lachte hem uit. Het zou me niet verbazen als hij die drugs in de bagage van Menkema heeft gestopt. Het feit dat ze op het vliegveld van Kabul niets hebben gevonden wijst erop dat ze bewust niet hebben gezocht.'

'Wat zei hij er zelf van?'

'Het bekende verhaal. Dat hij er niets van wist.'

'Wat dus waar zou kunnen zijn.'

'Zeker. Dat idee hadden wij ook, ik bedoel de Nederlandse autoriteiten. Het kostte alleen een jaar om de Fransen daarvan te overtuigen.'

Ze liepen weer door.

'Hier naar rechts.'

De beide mannen zwegen de paar minuten die ze nodig hadden om hun doel te bereiken.

'Heerlijk toch, nooit meer verdwalen', zei Da Silva, 'hier is het.'

Hij klapte zijn tasker dicht.

'Kijk, daar ligt hij.'

De Geus stapte langs een groepje bomen en zakte door zijn knieën bij een boomstronk waaruit gemeenuitziende zwartgeblakerde splinters omhoog staken.

'Hoe hadden ze die gordel ook alweer gemaakt?'

'Met vlinderbommen, in serie geschakeld, aan de binnenkant van een brede riem bevestigd, zo'n ouderwetse leren riem met gespjes die motorrijders vroeger om hadden om hun nieren te beschermen.'

'En op afstand te bedienen.'

'Juist.'

'Ik vraag me nog steeds af waarom ze iets hebben gemaakt wat alleen dodelijk is voor degene die hem draagt', De Geus kwam overeind, 'jullie zijn er zeker van dat die jongens hierachter zitten?'

'Jan van der Veen junior en Samir Zerouali, ja. Een boswachter heeft ze gezien, en samen met de bandensporen was het een eenvoudig klusje om ze te vinden. Die Samir is een handige knutselaar. Een slim joch. Jan van der Veen is trouwens ook niet dom. Gymnasium allebei en dat is voor jongens met een moslimachtergrond nog steeds vrij uitzonderlijk helaas. Zijn zus is net zo slim. Wacht even, ik krijg een oproep.'

Da Silva pakte zijn tasker, klapte hem open en luisterde. Tijdens het gesprek begon hij steeds geagiteerder heen en weer te lopen.

'Je moet ervan uitgaan dat Menkema wordt vastgehouden, zeker...', hij luisterde verder, 'oké, ik zal het hem zeggen.'

Hij verbrak de verbinding en liep de paar passen die hem van De Geus scheidden.

'Ik heb twee negatieve mededelingen. De eerste is dat we nog geen idee hebben waar we Menkema moeten zoeken. In Schiedam zijn we geen stap verder gekomen. De tweede is dat het bezoek van Van der Veen niet doorgaat, aangezien hij dood is.'

De Geus keek hem vragend aan.

'Dood?'

'Ja dood. De plaatselijke politie is gaan kijken. Het huis van Van der Veen was leeg, maar ze vonden in de tuin een pas gegraven graf waar hij in lag. Zijn vrouw was nergens te vinden. Het lijkt erop dat de kanker hem te pakken heeft gekregen voordat hij hier kon zijn, en dat zijn vrouw hem begraven heeft en is verdwenen.'

'Waarheen?'

'Weet ik veel. Naar familie misschien, ik ken de gebruiken daar niet. Erger is dat het dagboek ontbreekt', Da Silva schopte chagrijnig tegen een dennenappel, 'dat hadden we verdomd graag willen hebben. En wij niet alleen. Toen de Amerikanen hoorden dat wij het in handen zouden krijgen kwamen ze het onmiddellijk opeisen.'

'En nu?'

'Nu rest ons nog het vinden van Menkema en zijn vriendjes.'

'Vijandjes.'

'Menkema en zijn vijandjes. Nog even en die rechtszaak tegen Al Hussaini begint. We willen geen gedonder.'

'Ja die rechtszaak. Je kunt op je vingers natellen dat dit gedoe daarmee te maken heeft.'

'Daar ben ik ook bang voor. Kom we gaan', Da Silva sloeg zijn armen tegen zijn lichaam om het warm te krijgen, 'nu Van der Veen dood is hebben we je eigenlijk niet meer nodig, maar jij blijft voorlopig bij dit project betrokken omdat we je toch zes maanden moeten betalen dankzij de onderhandelingscapaciteiten van je chef. Ik denk dat ze van je af wil. En wat je ook nog niet weet: we weten welk mobieltje hier is gebruikt. Zodra ze dat nog een keer gebruiken zijn ze de klos.'

*

Ludde zat verkrampt in zijn stoel, niet in staat om zijn benen te bewegen. Hij probeerde greep te krijgen op zijn gedachten die moeizaam door de dikke brij van zijn hersenen kropen, als wormen door met water verzadigde grond.

'Gaan we nog door met die rechtszaak?', Samir stond achter Yasin die de krant zat te lezen, 'of wachten we tot je ouders komen?'

Hij boog zich voorover en wees naar een bericht over de armoede in een aantal oosterse landen.

'Ik snap niet dat die Saoedi's niet meer investeren in islamitische landen', zei hij, 'het interesseert ze volgens mij helemaal niets.'

Yasin keek met een superieure blik omhoog.

'Dat heeft er niets mee te maken. Zo'n bericht wordt alleen gepubliceerd om ons negatief af te schilderen.'

'En toch snap ik het niet. Nou, wat doen we, gaan we nog door met die rechtszaak of hoe zit dat?'

Hij liep naar het raam.

'Ik heb er meer dan genoeg van, van dat gehang hier.'

Yasin sloeg een pagina om. Samir legde zijn voorhoofd tegen het glas. Uit de keuken klonk gerinkel van de vaat.

'Hoe komt het eigenlijk dat jij alles zo zeker weet?', Samir draaide zich weer om, 'wat dat betreft ben je een echte Nederlander.'

'Je bent zelf een Nederlander, je ouders zijn hier geboren.'

'Dan ben ik driekwart Nederlander, want mijn oma kwam uit Duitsland', mengde Ludde zich in het gesprek, 'en ik krijg een kind met een Sloveense moeder, maar zij heeft wel een paspoort van hier, dus dat kind heeft dan, even rekenen, een kleine veertig procent schoon bloed', hij wachtte even, en voegde er toen zorgelijk aan toe, 'dat is niet echt veel, veertig procent. Gelukkig is de moeder blank, een blanke vreemdeling valt niet zo op, die wordt niet zo vaak aangehouden op straat. Net als jij Yasin, met je blanke vader.'

'Áls hij al iets zegt wordt het onmiddellijk een ouwehoer.'

Yasin keek naar Samir terwijl hij in Luddes richting knikte.

'Ik wil weten wat we gaan doen', Samirs stem had een ongeduldige ondertoon gekregen, 'ik vind dat we moeten wachten op je ouders. Dat rechtszaakje spelen is dikke onzin. Zo niet, dan ga ik naar huis, en ik neem de bom mee, zo is het.'

Yasin stond op.

'Dat doe je niet.'

'En wie zal me tegenhouden?'

'Ik.'

'Wie wil je daarvoor meenemen?'

Ondanks zijn stoere antwoord keek Samir onzeker naar Mahnaz die binnenkwam met een dienblad.

'Wat vind jij ervan?'

'Ik vind dat we moeten wachten op papa en mama.'

Yasin liet zich op de rand van de tafel zakken. Zijn ogen stonden strak, hoewel ze twee verschillende kanten leken op te kijken.

'We kunnen niet wachten. Morgen moeten we klaar zijn, en deze dag is ook alweer bijna voorbij. Of we besluiten nu dat hij schuldig is, dan zijn we ervanaf.'

Ludde opende zijn mond om iets te zeggen, maar Samir was hem voor.

'Dat wil ik niet. Het is zijn woord tegen dat van jou en dus kun je niets bewijzen. Daarom moeten we wachten op je ouders. Die kunnen toch elk moment komen? Zij zullen wel weten wat we moeten doen.'

Mahnaz roerde in een kopje thee en zette dat daarna voor Ludde neer. Hij boog zich en krabde aan zijn enkel. Niemand zag de spijker in zijn hand toen hij weer overeind kwam. Yasin schoof ongeduldig heen en weer.

'Het kan nog wel dagen duren voor ze komen, en dan is het te laat, we moeten op tijd zijn voor de rechtszaak. Wat denk jij Mahnaz?'

'Wat ik al zei, ik denk dat we moeten wachten. Doorgaan heeft geen enkele zin, daar heeft Samir gelijk in.'

Ludde pakte zijn thee, nam een slokje, en zette het kopje weer neer. Op de terugweg trok hij de punt van de spijker door de tape om zijn enkel.

'En als ze niet op tijd zijn?'

Yasin ging staan.

'Dat zien we dan wel weer.'

Mahnaz keek op haar horloge.

'Het is nu vijf uur. Als ze er morgenochtend nog niet zijn, dan kunnen we opnieuw kijken wat we doen.'

Samir knikte.

'Daar ben ik het mee eens.'

Yasin keek strak voor zich uit.

'We kunnen het niet een dag uitstellen, dat doen ze met die rechtszaak ook niet. Jullie zijn laf. We moeten de dood van drie kinderen wreken.'

Deze keer nam Ludde het woord voordat iemand anders kon reageren.

'Het is niet mijn schuld dat die kinderen dood zijn. Ik begrijp dat die ervaring voor jullie verschrikkelijk moet zijn geweest, maar ik heb er niets mee te maken.'

Terwijl hij dat zei wrikte hij met zijn linkervoet. Hij voelde de tape scheuren.

Yasin lachte schamper. Zijn ogen hadden een onnatuurlijke glans, alsof er vanbinnen iets brandde.

'Mijn vader wordt heel blij als hij ziet dat ik jou gevangen heb. Hij haat je. En door jou krijgen we Al Hussaini vrij, dat zal hij helemaal prachtig vinden.'

Ludde leunde naar achteren. Hij probeerde rustig te blijven.

'Al Hussaini? Jullie willen me ruilen tegen Al Hussaini?'

Samir knikte een beetje verlegen. Mahnaz keek langs hem heen. Yasin wreef zich in zijn handen.

'Ja, goed plan hè?'

'En jullie denken dat de regering dat doet? Al Hussaini loslaten in ruil voor mij? Doe niet zo naïef. Dat doen ze echt niet. Ze zijn niet gek.'

Hij strekte zich om zijn theekopje te pakken, maar deed dat zo moeizaam dat het lepeltje viel waarop hij het vervolgens even moeizaam weer probeerde op te rapen. De spijker ritste door de tape om zijn rechterenkel. Toen hij weer rechtop zat trok hij zijn kuitspieren aan en sprong overeind. Hij trapte wild met zijn benen, waardoor hij omviel, met de stoel bovenop zich. Zijn linkerenkel schoot los. Hij draaide zich op zijn rug, zwaaide zijn rechterbeen met de nog vastzittende stoel in de richting van de verbluft kijkende Samir die het gevaarte nog net af kon weren en sprong weer omhoog. De stoel knalde tegen de achterwand. Ludde haalde uit naar Yasin en raakte de jongen vol op zijn neus. Het bloed spatte op de tafel die vlak daarvoor door Mahnaz was schoongemaakt. Samir schreeuwde. Ludde worstelde zich los uit de handen van Yasin die zijn enkel had vastgegrepen. Samir hing aan zijn arm. Hij rukte zijn voet omhoog en liet die in dezelfde, nu neergaande beweging in de maagstreek van Yasin neerkomen. Yasin produceerde een geluid alsof hij moest overgeven. Ludde trapte nog een keer en slaagde er intussen ook in om Samir een duw te geven, zodat die hem los moest laten waarbij hij op de bank tuimelde. Ludde was in twee stappen bij de deur. Hij hoorde het schot nog eerder dan dat hij de snelle luchtstroom van de langs zijn knie razende kogel voelde. In het hout van de deur zaten splinters. Hij stopte, zuchtte, en draaide zich toen langzaam om.

Mahnaz keek hem met een koud gezicht aan.

'En nu naar buiten', zei ze, 'rondjes lopen. Tot je erbij neervalt.'

*

Maria zette haar computer op haar schoot. Al snel zat ze geboeid maar ook een beetje angstig te lezen hoe straling van huishoudelijke apparaten de ongeboren vrucht kon beschadigen. Voor de zekerheid legde ze haar mobieltje een eindje uit haar buurt. Daarna opende ze een mailtje van Henk die vroeg of ze wist waar Ludde uithing, aangezien die niet op een afspraak was komen opdagen. Ze mailde terug dat ze het niet wist en dat Ludde goed voor zichzelf kon zorgen. Bovenin het scherm begon het nieuwsbulletin te lopen. De rechtszaak tegen Al Hussaini in Rotterdam. Het kouder worden van het Noordpoolgebied. Een feestje rond de opening van het duizendste autoaccu-oplaadstation ergens bij Arnhem. Een staking van verpleeghuispersoneel dat inderdaad belachelijk weinig verdiende. Het gedoe rond Ommens, die er half verlamd nog steeds in slaagde het politieke nieuws te domineren. Tweederde van de Nederlandse bevolking gaf het meisje dat had geweigerd hem te verzorgen groot gelijk. De harde oostelijke wind zou nog een dag aanhouden waardoor het veel te koud was voor de tijd van het jaar, maar vanaf morgen werd het warmer, bovendien was het eerste kievitsei gevonden door een jongetje dat was gefilmd met het ei in zijn handen en een lammetje aan zijn voeten.

Maria klikte een muziekzender aan, toetste haar voorkeuren in, legde haar benen op de bank en sloot haar ogen.

*

Er stegen gelijktijdig twee vliegtuigen op, het een in Genève, het andere in Kabul. Farima legde haar hoofd tegen het raampje en keek naar het asfalt van de startbaan dat onder haar door schoot. Het was donker. Algauw zag ze beneden het fijne spinrag van de lichtjes langs en op de wegen.

Borman zat in het vliegtuig boven Kabul. Hij las een boek waarin stond hoe je in zeven stappen met behulp van meditatie in combinatie met cerebrale alfacybernetica rustig kon blijven in stressvolle situaties. Hij had het boek opgeduikeld bij een lokale boekhandelaar. Het dateerde uit de jaren zeventig van de vorige eeuw, toen hippies door Afghanistan reisden en daar niet verder keken dan het uiteinde van hun joint.

*

Ludde lag op zijn matras. Hij had het koud. Zijn bovenbenen waren stijf. Mahnaz had hem eindeloos rondjes op het grasveld laten rennen. Ze had op een stoel gezeten bij de deur terwijl hij rende als een paard dat door de piste wordt gejaagd. Hij had niets gezegd, hij had niet geprotesteerd, hij had gelopen, steeds hetzelfde rondje. In het begin moest hij aan Farima denken als hij Mahnaz zag zitten, maar na een tijdje had hij alleen nog maar gelopen. Een uur, anderhalf uur. Op het gazon was een zwarte cirkel van kapotgetrapt gras ontstaan. De cadans had hem goed gedaan, maar zijn spieren waren steeds verkrampter geraakt. Steeds weer dezelfde bocht langs de stakerige rozen, de volgende bocht vlak na de rododendron, vijf meter langs een schelpenpaadje, dan om het vijvertje heen tot hij weer bij de rozen was. Mahnaz had diep in gedachten voor zich uit gestaard. Uiteindelijk was het Samir geweest die had gezegd dat het tijd werd om te stoppen. Direct daarna had Mahnaz hem gedwongen om op zijn matras te gaan liggen. Yasin had hem vastgebonden. Later was Samir gekomen om een deken over hem heen te gooien. Ludde schatte dat het een uur of negen moest zijn.

Samir, Yasin en Mahnaz zaten in de kamer. Samir had het tv-scherm aangezet. Hij keek naar een basketbalwedstrijd die hem weinig kon boeien. Yasin las een dun boekje met een tekening van een ster, een halve maan en een vraagteken op het omslag. Mahnaz zat met haar benen onder zich opgetrokken op de bank. Ze had haar ogen gesloten. Buiten was het donker. Het witte huis aan de andere kant van het gazon lichtte bleek op. Ergens klonk het lichte gepiep van een mobiel, maar niemand leek dat te horen.

'Het lijkt me vreemd om papa en mama na al die jaren weer te zien', Mahnaz had haar ogen opengedaan, 'mama spreekt geen woord Nederlands.'

'Maar wel Engels en Frans.'

Mahnaz knikte voorzichtig.

'Denk jij dat ze gearresteerd zullen worden als ze Nederland binnenkomen?', ze vroeg het gemaakt achteloos, 'misschien heeft Ludde Menkema gelijk, er zijn daar heel wat Nederlanders gesneuveld.'

Samir schakelde het scherm uit.

'Daar heeft papa niets mee te maken', antwoordde Yasin. Hij sloeg zijn boekje dicht.

'Dat weet je niet. Daar zullen de nabestaanden vast heel anders over denken', Samir was opgestaan en naar het raam gelopen, 'die zullen wraak willen.'

'Ze schreven dat ze toestemming hadden gedurende de periode dat papa naar het ziekenhuis moet.'

'Ik hoop dat het niet ernstig is. Denk je dat ze willen dat we bij hen gaan wonen? Ik weet niet of ik dat wel wil. Ik wil op kamers', Mahnaz sloeg haar armen over elkaar.

'Misschien wil je vader je wel uithuwelijken', Samir grinnikte, 'misschien wel aan mij.'

Mahnaz stak haar tong uit.

'Ik laat me niet uithuwelijken, en zeker niet aan jou.'

'Dat is trouwens best een goed systeem', zei Yasin, 'die huwelijken zijn vaak gelukkiger dan als ze op zogenaamde liefde zijn gebaseerd.'

Mahnaz schokschouderde.

'Dat zal wel. Ik wil jou wel eens zien als ze een dom wicht voor je hebben uitgezocht waar je na een jaar op bent uitgekeken. Maar als man kun je haar dan weer wegsturen natuurlijk. Jij wel. Horen jullie dat gepiep ook?'

Samir had zich omgedraaid en leunde nu met zijn rug tegen het raam.

'Ik heb nagedacht', zei hij, 'ik zie het niet zitten om Ludde Menkema echt te vermoorden als het eropaan komt. Ik stel voor om de bommen te vervangen door neppers, dat werkt even goed, zolang hij maar denkt dat ze echt zijn.'

Yasin werd zichtbaar bleek.

'Dan werkt het niet. Dat heeft hij zo door.'

Mahnaz keek naar Samir, benieuwd naar zijn antwoord.

'Ik heb die bom gemaakt. Ik draai voor jaren de bak in.'

'En ik druk op het knopje, dus ik heb alle verantwoordelijkheid.'

'Volgens mij heeft Menkema gelijk, dat je dit allemaal alleen maar doet om de held te kunnen spelen', zei Samir, 'al toen je klein was wilde je beroemd worden. Maar ik zie het niet meer zitten. En jij?', Samir keek naar Mahnaz, 'als we hiermee doorgaan hoef je zelf geen kamer meer te zoeken, dan doet de rechter dat wel voor je.'

Yasin was gaan staan. Zijn ogen waren weer koortsig gaan schitteren.

'Je weet heel goed dat ze ons nooit zullen vinden', zei hij, 'ik zou niet weten hoe. Als ze dat hadden gekund waren ze hier al lang geweest', hij keek even onwillekeurig naar buiten, 'we krijgen gewoon onze zin, Al Hussaini komt vrij, en dan laten we Menkema ook lopen. Iedereen blij, iedereen gelukkig.'

'Ik dacht dat we wraak wilden nemen op Menkema', Mahnaz richtte zich tot haar broer, 'dus dan kunnen we hem niet laten lopen.'

Samir keek haar geschokt aan.

'Ik wist niet dat jij zo bloeddorstig was.'

'Dat ben ik ook niet. Ik ben alleen verbaasd dat Yasin hem vrij wil laten als ons plan gelukt is. Volgens mij hoor ik echt een mobiel.'

'Hoe zie jij het dan voor je?', Samir wendde zich weer tot Yasin, die heen en weer was gaan lopen.

'Of papa en mama morgen hier nou zijn of niet, we laten Menkema naar de rechtbank lopen. Hij zal precies doen wat we zeggen. Jij filmt en stuurt de beelden hiernaar toe, zodat papa kan kijken wat er gebeurt, als hij er is', Yasin keek vergenoegd naar het scherm alsof hij het al voor zich zag, 'Menkema geeft de brief met onze eisen aan een agent. Als die de brief leest heb je de poppen aan het dansen...', hij werd onderbroken door Samir.

'Die agent heeft wel iets beters te doen, die stopt die brief in zijn binnenzak en loopt door.'

'Je vergeet dat we de pers ook bellen. Die staan er binnen de kortste keren bij met hun camera's. CNN is er ook, dat heb ik zelf gezien. Dan kan de hele wereld een man zien die elk moment uit elkaar kan spatten. Dat zullen de mensen prachtig vinden, ongekend spannend. De regering staat voor gek als ze niet snel iets doen, en dus zullen ze Al Hussaini vrijlaten, zeker weten.'

'Als ze ons voor die tijd niet te pakken hebben.'

'Ze krijgen ons niet te pakken. Ze zoeken in Schiedam omdat Mahnaz daar de boodschappen gepind heeft, en ze controleren of we hetzelfde mobieltje gebruiken als in Drenthe, en dat doen we niet.'

'En toch wil ik die bommen vervangen door neppers. Volgens mij komt dat gepiep uit de tas.'

Samir keek naar Mahnaz die opstond en naar de weekendtas liep die onder het aanrecht in de keuken stond. Even later kwam ze opgewonden terug.

'We hebben een bericht op mama's telefoon!'

Haar vingers vlogen over de toetsen. Toen ze klaar was met lezen gaf ze het telefoontje aan Yasin, zakte op de bank in elkaar en begon te huilen. Samir keek haar met open mond aan.

'Wat is er?'

Yasins huid werd bleek. Samir ging naast Mahnaz op de leuning van de bank zitten.

'Mag ik ook weten wat er is?'

Mahnaz keek tussen haar vingers door omhoog.

'Papa is dood.'

Samir legde een hand op haar hoofddoek. Toen Yasin klaar was kreeg hij de mobiele telefoon. De vader van Yasin en Mahnaz was dood, overleden aan longkanker. Hun moeder was op weg naar hen toe. Ze vroeg waar ze waren.

Hij gaf het mobieltje aan Mahnaz die het bericht nog een keer las en daarna moeizaam begon aan een lang antwoord.

'Zal ik haar ook vertellen wat we aan het doen zijn?'

Yasin reageerde niet. Samir knikte.

Ludde schrok wakker. Hij had iets gehoord. Hij reageerde automatisch, gestuurd door een oude reflex. Zijn knieën trokken zich op naar zijn buik. Zijn armen bedekten zijn gezicht en zijn handen beschermden zijn hoofd voor zover de tape die zijn polsen bij elkaar hield dat toeliet.

Hij hoorde een zachte klik. Een zwak licht uit een zaklamp waarvan de batterijen bijna leeg waren speelde over zijn gezicht en ging weer uit. Er klonk geschuifel. Er hoestte iemand. Yasin. Ludde keek naar de donkere schim bij de deur.

'Wat is er?'

Hij hoorde de piep in zijn eigen stem.

'Wat wil je?'

'Dat je je kop houdt.'

Yasin kwam naar hem toe en hurkte neer.

'Jij denkt dat we zwakkelingen zijn hè?'

Ludde schudde zijn hoofd, maar deed dat meer uit verbazing dan om de opmerking van Yasin te ontkennen.

'Jij denkt dat we het niet zo serieus menen, jij denkt dat we niks durven, dat denk jij hè?'

Yasin haalde ergens uit het schemerdonker het pistool tevoorschijn, duwde met de loop Luddes armen opzij en richtte het wapen op Luddes voorhoofd.

'Jij denkt vast dat ik de trekker niet durf over te halen.'

Ludde trok zijn hoofd voorzichtig terug terwijl hij contact probeerde te zoeken met de tweekleurige ogen boven zich.

'Ik denk helemaal niets', zijn stem piepte nog steeds, 'wat is er aan de hand?'

'Er is van alles aan de hand', Yasin stond op en haalde een zakmes tevoorschijn.

Hij richtte het pistool op Luddes buikstreek, en sneed de tape om zijn enkels en polsen door. Ludde strekte zich en verbeet de pijn toen het bloed weer vrij door zijn armen en benen kon stromen. Yasin deed een pas achteruit en pakte de sporttas die achter hem op de grond stond.

'Omhoog.'

Terwijl Ludde overeind kwam overwoog hij om aan te vallen, maar die gedachte verdween onmiddellijk toen hij het gezicht van Yasin zag. De ogen van de jongen leken te koud en te opmerkzaam, alsof hij wachtte op een kans om zijn pistool te gebruiken. Tegelijkertijd straalde hij nervositeit uit, en angst. Hij leek op een dier dat in een hoek gedreven is, zoals de rat die Ludde op de boerderij de hond had zien aanvallen toen hij geen kant meer op kon.

'Hoe laat is het eigenlijk?'

Yasin antwoordde niet.

'En wat gaan we doen, weer verhuizen?'

'Doe je schoenen aan.'

Ludde gehoorzaamde. Yasin rommelde in de sporttas. Hij pakte de gordel.

'Doe om.'

De toon in Yasins stem liet geen ruimte voor tegenspraak. Ludde voelde zich vies en vernederd.

'Nu loop je langzaam voor me uit.'

'Ik zou graag even naar het toilet willen.'

Yasin schudde zijn hoofd.

'Dat doe je buiten maar, in de struiken, we gaan.'

Ludde deed een stap in de richting van de deur.

'Ik had je moeten doodsteken toen ik de kans had', zei hij, 'die avond toen ik Samir te pakken had. Je wordt me een beetje te gevaarlijk.'

Hij zag dat Yasin schrok en besloot nog even door te gaan.

'Toen je lag te slapen had ik die scherf zo in je keel kunnen steken', hij liep langzaam verder, 'of ik had een mes uit de keuken kunnen pakken.'

Yasin wuifde met het pistool.

'Dan had je dat moeten doen. Weet je wat jouw probleem is? Je onderschat ons. In elk geval onderschat je mij. Ik ben een halve Afghaan, dat vergeet je.'

Ludde schuifelde verder. Het tuinhuis was donker. Alleen over de ramen lag een vage glans. Yasins stem ging over in gefluister.

'Naar buiten.'

Ludde stapte het gras op en gleed uit. Hij vloekte. In twee stappen stond Yasin naast hem. Luddes hoofd werd omhooggetrokken. Hij voelde de druk van de loop tegen de zijkant van zijn nek. Yasins mond was vlakbij, en Ludde hoorde de verbeten ondertoon in de sissend uitgesproken woorden.

'Stil zei ik toch! Wil je dood?'

Het werd Ludde te veel. Hij siste net zo hard terug in het bleke gezicht naast hem.

'Ik kan toch verdomme niet zien waar ik loop, eikel.'

Het hoofd van Yasin ging achteruit en toen met een korte beweging weer vooruit. Ludde voelde de tik vlak boven zijn neus. Binnenin werd het warm. Yasin deed een stap terug, zocht in zijn jaszak en haalde een zakdoek tevoorschijn.

'En nu lopen, schiet op.'

Ludde drukte de zakdoek tegen zijn neusgaten. Hij wilde vloeken, maar hield toch zijn mond. Yasin leek niet langer zichzelf. Hij zou dingen kunnen doen om te bewijzen dat hij iets durfde, iemand neerschieten bijvoorbeeld. Hij deed een stap naar voren en stopte omdat hij niet wist wat Yasin verder van hem verwachtte. Op het wit uitgeslagen gazon was de zwarte kring van zijn gedwongen loop van die avond nog duidelijk zichtbaar. Een druppel bloed gleed langs zijn vingers en viel in het gras waar het een donker rondje achterliet. Er vloog iets zachts en zwaars tegen zijn rug.

'Je jas.'

De stem van Yasin achter hem klonk sarcastisch.

'Je moet nog plassen toch? Doe dat nu maar, want straks heb je er geen tijd meer voor.'

*

Farima was op het vliegveld van Brussel geland en zat nu, een uur later, in de trein naar Rotterdam. Ze bekeek haar tasker. Het bericht van de dood van hun vader was hard aangekomen bij haar kinderen. En ze hielden Ludde Menkema gevangen. Ze waren niet goed bij hun hoofd.

'Jullie verhaal klopt niet', had ze teruggeschreven, 'laat Menkema los, verzorg hem goed en vraag hem mee te komen naar mijn hotel. Ik verwacht jullie om negen uur morgenochtend. Doe geen domme dingen.'

Het gezoem van de treinwielen zorgde ervoor dat ze begon te dommelen. Een kilometer of zes boven haar daalde het vliegtuig uit Kabul af naar Schiphol. Borman was ook half aan het slapen. Voor hem stond een stapeltje in elkaar geschoven plastic bekertjes waarin whisky had gezeten.

*

Ludde liep over het ruim aangelegde tegelpad voor het Centraal Station. Hij rookte. Rotterdam was nog donker. Voor hem liepen de schimmige gestaltes van de eerste forenzen in de richting van de hoge verlichte glaswand met de grote klok. Het was zes uur. Ergens achter hem liep Yasin. Ludde gooide de bebloede zakdoek in het voorbijgaan naast een overvolle prullenmand. De schuifdeuren openden zich.

'Als je in het station bent ga je naar de restauratie', had Yasin gezegd, 'daar bestel je iets te eten en je gaat zitten. Ik kom later.'

De restauratie maakte ondanks de efficiënte indeling een gezellige indruk. Het was er aangenaam warm. Ludde liep langs de etenswaren, pakte twee broodjes kaas, een kopje espresso en een glas vers sinaasappelsap. Hij betaalde en ging zitten. Het meisje achter de kassa had hem

147

vreemd aangekeken en Ludde realiseerde zich dat er waarschijnlijk nog bloed op zijn gezicht zat. Hij pakte een servet en drukte dat tegen zijn voorhoofd. Yasin ging tegenover hem zitten. Hij zag er moe uit. Ludde legde het bebloede servet op het tafeltje.

'Kun je dat niet ergens anders neerleggen?'

Ludde leunde achterover met zijn kopje espresso tussen zijn beide handen.

'Dat heb jij op je geweten, dus je gooit het ook maar weg. Ik heb er geen last van.'

Beiden zwegen. Naast hen ging een jonge vrouw zitten. Ze dronk een glas melk en las een ochtendkrant.

'NAVO-ministers optimistisch over Afghanistan', las Ludde. Yasin las het ook.

'Uiteindelijk winnen jullie daar toch nooit', zei hij met een triomfantelijke ondertoon in zijn stem, 'de Afghanen gooien jullie ooit allemaal hun land uit.'

'Het is daar anders een stuk rustiger dan een tijd geleden', antwoordde Ludde, 'en dat lijkt me voor de meeste Afghanen wel zo prettig. Zeker voor de kinderen.'

Hij zag de harde trek om Yasins mond overgaan in een bittere grijns.

'Jij bent wel de laatste die het over kinderen moet hebben.'

Zijn stem klonk zo fel dat de jonge vrouw naast hen opkeek. Ludde zag een kans en greep die. Hij sloeg op de tafel. De vrouw deinsde terug en pakte geschrokken haar tas.

'Ik heb niets met die kinderen te maken', Ludde legde alle emotie in zijn stem die hij kon vinden, 'je kunt me bedreigen zoveel als je wilt, maar dat verandert daar niets aan.'

De vrouw stond op. Haar ogen stonden schichtig. Ludde sloeg nog een keer op de tafel en ging direct daarna staan. Voordat de vrouw de kans had gekregen om weg te lopen sloeg hij zijn rechterarm om haar schouder. Yasin graaide in zijn binnenzak en haalde de mobiele telefoon tevoorschijn. De vrouw verstijfde.

'Laat haar met rust', Yasins wijsvinger rustte op het toetsenbord van het mobieltje, 'je moet niet denken dat zij me tegen zal houden.'

De vrouw duwde Ludde opzij.

'Blijf met je poten van me af, klootzak.'

Een man aan een tafeltje een eindje verderop ging staan.

'Laat haar los', riep hij, 'of je krijgt met mij van doen.'

Ludde lachte in zichzelf. Hij was ervan overtuigd dat Yasin er niet over zou piekeren om de bom te gebruiken. Des te meer herrie des te beter. Hij voelde de adrenaline door zijn lichaam pompen. De vrouw sloeg hem. De man kwam eerst dichterbij maar aarzelde toen. Hij pakte zijn telefoon en toetste een nummer in. De politie ongetwijfeld, precies wat Ludde wilde. Toen belandde de elleboog van de vrouw tegen zijn kin. Ze was los en rende weg. Ludde zag even niets meer.

'We gaan.'

Ludde voelde de loop van het pistool tegen zijn rug. Bij de kassa hield Yasin in.

'Sorry, mijn maat is een beetje overspannen, ik breng hem naar huis.'

Het meisje knikte. Ze leek wel iets gewend te zijn. In de centrale hal dwong Yasin Ludde om een van de perrons op te lopen. Ze verdwenen door een zijingang op hetzelfde moment dat aan de voorkant van het station een politieauto stopte. De agenten liepen naar binnen. Ze praatten even met de caissière en liepen daarna naar de man die hen gebeld had. Er kwam iemand binnen met een schoonmaaktrolley. Na vijf minuten waren de agenten weer vertrokken. Er waren andere dingen die gedaan moesten worden. Er moesten rechtbanken worden beschermd en demonstraties moesten in goede banen worden geleid.

*

'We hebben ze nog steeds niet', Jochen da Silva keek op van zijn bureau toen De Geus binnenkwam, 'ze verrekken het om dat nummer te gebruiken dat we van ze hebben. Waarom ben je zo laat?'

De Geus gooide zijn jas op de bank in de zithoek.

'Verslapen. Maar ik werd wakker met een bruikbaar idee.'

'Vertel.'

'Luister. Die jongelui moeten ergens een plek hebben gehad waar ze zo in konden. De broer van hun vader, die staatssecretaris, Peter van der Veen, die is nu iets hoogs bij een bank in New York. En nu meen ik me vaag te herinneren dat die in Rotterdam woonde.'

Hij wreef zich in zijn handen.

'Heb je koffie?'

Jochen da Silva luisterde al niet meer. Hij praatte tegen het apparaat dat voor hem stond. De Geus ging zitten. Hij wachtte. Het apparaat liet een donkere toon horen. Da Silva stak een hand op. Er klonk een vrouwenstem.

'Van der Veen heeft een huis aan de Hoge Limiet in Rotterdam.'

'Dank je. Kun je me Rotterdam geven? En de heli laten starten?'

Hij wachtte ongeduldig op de verbinding.

'We denken dat ze aan de Hoge Limiet zitten. We zijn er over drie kwartier. Zorg dat je een team klaar hebt staan.'

*

Samir rende de kamer van Mahnaz binnen en rukte het dekbed van het slapende meisje, maar toen hij zag dat ze naakt was gooide hij het snel terug. Mahnaz draaide zich slapend om, op zoek naar de warmte die ze kwijt was geweest. Samir rende de kamer weer uit en begon op de openstaande deur te bonzen.

'Ze zijn weg, Mahnaz, Yasin is weg met Menkema, wakker worden.'

Hij hoorde het bed kraken toen ze overeind kwam. Zijn ogen flitsten over haar borsten die even boven de dekens uit waren gekomen. Hij liep naar de kamer en wachtte. Mahnaz kwam op een paar blauwe sloffen naar binnen schuifelen. Ze ging eerst naar de plek waar Yasin had geslapen. Toen ze terugkwam had ze de sporttas in haar hand.

'Hij heeft de gordel meegenomen', zei ze, 'dit is niet zo best.'

Samir liet zich op een stoel zakken.

'Waar is hij heen denk je?'

Mahnaz keek hem weifelend aan.

'Ik denk dat hij boos is omdat mama zei dat we Menkema moesten vrijlaten', zei ze, 'hij wil niet luisteren.'

Samir beet zich nadenkend op zijn lippen voor hij reageerde.

'Dat zei hij gisteravond al, dat hij het niet met haar eens was. En nou is hij er gewoon tussenuit gekropen. En die eikel heeft mijn gordel mee.'

Mahnaz werd nu helemaal wakker. Ze liep haar kamer in en begon haar kleren in haar rugzak te stoppen.

'Samir, ik weet niet wat jij doet, maar ik ga straks naar het hotel van mama. Wat mij betreft ga je mee, of je gaat terug naar Groningen. Maar eerst moeten we hier alles opruimen, anders heb je straks de poppen aan het dansen als oom Peter thuiskomt. Die kan behoorlijk lullig doen.'

Samir hees zich moeizaam overeind.

'Wat maakt dat nou uit', zei hij, 'we komen toch in een cel terecht.'

Mahnaz zette haar rugzak op de tafel en liep naar de keuken.

'Hoezo? We hebben niets gedaan tot nu toe.'

'Niets gedaan? We hebben iemand vastgehouden. We hebben een bomgordel gemaakt...', Samir liep naar zijn kamer, pakte zijn tas en kwam weer terug, '...ik heb een bomgordel gemaakt. We waren van plan een gevangene te bevrijden, weet je nog? Als je in dit land alleen maar aan zoiets denkt kunnen ze je al vastzetten.'

Mahnaz reageerde niet omdat ze was weggelopen. Samir hoorde het gerinkel van de vaatwasser in de keuken. Er ging een kastje open en dicht. Mahnaz stak haar hoofd om de deur.

'Doe jij Yasins kamer?'

Samir zuchtte.

'Volgens mij heb jij die schoonmaakziekte, hoe heet dat ook alweer?'

'Smetvrees.'

'Smetvrees ja. Als Yasin die gordel echt gaat gebruiken, dan ben ik in elk geval voor jaren de pineut.'

De gedachte aan wat er in dat geval van Ludde Menkema over zou blijven drukte hij weg.

*

Jochen da Silva bladerde in een dossier dat hij op zijn schoot had liggen. De Geus keek uit de helikopter naar de groene wereld beneden, die als je het van zo'n hoogte bekeek eigenlijk op verbazend weinig plekken werd doorsneden door een grijs asfaltlint waarop bijna zonder uitzondering lange rijen auto's stonden.

'Dat is nou een reden om hier niet te willen wonen', zei hij terwijl hij naar de files rond Gouda wees, 'elke dag sta je daar maar weer.'

'Omdat ze weigeren de trein te nemen', antwoordde Da Silva terwijl hij een pagina omsloeg, 'en wij hebben er weinig last van op deze manier.'

'Vlieg je ook naar je werk of zo.'

'Ik woon om de hoek. Prachtig boven in de Catherijnetoren, tweehonderd meter boven de grond. Aan de ene kant heb ik het centrum, aan de andere kant het groene hart. Ik kan de zee zelfs zien als het weer goed is.'

Da Silva glimlachte tevreden. Toen wees hij naar de papieren op zijn schoot.

'Volgens dit dossier is Menkema potentieel behoorlijk rijk, als erfgenaam van een Groninger herenboer.'

De Geus keek naar de dichterbijkomende skyline van Rotterdam.

'Nou en? Als we niet uitkijken heeft hij er weinig meer aan, dan ligt hij in twee stukken.'

'Jullie zijn toch geen vrienden?'

'Nee, we zijn geen vrienden, maar ik mag hem wel graag. Hij wordt over een tijdje vader. Heb je iemand naar dat huis gestuurd?'

'Uiteraard.'

'Een goed iemand?'

'Een professional. We zijn allemaal professionals. Die man waarmee je gewerkt hebt, in Rotterdam.'

'Die met die snor?'

Toen Da Silva knikte zei De Geus niets meer, maar aan zijn gezicht was te zien dat hij zijn twijfels had.

*

Farima zette haar tas neer.

'Ik heb gereserveerd.'

Ze noemde haar naam. De oudere man achter de balie had eerst moeite haar te begrijpen omdat ze haar achternaam uitsprak als 'Feendèrfien'. Toen gaf hij haar een sleutelkaart.

'Ik verwacht zo bezoek van drie kinderen en een volwassen man. Ze zien er misschien niet helemaal representabel uit, maar u kunt ze door-laten.'

De receptionist boog zijn hoofd.

*

De rechercheur sloeg de hoek om van de Hoge Limiet. De straat was rustig. In het park was iemand aan het joggen. Hij had het witte huis met de vier dakkapellen snel gevonden. Het maakte de indruk alsof er al een tijdje niemand thuis was geweest. Hij liep langs de heg waarvan de groene takken tot op de stoep bungelden en keek in het voorbijgaan de tuin in. Heel even dacht hij een beweging te zien, maar hij koos er-voor om door te lopen. Daardoor zag hij niet dat een lichtbruine jongen en een donkerharig bleek meisje door het tuinhek kwamen lopen en de andere kant op wandelden. Ze hadden de armen om elkaar heen geslagen. Toen de rechercheur zich omdraaide om weer terug te gaan waren ze om de hoek verdwenen. Hij stond stil bij het openstaande hek en zag de houten wand van een schuur of een tuinhuis. Hij was alweer verder gelopen toen hij zich realiseerde dat het pad naast het huis vol voetafdrukken stond. Hij stak de straat over, ging het park in en pakte zijn mobieltje.

'Er zijn daar pas mensen geweest, maar ik denk niet in het voorhuis. Ze zouden heel goed in het tuinhuis erachter kunnen zitten, maar ik heb niemand gezien.'

*

Borman zakte weg in de achterbank van de taxi. Zijn baas had doorgegeven dat Farima Faghiri haar tasker had gebruikt en in Rotterdam zat. Niet lang daarna stond hij op de A4 in een file. Hij viel al snel in slaap.

*

Yasin maakte een opgejaagde indruk. Nadat ze het station hadden verlaten was het dwalen begonnen. Soms sloegen ze linksaf, dan weer gingen ze naar rechts. Soms stopten ze zonder reden een tijdje voor een etalage en liepen vervolgens weer verder. Yasin leek geen plan te hebben. Hij zag er gespannen en moe uit. Ludde voelde een vreemd soort verbondenheid tussen hen, alsof ze twee zwervers waren die allebei op een weg waren beland waarvan ze niet wisten waar die heen ging, een weg waar ze niet af konden komen. Het was nog steeds koud. Vlak na het incident in het station was Ludde opgefokt blij geweest, alsof hij een overwinning had te vieren, zo blij zelfs dat hij dat gevoel met Yasin had willen delen.

'Wat vond je van die vrouw?', had hij gezegd, 'en zag je die caissière? En die vent die zich ermee bemoeide?'

Pas toen Yasin niet de moeite had genomen om te antwoorden was het tot hem doorgedrongen dat hij absurd bezig was en was zijn stemming omgeslagen naar de andere kant. Een oude angst was weer bij hem bovengekomen, een angst die niets met Yasin te maken had, maar wel met ondefinieerbare gedachten die hem somber maakten. Overgehouden van verre voorouders die iets ergs hadden meegemaakt waarschijnlijk. Op straat was het eerst steeds drukker geworden met fietsers, auto's, wandelaars en vooral moeders die hun kinderen naar school brachten, allemaal dik ingepakt tegen de kou. Nu was het rustiger, zeker in de buurt waar ze liepen, een eindje van het centrum af.

'We gaan even zitten.'

De mededeling van Yasin kwam onverwacht. Ludde zag dat ze voor een zaak stonden met Arabische lettertekens op de etalageruit. Ze gingen naar binnen. Het was er erg warm. Aan de tafeltjes zaten voornamelijk oudere mannen die even opkeken, maar daarna doorgingen met hun gesprekken. Boven de toonbank hing een televisie waarop een volksdans was te zien die niemand leek te kunnen boeien.

Ze bestelden koffie. Luddes huid onder de gordel jeukte. Toen hij zijn jas open deed en zich begon te krabben keek Yasin hem waarschuwend aan.

'Of ontploft hij zo ook?'

153

Ludde klonk ironisch.

De man naast hen keek op, maar dat interesseerde Yasin zo te zien niet.

'Dat moet je aan Samir vragen, die weet hoe dat ding precies werkt.'

'Heb je ruzie gehad met Samir?'

Yasin staarde in zijn kopje alsof hij daar een antwoord zocht.

'En met je zus?'

Er kwam nog steeds geen reactie.

'Zouden je ouders vandaag niet komen?'

Yasin keek op. Tot zijn verbazing zag Ludde dat de jongen tranen in zijn ogen had en tot nog grotere verbazing van zichzelf legde hij zijn hand op de hand die Yasin naast zijn kopje had liggen.

'Wat is er met je', vroeg hij zacht, 'wat is er gebeurd? Ruzies kun je weer bijleggen, daar zijn ze voor.'

Yasin liet in eerste instantie zijn hand liggen maar trok hem toen toch plotseling terug.

'Blijf met je poten van me af', snauwde hij.

De mannen om hen heen keken vanuit hun ooghoeken toe. Ludde pakte zijn lege koffiekopje.

'Nog twee graag.'

Ze moesten lang wachten. De benauwende warmte begon Ludde te pakken te krijgen. Zijn ogen vielen dicht en zijn hoofd zakte opzij.

'Wakker blijven.'

Yasin zat rechtop en keek bijna overdreven opgewekt om zich heen, alsof hij er zeker van wilde zijn dat hij gezien werd. Er werden twee kopjes koude koffie gebracht.

'Mag ik wat extra suiker?'

Yasin vroeg het beleefd, maar de man die hen de koffie bracht leek het verzoek niet op prijs te stellen. Ludde besefte dat ze hier in dit kleine Rotterdamse domein op een plek zaten die in zekere zin tot een ander deel van de wereld behoorde. Hij vond dat geen probleem, maar hij besefte dat dat voor Yasin waarschijnlijk anders was. Die voelde zich bij de Nederlanders niet thuis, en thuis werd hij niet herkend en was hij niet welkom.

Ludde voelde medelijden, wat hem kwaad maakte.

Deze jongen wil me vermoorden, dacht hij, en ik heb met hem te doen. Straks ga ik hem nog aardig vinden. Ik had hem dood moeten steken.

*

154

De man achter de balie van het hotel zag een jongen en een meisje schutterig naar hem toe lopen, duidelijk niet gewend aan de luxueuze omgeving waarin ze terecht waren gekomen.

'We zijn op zoek naar mevrouw Van der Veen', zei de jongen, 'als het goed is heeft zij hier een kamer.'

Het meisje bleef achter hem staan met haar ogen op de grond gericht.

'Mevrouw Van der Veen verwacht jullie', hij zag dat het meisje ontspande, 'de anderen komen later naar ik aanneem?'

De vraag bracht de jongen in verwarring, maar het meisje knikte bevestigend, hoewel ze haar ogen nog steeds neergeslagen hield.

'Ze is op kamer 604. Jullie kunnen de lift nemen naar de zesde etage.'

Het meisje draaide zich om. De jongen volgde haar. Op de een of andere manier maakten ze beiden een geslagen indruk.

In de lift probeerde Samir zijn armen weer om Mahnaz heen te slaan, maar zij weerde hem af.

'Dat was alleen om die politieagent voor de gek te houden.'

Samir kleurde.

*

De Geus stapte uit de auto die hem met Jochen da Silva naar het begin van de Hoge Limiet had gebracht. Er kwam een slanke man op hen toe lopen die eruitzag als een militair, ondanks de spijkerbroek en het leren jasje dat hij droeg.

'We zijn klaar', zei hij, 'we hebben niemand gezien, maar er komt stoom uit de schoorsteen dus ze zullen er wel zijn. We hebben het dak onder controle vanaf dat gebouw daar', hij wees naar een flatgebouw, 'het hoofdhuis is leeg, de achterkant van het tuinhuis heeft geen ramen, dus we willen er gewoon vanaf de voorkant in.'

'Weet je zeker dat het stoom is', vroeg Da Silva, 'niet de rook van een open haard?'

De militair in zijn leren jas reageerde met een bijklank in zijn stem alsof hij Da Silva totaal niet serieus nam.

'Heeft dat iets te maken met wat ik hier aan het doen ben?'

'Ja, dat zou er best toe kunnen doen in bepaalde omstandigheden', antwoordde Da Silva, die ervoor koos de neerbuigende toon niet te horen, 'bijvoorbeeld als je gas wilt gebruiken, dat gaat niet samen met open vuur.'

De man keek even naar De Geus met een blik die weinig te raden overliet.

'Ik vind alles goed. Maar laat mij nou maar gewoon mijn werk doen. Ik stel voor ouderwets binnen te vallen. Ik begreep dat ze met een mobiele telefoon een bom kunnen laten ontploffen. Dat kost ze een paar seconden en voor die tijd liggen ze plat. Drie jongelui, waarschijnlijk gewapend, één gegijzelde toch?'

Da Silva keek naar De Geus.

'Dat voorstel lijkt mij reëel, wat jij?'

De Geus aarzelde.

'Misschien draagt Menkema die bomriem, vergeet dat niet', zei hij, 'kun je ze niet verdoven of zo?'

De man schudde zijn hoofd.

'Daarvoor moeten we net zo goed naar binnen. We pakken ze op snelheid, dat is echt het beste.'

'Prima dan. Ga je gang. Waar wil je ons hebben?'

'Wacht hier maar.'

De man liep weg. De Geus stak zijn handen in zijn zakken. Da Silva pakte zijn tasker. Ze wachtten. Van de andere kant van de straat kwamen drie mannen aanlopen, die net zoals de man met wie ze net hadden gesproken gekleed waren in een spijkerbroek en een leren jasje. Zonder aarzelen gingen ze het hek binnen. Even later hoorden ze een knal en glasgerinkel. Daarna nog een knal. Boven het dak van het huis werd een lichte rookpluim zichtbaar die snel verwaaide. Het werd stil. Da Silva klapte zijn tasker keer op keer open en dicht. De Geus wilde in de richting van het huis lopen, maar Da Silva hield hem tegen. De Geus wilde iets zeggen maar stopte toen de tasker van Da Silva een oproepsignaal liet horen. Da Silva luisterde, knikte en verbrak de verbinding. Hij keek naar De Geus.

'De vogels zijn gevlogen, we kunnen erheen.'

In de tuin werden ze opgewacht.

'Er is hier niemand. Er zijn wel mensen geweest, maar die zijn weg. De deur zat niet eens op slot.'

De Geus stapte op de drempel van de woonkamer van een uit de kluiten gewassen tuinhuis. In eerste instantie leek er niet veel te zien. Da Silva stond achter hem.

'Denk je dat Menkema hier is geweest?'

'Ik weet het niet. Mag ik verder kijken?'

'Je bent politieman, dus je weet wat je wel en niet mag.'

De Geus liep naar het midden van de kamer en keek rond. Daarna liep hij langs de verschillende deuren en keek naar binnen. In de laatste ruimte zag hij een matras op de grond liggen. Ernaast lag een aantal doorgesneden stukken tape. Hij keerde zich om en bestudeerde van een afstandje de in de woonruimte aanwezige voorwerpen. Daarna liep hij weer naar buiten waar Da Silva op hem stond te wachten.

'En?'

'Het lijkt er wel op. Er liggen stukjes tape, doorgesneden. Dezelfde kleur als die op de Spaanse Bocht. En ze hebben ruzie gehad. Er zitten druppels bloed op de leuning van de bank. In de deur zit een kogelgat, gelukkig ligt daar geen bloed. De kogel zal wel ergens in de tuin liggen.'

'Dus ze zijn ons weer voor', Da Silva schopte nijdig in het gras, 'dat zal een hoop gedonder geven.'

'Die rechtszaak begint toch vandaag?'

Da Silva knikte somber.

'Wat denk jij van die kring hier in het gras?'

De Geus zakte door zijn knieën.

'Ik durf er geen eed op te doen, maar zo te zien heeft Ludde hier rondjes gelopen, ik denk dat ik die schoenafdruk herken.'

'En waar vinden we hem nu?'

'Geen idee. Ik zou er zo snel mogelijk een speurhond achteraan sturen. En signalementen verspreiden.'

Een halfuur later stapten ze uit de auto die hen naar het hoofdbureau van politie in Rotterdam had gebracht. Ze zeiden niets maar aan hun gezichten was te zien dat ze niet erg vrolijk waren.

*

Samir zat ongemakkelijk voor zich uit te kijken. Op het hotelbed zat Mahnaz naast een vrouw van wie hij wist dat het haar moeder was, maar daardoor werd de situatie niet gewoner. Integendeel. Mahnaz huilde. Haar hoofd lag tegen de arm van haar moeder die de indruk wekte daar niet goed raad mee te weten. Mahnaz was gaan huilen zodra de kamerdeur open was gegaan en ze haar moeder had gezien, alsof ze de hele weg vanaf de Hoge Limiet haar tranen had ingehouden. Samir draaide zich in zijn stoel om naar het raam waardoor hij een gedeelte van de Erasmusbrug kon zien. Er kwam een schip onderdoor dat er in verhouding met de brug belachelijk klein uitzag. Hij had een bijna onbedwingbare behoefte om te roken, het liefst een joint. Hij was onderweg bijna een koffieshop binnengestapt, maar een blik van Mahnaz had hem tegengehouden.

Ondanks het gesnik achter zijn rug moest hij glimlachen toen hij aan de vertoning dacht die ze op de Hoge Limiet hadden opgevoerd. Mahnaz had bij de deur van het tuinhuis gestaan en ineens ontzettende haast gekregen. Ze had niet eens de deur op slot gedraaid. Toen ze op straat waren had ze hem beetgepakt alsof ze smoorverliefd op elkaar waren. Hij had daar geen bezwaar tegen gehad, maar had het ook niet begrepen. Ze had het tempo opgevoerd zodat ze bijna hollend de hoek van de straat om waren gegaan. Daarna had ze hem verteld dat ze een man had gezien, en dat dat dezelfde man was die voor het huis aan de Spaanse Bocht had gestaan, iemand van de politie. Ze waren volgens haar net ontsnapt. Samir geloofde het niet zo, maar wist wel dat hij haar lichaam best vaker tegen zich aan wilde voelen. Hij keek weer naar de twee vrouwen. Mahnaz' moeder was veel jonger dan hij zich had voorgesteld. Hij vroeg zich af wat hij straks tegen haar moest zeggen, over de dood van haar man en zo. Condoleren, deden ze dat daar ook? Ze leek trouwens helemaal niet verdrietig.

Mahnaz werd rustiger. Samir stond op, liep naar de badkamer, pakte een handvol toiletpapier en gaf dat aan Mahnaz die rechtop was gaan zitten. Haar moeder lachte hem vriendelijk toe. Het drong tot Samir door dat ze er voor een oudere getrouwde vrouw, of een weduwe eigenlijk, opmerkelijk werelds uitzag. Geen rouwkleren of iets dergelijks, geen hoofddoek ook. Hij besloot er niet verder over na te denken. Ze kwam uit Afghanistan, ze konden daar wel heel andere gewoontes hebben dan waar hij vandaan kwam, uit het Rifgebergte. Of eigenlijk kwam hij gewoon uit Groningen. In Marokko kon hij zich op vakantie maar met moeite verstaanbaar maken. Daar noemden ze hem een Nederlander, in Nederland was hij een Marokkaan. Niet dat hij daar nou zo veel last van had. Hij hield van het leven zoals het op hem af kwam, hij sloeg de wegen in die hem op dat moment interessant leken, zoals de weg waar hij nu samen met Yasin op liep, die ging misschien wel nergens heen, maar hij had besloten om mee te gaan omdat Yasin gelijk had, in principe, alhoewel hij in principe niet zo veel van principes hield. Kijk, dat was nou leuk, een beetje in een cirkel denken. Misschien moesten ze de politie bellen. Yasin liep met een bom rond, maar hij had natuurlijk wel gelijk als hij het over de zuivere islam had en zo. Zo iemand kon je niet verraden. Maar hij moest er tegelijkertijd niet aan denken dat Ludde Menkema opgeblazen zou worden. Hij zag zichzelf al zitten, elke dag achter zo'n gevangenisdeur. Zo'n vechter was hij nou ook weer niet, hij was meer een rommelaar. Hij keek opzij toen de moeder van Mahnaz naast hem kwam staan. Ze sprak hem aan in het Engels. Toen hij haar ogen zag, zag hij de ogen van Mahnaz.

'Waar zijn de anderen?'

'Yasin is weg met Menkema. Ik denk dat we de politie moeten waarschuwen. Yasin blaast hem op. En ik heb die bomgordel gemaakt.'

Samir verbaasde zichzelf omdat hij toch over de politie begon. Zijn mond was wel vaker sneller dan zijn hersenen.

'Wie is Yasin?'

'Jan. Hij noemt zich Yasin.'

Hij zag een glimlach rond haar mond.

'Hoe heet jij?'

'Samir.'

'Ik heet Farima. Weet jij waar Yasin is?'

Samir schudde zijn hoofd.

'Ik denk dat hij toch met ons plan bezig is...', Mahnaz was naast hen komen staan en legde haar hand op de schouder van haar moeder. De oudere vrouw verstrakte, maar Mahnaz merkte dat niet, '...hij was helemaal overstuur omdat jij had gezegd dat we Menkema vrij moesten laten en hierheen moesten komen.'

Haar moeder maakte zich voorzichtig los.

'En jullie kennen dat plan?'

Mahnaz en Samir knikten.

'Leg het me dan maar eens uit.'

*

'Jezus, wat koud.'

De arts die de gel op Maria's buik had gespoten pakte een rond instrument, duwde dat in de kleverige massa en begon ronddraaiende bewegingen te maken. Luma kneep haar ogen bij elkaar om het schermpje goed te kunnen zien.

'In deze fase van de zwangerschap gebruiken we nog geen driedimensionale apparatuur', zei de man, 'er is nu toch nog niet zo heel veel vorm te zien, en wat je wel ziet vinden de meeste mensen eng.'

Op het scherm was een blauwig beeld met schemerig witte vlekken te zien.

'Kijk daar', de man wees, 'dat is het.'

Luma kneep in Maria's hand die intussen haar best deed om iets in de grillige patronen te onderscheiden.

'Ik zie niks', zei ze met iets van spijt in haar stem, 'daar moet je arts voor zijn, zoals jullie.'

Luma liet haar hand los en wees.

'Daar, dat rondje daar, het lijkt een beetje op een peertje, dat is de vrucht.'

'Oh, dat', Maria kneep haar ogen tot spleetjes, 'is dat alles?'

'Dat is alles', antwoordde de man, 'en het belangrijkste is dat het zo te zien goed groeit.'

'Natuurlijk groeit het goed', antwoordde Maria.

De man legde het instrument weg en drukte op een knop. Er kwam een printje uit het apparaat tevoorschijn. Hij gaf het aan Luma, pakte een handdoek en begon Maria's buik schoon te maken.

'Dat is echt niet altijd zo mevrouw', zei hij toen, 'er kan ook iets misgaan, dat kan altijd, zeker op uw leeftijd.'

Toen Maria en Luma in de hal van het UMCG stonden was Maria nog steeds aan het mopperen.

'Hoezo op mijn leeftijd', zei ze, 'de vrouwen in mijn land krijgen nog gezonde kinderen als ze zestig zijn, de idioot.'

Luma pakte haar bij haar arm en leidde haar naar buiten.

'Soms', zei ze, 'soms vind ik je niet zo aardig.'

Maria begon te lachen.

'Soms', zei ze, 'soms bén ik niet zo aardig', ze was even stil en ging toen nadenkend verder, 'ik vraag me af hoe het met Ludde is. Ik heb een raar gevoel als ik aan hem denk.'

*

'Kunnen we hier niet mee ophouden? Laten we weer ergens gaan zitten', Ludde draaide zich om zodat hij vlak voor Yasin kwam te staan.

Yasin probeerde Ludde van zich af te duwen, maar de overtuiging ontbrak. Zijn baardje maakte hem nog grauwer dan hij al was.

'Ga je nog vertellen wat we aan het doen zijn? We lopen rond. We hebben het koud. Er kan geen lachje bij je af. Ik wil naar huis, slapen, en dat wil jij ook.'

Ludde legde zijn hand op de schouder van Yasin, die zijn hoofd boog en – bijna zoals een kind dat bij zijn vader doet – weg leek te willen kruipen tegen het lichaam van Ludde voor hij zich vermande en een stap terugdeed.

'Je moet van me afblijven', gromde hij, 'ik kan het niet hebben als een heiden aan me zit. Jullie stinken.'

Ludde lachte minachtend.

'Jij bent anders ook niet zo fris meer. Ik ruik angstzweet bij je, dat is het, je stinkt omdat je bang bent.'

'Jouw soort hoeft niet eens te stinken om te kunnen stinken. Jullie stinken naar de hel. Loop maar door.'

Ludde weigerde.

'Waarom? Druk maar op dat knopje van je. Jaag me hier maar een kogel door mijn kop. Ik heb geen zin meer. Ik ga zitten.'

Hij liep naar een bankje dat in de zon stond, aan de rand van een verlopen parkje.

'Dat zou ik maar niet doen', Yasin stond nu vlak achter hem, 'daar krijg je spijt van.'

'Als ik dood ben heb ik geen spijt. Dan ben ik nergens.'

Yasin keek hem aan met een blik waarin moeheid was te zien en iets dat leek op smeken, maar ook een soort zenuwachtige hooghartigheid.

'Jij hebt toch een vriendin?'

Ludde keek hem verbaasd aan.

'Ja, hoezo?'

'Ik heb een vriend die weet waar ze woont. Het zou jammer voor haar zijn als ik hem moest bellen.'

Ludde ging zitten. Hij pakte zijn pakje shag en begon een sigaret te draaien. Zijn vingers trilden.

'Zover wil je dus gaan, dat je mijn vriendin erbij betrekt. Ze is zwanger weet je, dat doet zelfs iemand als jij niet.'

Yasin leek zijn zelfvertrouwen terug te hebben gekregen.

'Het doel heiligt de middelen. Dat heb ik weer van jouw cultuur geleerd. De Jezuïeten toch? Machiavelli? Ik wist trouwens niet dat je vriendin ook zwanger is. Ik dacht dat dat die zakenpartner van je was.'

Hij grijnsde en maakte de beweging met zijn wijsvinger die een leraar gebruikt om een leerling op te laten staan. Ludde gehoorzaamde, maar nam daarna de tijd om zijn sigaret aan te steken, in een poging Yasin te laten zien dat hij niet onder de indruk was. En hoewel hij bovendien nog zacht mompelde dat Machiavelli geen Jezuïet was geweest voelde hij zich toch als een kind tekortgedaan.

*

De Geus liep met grote passen een klein kantoor op het hoofdbureau van politie van Rotterdam binnen. Jochen da Silva volgde hem.

'Hebben jullie al een hond gestuurd?'

161

De agente achter het bureau keek hem met een licht verwilderde blik in haar ogen aan. Ze had de hoorn van een bureautelefoon in haar ene hand en een mobieltje in haar andere. Op het lege bureau naast haar rinkelde nog een toestel.

'Waar heb je het over?'

'Over de speurhond die naar de Hoge Limiet moet. Dringend.'

Uit de hoorn klonk opeens een harde stem die het had over het al dan niet oppakken van een jongeman die stond te schreeuwen bij de rechtbank.

'Daar ga ik niet over', de vrouw klonk wanhopig, 'daarvoor moet je bij de coördinator zijn...', de stem aan de andere kant vroeg haar om doorverbonden te worden, '...het loopt hier anders uit de hand. Volgens mij zit hij onder de speed, die gast...', de vrouw drukte op een toets, luisterde even en legde de hoorn neer. Als door een wonder hield ook het andere toestel op met rinkelen. Ze keek even voor zich, zuchtte diep en richtte zich vervolgens tot Da Silva en De Geus.

'Wat willen jullie? En wie zijn jullie eigenlijk?'

Jochen da Silva haalde een pasje uit zijn binnenzak. Ze wierp er een blik op en gaf het weer terug.

'Dan bent u dus die hoge ome uit Groningen?', ze keek naar De Geus, 'hebben jullie daar nog vacatures?'

De Geus ging zitten.

'De vraag was of er al een speurhond naar de Hoge Limiet is.'

De agente zocht onhandig door een stapel papieren die tussen een grote wasknijper was geklemd. Toen keek ze verheugd op.

'Ja, die is daar een kwartiertje geleden aangekomen. Als ik het goed heb begrepen heeft hij ook een spoor...', ze zag dat Da Silva vrolijk met een vuist in zijn handpalm sloeg, '...maar stel je er niet te veel van voor. Een speurhond vindt in een stad moeilijk de weg, zeker als het zo druk is als vandaag.'

De telefoon ging weer over. Buiten gilde de sirene van een politie-auto. De vrouw pakte de hoorn op en luisterde.

'Daar moet je de coördinator voor hebben, doorkiesnummer vijfzes-vijfvier.' Ze legde de hoorn weer neer.

'Als jullie willen kan ik jullie naar de hondenbegeleider laten brengen, al is die daar meestal niet zo blij mee. Vreemde mensen leiden de hond af, vindt hij. En ik heb ook een rapportje voor jullie. Dat haartje dat op dna moest worden onderzocht is van ene Menkema.'

*

162

Farima Faghiri had zeker een kwartier voor het raam naar een vreemde en toch ook vertrouwde wereld gekeken. Het was de wereld waarin haar man was geboren, waar hij over had verteld, waar ze foto's van had gezien. Water, eindeloos water, alles daarbuiten had te maken met water. Water dat er tegelijkertijd aantrekkelijk, maar ook dreigend en afstotend uitzag, ook al legde de zon er een felle schittering overheen. Ze draaide zich om. Ze had nagedacht.

'Kinderen.'

Samir zat op de stoel bij het bijzettafeltje. Mahnaz had zich opgekruld op het bed, als een klein kind dat zich af wil zonderen van haar omgeving. Ze huilde al een tijdje niet meer. Misschien sliep ze. Samir stootte haar aan.

'Kinderen', herhaalde Farima, 'dat plan van jullie is onrechtvaardig. Ludde Menkema heeft niets te maken met die aanval.'

'Waarom zei papa dan van wel?'

Mahnaz was overeind gekomen en had haar voeten op de vloer gezet. Haar ogen stonden boos, voor zover je dat kon zien tussen haar door het huilen opgezwollen oogleden.

'Omdat hij dat wilde denken.'

Samir voelde de spanning tussen de twee vrouwen oplopen. Het maakte hem nerveus. Ook al had je elkaar jaren niet gezien, een moeder en haar dochter hoorden niet als twee vreemde katten tegenover elkaar te staan, vond hij.

'En waarom zou ik jou geloven, en papa niet?'

Farima keek haar dochter aan. Om haar mond trilde een zenuwtrekje dat je, vond Samir, als je kwaad wilde best uit kon leggen als een misplaatst lachje.

'Omdat die overval met de familie te maken had. Dat is te ingewikkeld om nu uit te leggen. We hebben in Afghanistan op sommige punten andere gewoonten dan jij gewend bent.'

'Ik weet niet of je het weet, maar ik ben je dochter. Als het om familie gaat, ik bedoel, ik ben toch ook familie, en Yasin ook…', Mahnaz begon weer te huilen, maar deze keer gaf ze zich er niet helemaal aan over en zocht ze niet naar troost, '…het lijkt alsof het je niets kan schelen dat papa dood is.'

Farima zuchtte en ging op het bed naast Mahnaz zitten.

'Ik had erg veel pijn toen ik jullie moeder werd. Ik was toen maar een paar jaar ouder dan jij nu bent', zei ze, 'ik heb je gevoed en ik heb van jullie gehouden, jij en je broer, tot aan jullie zesde jaar. Maar de kinderen die ik toen had zijn weggegaan en nooit teruggekomen. Nu ben ik een

Afghaanse in een vreemde wereld. Mijn familie is jouw familie, zeg je. Als je dan toch een Faghiri bent moet je je ook gedragen als een Faghiri. Leer dat de waarheid de waarheid is, ook al bevalt ze je niet. Ik zal je dat verhaal over die overval vertellen, maar niet nu. En om je vraag te beantwoorden: nee, ik vind het niet erg dat je vader dood is. Misschien wel voor jou, maar niet voor mij.'

Mahnaz keek haar moeder onzeker aan.

'Ik weet niet wat je van me wilt.'

Samir kuchte.

'Ik vind dat we de politie moeten bellen.'

Farima draaide zich naar hem om.

'Jij had eerder na moeten denken over wat je aan het doen was. We bellen de politie niet...', ze stak haar hand op om Samir de mond te snoeren, '...ik kan me dat niet veroorloven. Ik heb grotere belangen dan jij kunt verzinnen. Hoe laat wilden jullie met dat idiote plan van jullie beginnen?'

'Elf uur.'

Farima keek op de wekker naast het bed.

'Dan hebben we nog een klein uur. Mahnaz, pak mijn spullen. Samir, jij gaat beneden deze kamer betalen. Hier heb je mijn pasje. Je zegt maar dat de plannen veranderd zijn. Zorg dat je zo snel mogelijk weer hier bent. Schiet op allebei. Het komende uur bepaalt of jullie een normaal leven zullen hebben, of dat je in een gevangenis zult zitten, vergeet dat niet. Er is nu geen tijd voor puberideetjes...', Farima deed een poging haar dochter glimlachend aan te kijken, '...het avonturenbloed heb je in elk geval van de Faghiri's.'

'Alsof papa geen avonturenbloed had', antwoordde Mahnaz.

*

'Hier zijn ze naar binnen gegaan', zei de hondenbegeleider, 'en weer naar buiten gekomen.'

'Hoe lang zijn ze daar geweest?'

De hondenbegeleider bukte zich en fluisterde iets in het oor van de Duitse herder die als reactie vragend omhoogkeek. De man richtte zich weer op.

'Ze weet het niet', zei hij, 'het enige wat ze weet is wat ik net heb gezegd.'

Da Silva draaide zich om naar De Geus.

'Die hond heeft humor', zei hij, 'als jij hier naar binnen gaat en wat vragen stelt dan lopen wij vast door.'

De Geus opende de deur. De bedompte ruimte was gevuld met oudere mannen die aan formicatafeltjes zaten. Sommigen speelden backgammon, maar de meesten zaten te praten. Ze hielden hun mond toen hij langs hen liep. Hij groette. Achter de toonbank stond een jonge man. Hij spoelde glazen. Zijn ogen stonden niet uitnodigend.

'Hoe lang geleden kwamen hier een lange man van ongeveer vijfenveertig jaar en een jonge jongen binnen?'

De man pakte een doek en droogde zijn handen. De Geus voelde de ogen van de cliëntèle in zijn rug prikken.

'Ongeveer twee uur geleden.'

'Hoe lang zijn ze gebleven?'

'Twintig minuten.'

'Is je iets bijzonders aan ze opgevallen?'

'Wie bent u dat u me dit soort vragen stelt?'

De man vouwde de droogdoek keurig in vieren en legde die op de hoek van de toonbank.

'Ik ben van de politie. Het is belangrijk dat u me vertelt wat u weet, anders gebeuren er ongelukken. Het gaat om een terroristische aanslag.'

'Ik vond het rare types', een breedgeschouderde man die aan het tafeltje vlak naast de deur had gezeten kwam op hen toe lopen, 'ze zagen eruit als zwervers, ongeschoren. Die kleine stonk.'

Een derde man bemoeide zich ook met het gesprek.

'Ze hadden ruzie. Vader en zoon denk ik. Ze hoorden hier eigenlijk niet', hij wees om zich heen, 'ik bedoel, we zitten hier een beetje onder ons. En ze hadden het over een ontploffing. Die jonge vent had weinig respect. De jeugd van tegenwoordig is respectloos meneer, gelooft u mij.'

'Wat zeiden ze precies over een ontploffing?'

'Weet ik niet. Die jongste huilde, hij schaamde zich ergens voor denk ik. De jeugd meneer, het is verschrikkelijk. Die oudere man was een vreemd type. Zo'n zwarte kop, wallen onder zijn ogen. We waren blij dat ze weer weg waren', hij keek op zijn horloge, 'ze zijn hier exact om 8.13 weggegaan en ze kwamen om 7.47 binnen.'

De Geus pakte een aantekeningenboekje uit zijn zak.

'Zouden jullie je naam en je telefoonnummer willen opschrijven? Het kan zijn dat ik die gegevens later nodig heb.'

De breedgeschouderde man pakte het boekje aan en schreef zijn naam op.

'Meneer, wij willen hier geen ellende. Wat mijn neef al zei, de jeugd heeft geen respect, dat is het. Ze weten nog te weinig van het leven om er voldoende van te houden.'

'Dank u wel', zei De Geus, 'die zal ik onthouden. Dank voor uw medewerking.'

Hij draaide zich om, liep naar buiten en belde Da Silva. Het was 10.32.

*

'Samir, jij hebt die gordel gemaakt, kun je dat ding zonder gevaar doorknippen?'

Samir kreeg een hoogrode kleur.

'Ja, dat kan. Het zit alleen aan de voorkant vast met een riempje, het is een beetje een ouderwets ding van leer, en…'

'Ik hoef de details niet te weten, als je dat zo zeker weet mag je het straks zelf doen. Neem je dat risico?'

Samir knikte verbouwereerd. Mahnaz stond naast hem met de tas van haar moeder in haar handen.

'Hij heeft toch niets om te knippen', zei ze met een beetje een huilerige stem, 'en zodra er iemand in de buurt van Menkema komt blaast Yasin hem op', ze aarzelde even, maar voegde er toch aan toe wat ze eerst niet had durven zeggen, 'Yasin laat zich heus niet tegenhouden. Het is niet alleen dat hij wraak wil nemen, hij wil ook dat Al Hussaini vrijkomt. En dat is toch goed mama, dat doet hij voor de goede zaak, dat doet hij voor jou, en voor ons volk in Afghanistan, dat moet jij toch zeker wel snappen, jij hebt daar toch gezeten, in al die ellende.'

Ze stopte met ratelen toen ze haar moeder aankeek.

'God verhoede dat Al Hussaini vrijkomt', Farima's ogen leken zwarte gaten, 'er is geen varken groter dan Al Hussaini. Wie zorgt er voor ellende in Afghanistan meisje? De kruisvaarders? De Amerikanen? De Iraniërs? De Pakistanen? De Russen? De jongens van de Koranschool? Het enige wat ik weet is dat het mannen zijn. Je bent naïef kind. Breng me naar Yasin, voor we te laat zijn. We gaan.'

Ze liep weg. Samir en Mahnaz volgden. Mahnaz rilde bijna onophoudelijk, ergens binnenin haar borrelde koud water. Samir had moeite de beide vrouwen bij te houden. Nadat ze een halve kilometer hadden afgelegd stopte Farima, ze zocht iets in haar tas, kwam naast hem staan en gaf hem een biljet van twintig euro.

'Is dat genoeg voor zo'n kniptang?', vroeg ze, 'ga er een kopen, daar liggen ze', ze wees naar de etalage van een gereedschapswinkel, 'en doe het snel. Laat ze het wisselgeld maar houden.'

Ze duwde Samir bijna de winkel in en richtte zich toen tot Mahnaz.

'Bedenk een plek waar we straks naartoe kunnen vluchten. Waar we gemakkelijk kunnen komen, en waar ze ons niet snel zullen vinden.'

Mahnaz reageerde wanhopig.

'Je bent gek mama, je kent Yasin niet...'

Ze werd door haar moeder onderbroken.

'Straks als ik het je nog een keer vraag moet je het weten. Jij leidt onze aftocht. Doe wat ik je zeg.'

Samir kwam de winkel uit. Hij droeg een grote knipschaar met oranje handvatten.

'Is deze goed?'

Farima was al gaan lopen toen ze hem naar buiten had zien komen.

'Hoe moet ik dat weten? Jij hebt die gordel gemaakt, ik niet. Is die tang goed?'

Samir kleurde en knikte.

'Hoe lang is het nog lopen?'

'Een kwartier, hooguit, maar ik weet niet wat je wilt mama, als Yasin daar is met Menkema, dan laat hij je niet bij hem in de buurt komen.'

'Jij hebt zijn mobiele nummer naar ik aanneem?'

Mahnaz hield in maar werd door haar moeder verder geduwd.

'Nee, Yasin heeft onze mobieltjes meegenomen.'

'Ik vroeg niet of je een mobieltje had, ik vroeg je of je zijn nummer had.'

'Dat heb ik', zei Samir, 'dat ken ik uit mijn hoofd.'

'En je kunt hem bellen zonder dat die gordel ontploft?'

Samirs gezicht werd weer rood.

'Ja, dat heeft niets met elkaar te maken. Dat is een ander mobieltje.'

*

Ludde liep aarzelend naar de groep mensen bij het dranghek. Er klonk schril gefluit. Twee jongens hielden een spandoek omhoog waarop een tekst stond die Ludde niet kon lezen.

'Zie je die dranghekken? Daar loop je naartoe', Yasin was stil blijven staan nadat ze de Erasmusbrug waren overgestoken en had in de richting van een hoog rood gebouw gewezen waarvoor een kleiner gebouw stond met een glazen pui, 'je stopt bij dat hek, wacht tot er een agent

167

voorbijkomt en geeft hem deze brief. Onthoud dat ik ergens ben waarvandaan ik je heel goed kan zien.'

'Je wilt dat ik daar ga staan wachten terwijl je me elk moment op kunt blazen?'

'Ja. Iemand die drie kinderen heeft vermoord verdiend niet beter, zo denk ik erover.'

Ludde had niet meer gereageerd, behalve misschien onbewust door zijn lichaam nog verder in elkaar te laten zakken. Hij had de ogen van de jongen gezien. Het koude blauwe, en het warme onzekere bruine oog waren beide gejaagd en huilerig, alsof iets Yasin had vastgegrepen waar hij niet meer af kon komen, zelfs al zou hij dat willen. Onberekenbaar en gevaarlijk zoals een huiskat in bepaalde omstandigheden zelfs voor mensen gevaarlijk is.

Ludde stopte bij het hek. Hij rilde. Er loopt iemand over mijn graf, dacht hij, een gedachte waar hij niet vrolijker van werd. Hij keek in de richting waar hij vandaan was gekomen en stak tot zijn eigen ergernis zijn duim omhoog toen hij Yasin niet meer zag. Er drong een groepje meisjes langs hem heen, voornamelijk getooid met veelkleurige hoofddoekjes, een groep snaterende vogeltjes. Ze verdwenen in het doorzichtige gebouw, waarvan Ludde nu zag dat het de ingang van een metrostation was. Hij wachtte. De jongens in de djellaba's schreeuwden iets. Aan de andere kant van het dranghek reed met hoge snelheid een colonne van drie geblindeerde blauwe busjes voorbij, gevolgd door twee motoren met zwaailichten. Ergens in de buurt klonk een scheepshoorn. Ludde keek op zijn horloge. Elf uur. De twee jongens vouwden hun spandoek op door tegenover elkaar te gaan staan en de punten naar elkaar toe te brengen, zoals ze dat waarschijnlijk van hun moeders hadden geleerd.

'Doorlopen alstublieft, het is alweer voorbij, er valt hier niets meer te zien.'

Een agente met een modieus baretje op haar blonde krullen bleef voor hem staan. Twee meter verderop stond haar mannelijke collega die een wapenstok losjes aan zijn pols had bungelen.

'Kom meneer, u kunt weer verder', de agente drong aan. Haar collega kwam een stapje dichterbij.

'Doorlopen', sommeerde hij. Hij pakte met een soepele polsbeweging het handvat van de wapenstok.

Ludde stak zijn hand in zijn jas om de brief te pakken. De agent reageerde onmiddellijk door vlak voor hem te gaan staan waarbij hij zijn collega opzij moest duwen.

'Handen uit je zakken, kom op laat je handen zien.'

'Ik wil je alleen iets geven, rustig maar', zei Ludde. Hij haalde de envelop tevoorschijn.

'Wat moeten we daarmee?'

'Lezen.'

'Meneer, we hebben wel iets beters te doen. Gooi hem maar in de brievenbus, als u er het goede adres op zet komt hij vanzelf aan. En nu doorlopen.'

Ludde aarzelde. Hij overwoog of Yasin misschien niet op het knopje zou durven drukken als hij zich liet arresteren, maar hij voelde zich daar niet zeker van. Als hij zich vergiste zou hij dat nooit weten. Hij richtte zich op de vrouw.

'Misschien bent u iets intelligenter dan uw collega, het is echt van het grootste belang dat u dit nu leest. Het gaat over een bomaanslag.'

Hij zag dat ze aarzelde.

'Dit zou die man van dat signalement kunnen zijn.'

Ze keek naar haar collega die nu ook aarzelde. Toen pakte ze de envelop, haalde de brief tevoorschijn en begon te lezen. Na een paar seconden keek ze op. Haar collega pakte de brief uit haar hand.

'Meneer, als dit een geintje is dan krijgt u grote problemen.'

Ludde opende zijn jas. Ze zag de gordel, en deed een stap terug. Haar collega keek op uit de brief. Hij schrok zichtbaar, maar herpakte zich snel.

'Waar zit die gast?'

Hij stelde de vraag fluisterend.

'Ik heb geen idee. Ergens waar hij me kan zien. Doe in godsnaam geen stomme dingen.'

De agente had haar mobilofoon gepakt en praatte erin met een opgewonden bijklank in haar stem. Toen ze klaar was liep ze weer naar Ludde toe, maar bleef een eindje bij hem uit de buurt. Haar gezicht was vuurrood.

'Ik snap dat dit voor u geen prettige situatie is meneer, maar ik moet u iets vragen. Hoe ver reikt die bom?'

Ludde dacht aan de boom in Drenthe.

'Ik denk een meter of twee, drie. Meer dan genoeg om mij in twee helften te blazen, en als u daar blijft staan overleeft u het ook niet. Regel alstublieft iets, zo snel mogelijk. En zorg dat de mensen uit mijn buurt blijven.'

Yasin was het metrostation binnengelopen en keek langs een blauwe metalen paal door de glazen pui naar buiten. Het plan liep. Er stonden twee agenten zeker tien meter bij Ludde vandaan. De vrouwelijke agent hield een mobilofoon bij haar mond. De mannelijke agent was bezig om de ruimte om Ludde heen met rood-wit lint af te zetten. Yasin voelde zich ziek. Ziek van ellende, misschien ook ziek van opwinding. Toen schoot hem iets te binnen. Hij belde een nummer dat in zijn tasker stond voorgeprogrammeerd. De stem aan de andere kant reageerde afhoudend, maar nadat iemand met een professioneel klinkende stem het gesprek had overgenomen, hem had ondervraagd en hem kennelijk als een betrouwbare tipgever had beoordeeld, werd er op de redactie van het lokale televisiestation snel gehandeld. Drie minuten nadat de verbinding was verbroken renden een verslaggever, een fotograaf en een van een camera voorziene webjournalist naar buiten, in de richting van het gerechtsgebouw.

*

'Ergens in de buurt van de Erasmusbrug, zei Da Silva, 'daar is iets aan de hand. Weet jij waar dat is?'

De Geus voelde krampen in zijn buikstreek.

'Dan zijn we dus te laat.'

Da Silva drukte zijn tasker dichter tegen zijn oor en luisterde.

'Een man met een brief waarin de vrijlating van Al Hussaini wordt geëist. Voor twee uur vanmiddag. Anders blazen ze hem op, ik bedoel Ludde Menkema, dat kan niet missen...', hij staarde even voor zich uit, en keek daarna naar De Geus, '...dat waren ze dus van plan. Ik geloof dat ik ontzettend op mijn donder ga krijgen. Ik had ze direct op moeten pakken.'

Hij schopte tegen een steentje dat tegen een geparkeerde auto vloog.

'Ze willen Ludde ruilen tegen Al Hussaini?', De Geus pakte de schouder van Da Silva en dwong hem zich om te keren, 'weet je dat zeker?'

Da Silva knikte.

'Al Hussaini, niemand minder.'

De Geus liet hem los.

'Dat gaat dus nooit gebeuren. Hebben jullie hier een goede onderhandelaar? We hebben tot twee uur de tijd', hij keek op zijn horloge, 'dat moet te doen zijn, ze moeten ergens zitten waar ze uitzicht op Ludde hebben. Ze moeten contact onderhouden, we moeten ze ergens bij hem in de buurt kunnen vinden.'

Da Silva knikte weer.

'Maar dan is het te laat. De wereldpers staat er straks bovenop. We gaan af als een gieter.'

De Geus liep weg. Toen Da Silva hem had ingehaald zei hij tegen hem dat de wereldpers hem niets kon schelen.

*

Toen de cameraman inzoomde zag hij een man met een moe gezicht. Zwarte vette haren die te lang geleden voor het laatst waren geknipt. Een witte huid. Een korst bloed. Ogen die strak naar de grond keken. Een hand die naar een binnenzak ging. De man pakte een pakje shag. De cameraman haalde de lens iets terug. Een mediumshot van een ongeschoren man die een sigaret draait en aansteekt. Twee duiven bij zijn voeten. Een man tegen een metalen hek in het midden van een door een lint gevormde halve cirkel, waardoor voorbijgangers gedwongen werden om uit te wijken, sommige scheldend, andere nieuwsgierig, de meeste onverschillig. Verderop stonden twee agenten. In de verte klonken sirenes.

*

'Je bent er klaar voor Samir?'

Farima legde haar hand op het hoofd van de jongen die schutterig met de kniptang in zijn handen naast haar stond. Mahnaz beet op haar lippen. Ze huilde bijna. Samir maakte een gebaar met de tang dat erop leek te moeten wijzen dat hij wist wat hij moest doen, al liet de uitdrukking op zijn gezicht zien dat hij zich daar allerminst zeker over voelde.

'En jij, Mahnaz, waar gaan we straks heen?'

Ze stonden tegenover een rood gebouw met daarvoor een uit glas opgetrokken gebouwtje waar met grote regelmaat mensen in- en uitliepen. Een meter of vijftig verderop zagen ze een rood-wit lint. Op een meter of dertig van het lint stonden drie mannen. Een van hen had een camera. Mahnaz deed haar best om haar zenuwen de baas te blijven, maar desondanks trilde haar stem toen ze antwoordde.

'Ik weet toch niet wat jij wilt gaan doen mama, hoe kan ik dan een plan maken?'

Farima werd zichtbaar boos, maar ze hield zich in.

'Ik wil er zeker van zijn dat we weg kunnen komen, dus als we over vijf minuten klaar zijn met wat ik ga doen, waar gaan we dan heen? Hoe schudden we achtervolgers af? Of wil je de gevangenis in?'

171

Mahnaz richtte zich op. Ze probeerde haar stem kracht te geven.

'Volgens mij moeten we gewoon de metro nemen naar het Centraal Station en dan de trein naar Den Helder. We steken over met de veerboot en gaan in de jeugdherberg van Texel.'

'Waarom Texel? Dat is toch een eiland?'

'Omdat wij daar met school zijn geweest', ze keek naar Samir, 'weet je nog, dat was waar jij zo verliefd was.'

Samir grinnikte nerveus.

'Maar wat gaan we nu dan doen? En wat doen we met Yasin?'

Farima legde een hand onder Samirs elleboog.

'Jij loopt straks achter mij aan', ze draaide zich om naar Mahnaz, 'jij loopt naar de ingang van de metro. Daar bel je Yasin met mijn tasker. Zodra je hem te pakken hebt steek je je arm op. Samir en ik lopen naar Menkema, bevrijden hem en komen naar jou toe. Daarna nemen we de metro.'

Samir trok zich los.

'Dan blaast Yasin ons alle drie op', zei hij, 'ik ben niet van plan om dood te gaan.'

Farima's stem kreeg een meedogenloze klank.

'Jij hebt die bom gemaakt, je neemt nu ook maar de verantwoordelijkheid om Menkema er weer vanaf te helpen. Je doet gewoon wat ik zeg, begrepen? Ik heb geen behoefte aan lafaards. '

Ze keek weer naar Mahnaz.

'Het komt vooral op jou aan. Jij houdt Yasin aan de praat. Jij overtuigt hem ervan dat hij zijn moeder en zijn vriend niet de dood in kan jagen.'

Tot Samirs ontsteltenis knikte Mahnaz.

'Mag ik Yasin vertellen waar we heen gaan?'

'Ja, dat moet zelfs. Maar noem geen namen. Hij moet in elk geval zorgen dat hij wegkomt van de plek waar hij zit.'

'En wat doen we met Ludde Menkema?'

'Die gaat met ons mee.'

Mahnaz vroeg niet verder omdat haar moeder zich had gebukt, haar tas open had gedaan en een pakje tevoorschijn had gehaald.

'Stop dit in je rugzak. Als mij iets overkomt geef je het aan de Nederlandse autoriteiten. Het is ze veel waard, koop er jullie vrijheid mee.'

Ze bukte zich weer en pakte haar boerka. Mahnaz' mond viel open toen ze zag hoe haar moeder van het ene op het andere moment veranderde toen haar dure kleren verdwenen onder het blauwe allesbedekkende kledingstuk. Een voorbijganger bleef staan maar liep gauw verder toen Samir de kniptang uit zijn handen liet vallen.

'Nu moet je gaan', Farima gaf haar tasker aan Mahnaz, 'wees snel en doelgericht meisje.'

Mahnaz voelde zich op de een of andere manier gerustgesteld door de gedaanteverwisseling van haar moeder. Vanachter het gaas waren haar ogen vaag zichtbaar. Ze leken te twinkelen. Om hen heen was ruimte ontstaan omdat andere mensen hen leken te ontwijken. Mahnaz kreeg even de aanvechting om te knielen en het lichaam van haar moeder vast te pakken, maar in plaats daarvan draaide ze zich om en liep naar de overkant. Bij de ingang van de metro toetste ze het nummer van Yasin in en wachtte tot hij opnam. Dat deed hij pas na een halve minuut. Mahnaz stak haar arm omhoog en zag de mensen aan de overkant opzijgaan voor haar moeder, die als een zeilschip doelbewust begon te bewegen. Samir haastte zich achter haar aan.

'Wie is daar?', de stem van Yasin klonk hard, maar Mahnaz hoorde de onzekerheid. Er sprongen tranen in haar ogen.

'Ik ben het, Mahnaz. Yasin, je moet naar me luisteren', ze zag Farima dichterbij komen, 'die vrouw in die boerka die naar Ludde loopt is mama.'

De fotograaf greep de mouw van zijn collega.

'Moet je daar kijken', hij wees naar de voetgangers op het trottoir die als een groep duiven voor een spelend kind opzijvlogen voor een figuur in een boerka die snel hun kant opkwam, 'wat doet die vrouw?'

'Is dat een vrouw?'

'Ja, dat is een vrouw, kijk maar hoe ze loopt.'

De cameraman zwenkte zijn camera naar de blauwe gedaante die leek te hollen, hoewel dat moeilijk te zien was door haar tot op de grond reikende kleed. Vlak achter haar liep een jongen met iets oranjes in zijn hand. De agenten kwamen aarzelend in beweging.

'Kijk nou wat ze doet', de journalist schreeuwde van opwinding, 'ze wil over dat lint, vast en zeker. Ze vermoordt die man daar bij dat hek, dit is een afrekening of zoiets', zijn mond viel open, 'en dat joch zit haar achterna.'

De fotograaf drukte onophoudelijk af. De man bij het hek was rechterop gaan staan en had zijn handen uitgestoken in een wanhopig afwerend gebaar. Hij riep iets, maar ze verstonden niet wat. De vrouw was vlak bij het lint.

Yasin drukte zijn tasker tegen zijn oor.

'Mahnaz', schreeuwde hij, 'Mahnaz, wat zeg je?'

'Dat is mama', Mahnaz schreeuwde ook, 'dat is mama. Ze zegt dat Menkema er niets mee te maken heeft Yasin, doe niets Yasin, alsjeblieft, Yasin denk aan mij, denk aan papa. Oh Yasin, please, please, doe het niet Yasin...' Haar stem viel weg. Yasin keek opzij en zag Mahnaz die maar een paar meter van hem af stond, net buiten de schuifdeuren. Ze keek naar Ludde Menkema, die een paar passen van het hek was weggelopen. De top van Yasins wijsvinger ging over het toetsenbord van het mobieltje in zijn andere hand, zoekend naar het knopje met de groene telefoonhoorn, maar toen hij het gevonden had keek hij weer op. De figuur in de boerka klom over het lint. Een aantal mensen bleef nieuwsgierig staan. Samir was er ook. Hij droeg iets oranjes. Yasin liet zijn vinger van het knopje glijden. Mahnaz ademde in zijn oor. Hij zag haar staan, gespannen, vlakbij en toch kilometers van hem verwijderd.

'Doe niets Yasin, alsjeblieft, doe niets. Je kunt je eigen moeder niet vermoorden, alsjeblieft Yasin, doe niets...'

Haar stem huilde en smeekte. De boerka leek zich zelfstandig voort te bewegen. De fladderende stof ging in Luddes richting die zijn handen vooruit had gestoken alsof hij haar tegen wilde houden. Die is bang om dood te gaan, flitste het door Yasins hoofd, en dat zal ook gebeuren. Zonder dat hij zich dat bewust was krulde zijn bovenlip omhoog. Zijn tanden werden zichtbaar. Zijn ogen zochten weer naar het knopje. Zijn vinger trilde toen hij het contact met het gladde oppervlak voelde, maar zijn blik richtte zich zonder dat hij dat wilde toch weer op Ludde Menkema, die naar hem keek, alsof hij wist waar hij was. Yasin had de kinderen in zijn hoofd, met wie hij vlak daarvoor nog had gespeeld, dood, uit elkaar geblazen door een granaat. Het gegil van Dunya. Vooral het gegil van Dunya dat door zijn hoofd trok, in zijn slaap, als een mes, altijd als hij dacht dat ze eindelijk verdwenen was. De vreemde grijze brij op Omeds hoofd. Iemand moest daarvoor boeten, waarom die man niet die daar met donkere ogen en een bleek gezicht naar hem probeerde te kijken? Hoe kon het dat hij het gevoel had dat die ogen vlakbij waren, hem recht aankeken? Was die man onschuldig, alleen omdat mama dat zei? Die blauwe fladderende vogel die daar halfstruikelend over het lint was gestapt?

'Doe niets Yasin, doe niets...'

De stem van Mahnaz klonk van heel ver weg. Ze was een grijze vlek in zijn ooghoeken. Wat heeft Samir toch in zijn hand? Die agenten komen veel te dichtbij. Ik moet op het knopje drukken. Yasin probeerde zijn ogen op zijn vingers te focussen, maar er hing een waas voor dat hij niet weg kreeg. Een druppel viel op zijn hand. En nog een. Toen was hij te laat. De vrouw in de boerka, zijn moeder, had haar armen om Menkema heen geslagen. De agente wilde over het lint stappen, maar haar collega hield haar tegen.

'Ga naar de plek waar Samir zo verliefd was Yasin. Toen met school, weet je nog? Daar gaan wij ook heen. Vermoord ze niet, please, Yasin, ik hou van je Yasin, ik wil je terug, net als vroeger, doe het niet Yasin, je mag geen onschuldigen doden, alsjeblieft. Maak dat je wegkomt, anders word je gepakt. Mama zorgt dat alles goed komt...'

Het drong maar half tot Yasin door wat Mahnaz tegen hem zei. Hij zag hoe Samir de jas van Ludde Menkema aan de voorkant omhoog schoof en het oranje voorwerp in Menkema's buik stootte. Een mes, dacht hij, Samir steekt hem dood. Hij wilde niet dat Samir dat deed. Hij hoorde zichzelf huilen. Opeens had Samir de gordel. Zijn moeder trok Menkema bij zijn hand naar de ingang van de metro. Samir liep erachteraan, de gordel nog steeds in zijn hand. De agenten hadden hun pistool getrokken. Bij de ingang stond Mahnaz. Hij hoorde dat zij ook huilde en realiseerde zich dat zij hem ook kon horen.

'Dankjewel Yasin, dankjewel. Maak dat je wegkomt daar. Kom naar de plek van Samir, daar zijn wij ook. Laat je niet pakken Yasin, ga weg.'

Mama en Samir waren bij Mahnaz. Menkema liep tussen hen in. Mahnaz draaide zich om. Ze gingen het gebouw binnen, ze liepen vlak langs hem, hij kon ze vastpakken, hij kon ze tegenhouden als hij wilde, maar hij liet ze lopen. Ze verdwenen met de roltrap naar beneden. De telefoonverbinding viel weg. Yasin zag hoe de twee agenten die hen waren gevolgd stopten toen de gordel voor hun voeten viel. De vrouwelijke agent sprong opzij, haar collega struikelde de andere kant op.

Er verscheen een hond, begeleid door drie mannen. Een van hen sprak kort met de agente. Toen ging hij ook naar beneden. De andere twee maakten ruimte om de gordel die als een verloren fietstas op de grond lag. Yasin keek naar het mobieltje in zijn linkerhand en gooide het toen ineens zo hard hij kon op de tegels voor zijn voeten. Even later ging hij op in de mensenmassa. In zijn rug voelde hij een hand die hem vooruit duwde, een hand die hem ondanks alles geruststelde.

*

Vanuit een groot gebouw in Den Haag werd contact gezocht.

'We hebben haar nummer opgepikt. Ze zit in het centrum van Rotterdam. Er schijnt daar iets aan de hand te zijn, heb jij daar iets mee te maken?'

Er werd geluisterd.

'Goed, dan niet. Zodra we meer weten melden we ons weer.'

Borman verbrak de verbinding.

*

Het metrostel stopte. De Geus ging een stap opzij toen de schuifdeuren opengingen en de passagiers naar buiten kwamen. Toen de deuren weer waren dichtgegaan draaide hij zich om en liep naar boven. Da Silva stond bij de ingang. Op de weg voor het gebouw stond een politiebusje. Een rechercheur schoof een doos naar binnen met daarin de losgeknipte riem en de boerka die ze van het perron hadden opgeraapt. In een andere doos zat een oranje kniptang. De Geus ging naast Da Silva staan. Beiden staarden voor zich uit. Na een tijdje begon Da Silva van zijn ene voet op de andere te wippen terwijl hij De Geus aankeek.

'Snap jij het?'

'Nee. Is er een opsporingsbericht uitgegaan?'

'Ja, alle metrostations worden bewaakt, ze zijn de kant van Spijkenisse opgegaan, het is een kwestie van tijd voor we ze hebben', Da Silva leek moed te vatten door zijn eigen woorden, 'kom, we gaan naar het bureau.'

*

De trein schudde over een wissel en stopte daarna op het station van Delft. Ludde hield zijn hoofd gebogen. Hij wist niet wat hij voelde of dacht. Samir zat naast hem. Hij deed alsof hij sliep. Tegenover hem zaten Mahnaz en Farima. Ludde keek naar zijn schoenen. Oud en afgetrapt. De schoenen van Samir, ook oud, gymschoenen. Mahnaz' voeten bevonden zich te ver in het donker van de bank. Hij voelde een voorzichtig klopje op zijn schouder. Farima. De vrouw die over het lint was gesprongen en die hem had vastgepakt was Farima, in een boerka, een blauwe totaal onwerkelijke schim die op hem af was komen vliegen. Toen hij haar boven het lint had zien zweven wist hij dat hij dood zou gaan. Hij had de ogen van Yasin op zich gericht gevoeld, hij voelde ze nog steeds. Hij begreep niet dat hij nog leefde. Hij begreep niet dat hij in een trein zat, met Samir naast zich en Mahnaz tegenover zich. En Farima die uit het verleden op was komen duiken.

'Laat me niet in de steek Ludde', had ze gezegd toen hij achter haar aan de metro in was gelopen. Het klonk als 'Loede', in haar Engels;

'don't leave me alone Loede.' Ze had dat ook al gezegd nadat ze hem had vastgepakt achter het lint, 'laat me niet in de steek Ludde, straks, loop niet bij me weg.'

Hij had het niet begrepen. Samir die voor hem stond. Het harde puntige voorwerp dat hij voelde, de zekerheid dat het een mes was. De riem die opeens verdween, weg van zijn middel. Het wezen in de boerka van wie hij niet had geweten of het een engel of een duivel was. Ze had hem meegetrokken als een kind dat van vermoeidheid niet meer weet wat het wil en alleen nog maar kan strompelen. Samir liep achter hen, daarachter een man met een camera en daar weer achter de agenten. Hij was bang geweest dat ze zouden gaan schieten, maar zo dom waren ze niet geweest. De mensen achter hen op de roltrap die in paniek waren geraakt toen Samir de riem naar boven had geslingerd en had geroepen dat het een bom was. Er waren mensen gevallen, een vrouw was naar beneden gerold. Weg wilden ze van de terroristen van wie er een zich onherkenbaar had gemaakt. De paniek was als een golf voor hen uitgerold door de mensenmassa. Vooraan bij de deuren van de metro die net open waren gegaan hadden de mensen gemaakt dat ze wegkwamen, en toen Farima de metro in stapte hadden de mensen die nog binnen waren zich teruggedrongen, verder de coupé in. Farima had haar boerka uitgetrokken en op het perron gegooid. Een oranje voorwerp, de kniptang, was er achteraan gekletterd. Nadat ze waren vertrokken had Ludde armen om zich heen gevoeld, en pas toen had hij Farima echt herkend. 'Don't leave me alone Loede.' Het gevoel van vroeger, een beeld van vroeger in de woestijn, het beeld van haar ogen tussen de containers van het kamp, mooie, vragende, intelligente, spotzieke ogen, dezelfde ogen die nu met een vleugje wanhoop naar hem keken, hetzelfde lichaam dat zich tegen hem had aangedrukt, een lichaam dat ouder en ronder was, maar toch duidelijk het lichaam van Farima. Toen was hij rustig geworden. Alsof hij thuiskwam.

'Laat me niet in de steek Ludde', die woorden bleven zich herhalen in zijn hoofd, 'laat me niet in de steek. Ik heb je nodig.'

In de coupé was het onnatuurlijk stil geweest totdat een jonge man was gaan huilen. Hij had geroepen dat hij niet dood wilde. Iemand naast hem had zijn arm om hem heen geslagen.

Toen de metro weer was gestopt had Mahnaz Ludde bij de arm gepakt en mee naar buiten getrokken. Samir en Farima waren hen gevolgd. Ze waren naar de andere kant gegaan en hadden weer een metro genomen, terug in de richting van het Centraal Station. De mensen in deze wagon hadden niet eens opgekeken toen ze binnenkwamen. Bij het station Wilhelminaplein was het een stille chaos. De boerka lag op het perron. Even verderop lag de oranje kniptang. Een lange man stond ernaar te kijken. De Geus. Henri de Geus. Ludde was overeind geveerd. Hij had hem willen roepen maar had Farima's hand gevoeld die hem tegenhield, dezelfde hand die nu op zijn schouder lag. Ze had hem naar beneden getrokken, zacht maar dwingend. En weer had ze gezegd dat hij haar niet in de steek kon laten, dat ze hem nodig had. En toen waren ze uitgestapt en hadden de trein naar Den Haag genomen. Met OV-chipkaarten die Mahnaz tevoorschijn had getoverd.

Hij voelde Farima's hand zwaar worden. Hij keek op. Ze glimlachte.

'Je bent er nog Ludde Menkema', zei ze, 'Mahnaz en Samir hebben iets tegen je te zeggen.'

Mahnaz keek verwonderd naar haar moeder. Samir deed zijn ogen open. Ze zeiden niets.

'Ze willen tegen je zeggen dat het ze spijt. Ze willen tegen je zeggen dat ze dom zijn, kinderen die niet weten wat ze doen. Ze willen tegen je zeggen dat ze niet weten wat een mensenleven waard is. Ze vragen om vergeving.'

Samir keek schuw opzij. Mahnaz sloeg haar ogen neer. Ludde liet zijn hoofd tegen het raam zakken. De trein reed weer. Om hem heen hoorde hij het geroezemoes van stemmen. Een meisjesstem praatte schreeuwerig in een telefoon. De trein reed langs een file. Laag boven de horizon, aan de andere kant van de stilstaande auto's draaide een wolk spreeuwen door de lucht. Keer op keer buitelde de zwarte vlek, viel, steeg op, splitste zich en kwam weer bij elkaar. De deur aan het eind van de wagon ging open. Er stapten vier mannen naar binnen. Ze droegen alle vier een blauwe jas. Controle.

Ludde richtte zijn hoofd op.

'Waarom ben ik hier nog?'

Hij vroeg het terwijl hij Farima recht in haar ogen keek. Nu was zij degene die niets zei.

Mahnaz keek alsof ze iets wilde zeggen, maar in plaats daarvan bukte ze zich, rommelde in haar rugzak, ging weer rechtop zitten en stak Ludde zijn tasker toe. Hij klapte het ding open en wilde zijn toegangscode intikken, maar Farima hield hem tegen.

'Ik zou liever hebben dat je je telefoon nog niet gebruikt', zei ze, 'ze kunnen je signaal zo oppikken.'

Ludde voelde zich boos worden.

'Nou en?'

Farima glimlachte een beetje treurig.

'Natuurlijk kun je je gang gaan, maar dan dwing je mij om nu onmiddellijk afscheid te nemen.'

Ludde voelde Mahnaz en Samir naar hem kijken.

'Ik koop bij de eerste gelegenheid een andere voor je.'

Ludde haalde na enig aarzelen zijn schouders op en stopte de tasker dichtgeklapt in zijn zak.

*

Yasin zat in de restauratie van het Centraal Station van Rotterdam. Hij at een broodje. Voor hem stond een glas melk. Hij keek uit het raam naar de mensen die het station in en uit gingen, op weg naar iets, allemaal met een doel. Jong, oud, een vrouw met een kind, een bedelaar, een langzaam lopende politieagent. Yasin stelde zich voor hoe hij met een machinegeweer het raam kapot zou slaan en zou schieten. Hoe de poppetjes buiten om zouden vallen, één voor één, hoe hij in de omlijsting van het kapotte raam zou staan. Hoe de agent nog zou proberen om zijn pistool te trekken, en dat hij, Yasin, hem het gevoel zou geven dat hij nog een kans had omdat hij zogenaamd een andere kant opkeek en hoe hij dan op het juiste moment de loop zou richten, hoe de agent zou vallen, langzaam, zoals in vertraagde scènes van films, hoe vanuit zijn geheugen het gegil van Dunya op zou klinken, zoals toen in Afghanistan, net zo als sommige van die mensen die hij neer had geschoten zouden gillen, en dat hij dan de loop om zou moeten draaien, die in zijn mond zou moeten steken en de trekker voor de laatste keer over zou moeten halen. Hij huiverde. Dan zou hem boven gevraagd worden wat hij gedaan had, hoe hij geleefd had. Hij had vandaag nog niet gebeden. Vanochtend niet, in de middag niet. Er was iets mis met hem. Een Afghaan met een blauw oog, die zijn stam niet kende. Hij sprak zelfs zijn eigen taal niet, op een paar woordjes na die hij in de klas gebruikte om de leraren te imponeren. Yasins hand ging naar de binnenzak van zijn jas. Het pistool. Hij kon het pakken, de loop tegen zijn voorhoofd zetten, misschien recht op zijn hart. Dan was het klaar. De hand in zijn rug zorgde ervoor dat hij ging staan. Geen idee van wie die hand was. Er was niemand. Hij legde de rommel op het dienblad, zette het weg op de plek waar dat hoorde, liep de hal in en stapte in de eerste trein die hij zag staan, de trein naar Den Haag. Op weg naar de plek waar Samir verliefd was geweest. Op Carolien van Bergen. Op Texel. Yasin lachte vreugdeloos. Samir was kansloos geweest, hijzelf een dag later niet.

*

179

De Geus had zijn voeten tegen het bureau gezet. Zijn handen lagen gevouwen in zijn schoot. Jochen da Silva zat tegenover hem met zijn tasker in zijn hand.

'Het is echt een kwestie van tijd voor we ze hebben', zei hij, 'uiteindelijk kunnen ze niet ontsnappen, niet in een land als Nederland. Ze hebben de metro teruggenomen, en waren het Centraal Station alweer uit voor we daar bewaking hadden. Nu bekijken we de camera's op de perrons, dan weten we welke trein ze hebben genomen.'

'Wat is er eigenlijk zo bijzonder aan dat dagboek van Van der Veen?'

Da Silva klapte zijn tasker dicht.

'Ik weet alleen dat toen Van der Veen het aanbood de regering en de veiligheidsdienst over elkaar heen rolden om het te pakken te krijgen.'

'Als hij belangrijke informatie had, dan zal hij toch niet zo stom zijn geweest om dat op te schrijven. En als hij dat wel heeft gedaan zullen ze daar toch niet zo stom zijn geweest om hem zijn gang te laten gaan?'

'Misschien niet. Maar misschien ook wel. Mensen zijn dommer dan je denkt. Kijk maar om je heen. En onze vrienden zijn ook erg geïnteresseerd, dat zegt ook wel wat.'

De Geus zette zijn voeten op de grond en legde zijn handen achter in zijn nek.

'De Amerikanen bedoel je.'

Jochen da Silva knikte.

'De Amerikanen.'

'Pas dan maar op dat ze je niet voor zijn.'

Da Silva grinnikte.

'Op ons grondgebied? Geen kans.'

Hij opende zijn tasker en liep door zijn berichten.

'Ze is niet eens erg boos, mijn baas', zei hij, 'kijk maar.'

Hij draaide de tasker zo dat De Geus het scherm kon zien. Hij zag de lippen van de kleine bazin van Da Silva bewegen, maar hij hoorde niet wat ze zei. Het interesseerde hem ook niet. Hij tikte met een nagel tegen een voortand.

'Wat denk jij, houden ze Ludde Menkema nog vast of niet? Wat was dat nou, daar bij de rechtbank? Een bevrijdingsactie? Door wie? Wie was die vrouw in die boerka? Die kinderen kennen we, dat waren Samir Zerouali en meisje Faghiri. Maar die vrouw?'

Da Silva keek op van zijn tasker.

'We hebben Yasin getraceerd', Da Silva bewoog zijn handen horizontaal naar beneden toen De Geus opveerde uit zijn stoel, 'rustig maar, ik bedoel, we hebben ontdekt dat hij gewoon in de metrohal moet hebben gestaan. Het mobieltje waarmee je die riem kon laten ontploffen lag daar kapotgesmeten op de grond. Een simpele constructie eigenlijk, die riem. Een stuk of wat vlinderbommen op een rij, een ontvangertje, een ontstekertje, je belt het nummer en boem.'

Da Silva spreidde zijn handen in een dramatisch gebaar boven zijn hoofd.

'Blijft er even niets anders te doen dan nadenken', antwoordde De Geus, 'wie was die vrouw? Moeten we ervan uitgaan dat Ludde nog wordt vastgehouden?'

Da Silva tuitte zijn lippen.

'In het opsporingsbericht zeggen we dat ze vuurwapengevaarlijk zijn', hij ging staan en liep naar het raam, 'dus geen ongecontroleerde arrestatietoestanden. Als je het mij vraagt denk ik dat hij niet meer vast-zit.'

'Waarom niet?'

Da Silva liep terug naar het bureau en ging op een hoek zitten.

'Yasin was alleen. Een dag eerder trokken ze nog met zijn drieën op. Hij, zijn zus en Zerouali. Daarna ineens niet meer. Dat wijst op een split-sing, een ruzie. Denk aan die bloedsporen op de Hoge Limiet. Menkema wordt bevrijd door een boerka die we niet kennen, maar ook door Samir, dus nogmaals: de groep is uit elkaar gevallen. Samir en Mahnaz willen stoppen, Yasin niet. Samir knipt die riem door. Hij neemt daarbij een belachelijk risico. Dapper eigenlijk wel. Yasin ziet alles gebeuren, maar gaat niet tot de ultieme daad over. Hij gooit het mobieltje kapot. Frus-tratie. Hij verdwijnt. Op het moment dat Ludde Menkema de metro in loopt wordt hij door die onbekende vrouw vastgehouden, maar niet zo dat hij niet weg kan. Uit de opnamen van die journalist blijkt niets van echte dwang op dat moment. Geen pistool of iets dergelijks', Da Silva pauzeerde, 'even kijken of ze al een item op het nieuws hebben gezet.'

De Geus had gedurende het betoog zijn ogen dichtgedaan, maar hij had wel steeds instemmend geknikt. Da Silva tikte op een scherm.

'Ja hoor, daar is het.'

Hij tikte nog een keer op het scherm. Ludde Menkema draaide een sigaret, waarna de camera langzaam omhoog naar zijn gezicht ging en daar juist op tijd aankwam om te kunnen laten zien dat de sigaret werd aangestoken. De voice-over had het over een gebeurtenis die misschien wel, maar misschien ook niet met de rechtszaak tegen Al Hussaini te maken had. Het leek op een gijzeling, maar toch ook weer niet. De ont-wikkelingen hadden een spectaculaire wending genomen toen een in een boerka geklede vrouw aan was komen rennen, over het lint was

181

gesprongen en samen met een jongen van waarschijnlijk Marokkaanse afkomst de man had meegenomen. Ze waren in de metro verdwenen, waar paniek was ontstaan omdat er een bommelding was gedaan. Uiteindelijk was er niets gebeurd. Er waren geen gewonden gevallen, op een beenbreuk na. De hoofdpersonen waren verdwenen. De politie kon geen nadere mededelingen doen. De metro reed weer normaal. Het leek erop dat Rotterdam aan een ramp was ontsnapt, want de riem die door de Marokkaan naar de mensen was gegooid was wel degelijk een bom.

De Geus deed zijn ogen open toen de reportage afgelopen was.

'Zou het kunnen', zei hij, 'zou het kunnen dat die vrouw in die boerka de moeder van Mahnaz en Yasin was?'

*

Maria belde aan bij Werda en stormde onmiddellijk naar binnen toen die opendeed.

'Heb je dat bericht uit Rotterdam gezien?'

Werda schudde haar hoofd. Maria zette het beeldscherm aan dat tegenover de bank aan de muur hing.

'Hier, kijk maar', ze ging opgewonden zitten, 'dat is Ludde.'

Werda ging naast haar staan. Toen de reportage was afgelopen liet ze zich naast Maria op de bank zakken.

'Waar zou hij nu zijn?'

'Misschien wel op weg hierheen, ik probeer hem te bellen.'

Werda reageerde niet of nauwelijks. Maria drukte op een toets. Ze hoorde Luddes voicemail.

'Ludde, waar zit je? Ik ben hier bij Werda. Bel ons alsjeblieft. We maken ons zorgen. Kunnen we iets voor je doen?'

Werda legde haar handen op haar knieën en stond op. Uit de keuken klonk geluid. Even later stapte er een man de kamer binnen.

'Hallo', zei hij, 'ik ben Jos.'

Maria was ook gaan staan.

'Maria', antwoordde ze.

Ze keek Werda aan.

'Ik ga maar weer. Als Ludde je belt neem dan even contact met me op, wil je?'

Werda knikte. Ze had een kleur gekregen. Bij de deur wilde ze nog iets zeggen, maar Maria was haar voor.

'Ik hoef geen verklaring', zei ze.

Ze neuriede toen ze wegfietste.

*

Toen Ludde opstond maakte Mahnaz aanstalten om hem tegen te houden, maar een blik van haar moeder was genoeg om haar te stoppen. Samir snurkte zacht. De trein remde af en maakte weer vaart. Ludde liep naar het toilet. In de spiegel zag hij een verwaarloosd hoofd.

Toen hij het treinhalletje weer binnenstapte stond Farima op hem te wachten.

'Bang dat ik ervandoor ga?'

Ze deed een poging om te glimlachen, maar hij zag dat ze gespannen was.

'Je kunt doen wat je wilt', zei ze, 'niemand zal je iets in de weg leggen. Maar ik wil wel heel graag eerst met je praten.'

Luddes glimlach slaagde niet veel beter dan de glimlach die Farima had geproduceerd. Hij was ook gespannen. En nieuwsgierig. Farima had de schuifdeuren geopend die toegang gaven tot een andere coupé. Ze ging zitten in een leeg zespersoonscompartiment.

'Dit is wel de eerste klas', zei Ludde toen hij schuin tegenover haar ging zitten.

Hij moest het haar uitleggen.

'Eerste klas, dat betekent dat je voor meer geld comfortabeler zit.'

Ze knikte.

'Ik ken dat van India. Ik wist niet dat Nederlanders ook dat soort verschil maken.'

'Dus wel', Ludde kwam langzaam bij uit de verdoving die de gebeurtenissen van die dag bij hem veroorzaakt hadden, 'waar kwam jij toen straks zo snel vandaan? Ik dacht dat ik een geest op me af zag komen.'

'Er is jou veel misdaan door mijn kinderen', antwoordde Farima op een formele toon die misschien te maken had met haar Afghaanse achtergrond, 'mijn familie is jou veel schuldig', ze streek haar haar naar achteren, 'als we je schadeloosstellen, wil je dan mijn kinderen ontzien? Zij zijn jong. Als je jong bent denk je dat je weet hoe alles in elkaar steekt en dat je moet veranderen wat naar jouw idee veranderd moet worden.'

'Vertel me eerst maar eens waar jij vandaan kwam.'

Ludde schoof een eindje op naar het raam, iets verder bij haar vandaan.

'Ik ben uit Afghanistan gekomen', haar stem klonk nerveus, 'Jan en ik hadden een vrijgeleide van de Nederlandse regering. Jan was ziek', ze pauzeerde even, 'voor we samen weg konden komen ging hij dood. Ik ben gevlucht. Anders hadden ze me nooit laten gaan.'

'Wie hadden je nooit laten gaan?'

183

'De regering niet, maar zeker mijn omgeving niet. Ik wilde weg om te beschermen wat ik moet en wil beschermen. En ik wilde niet in Afghanistan blijven. Ik kan daar niet leven, hoe erg ik dat ook vind.'

'Ik geloof niet dat ik je begrijp.'

'Het is ook niet zo gemakkelijk uit te leggen.'

'Wie heeft hasjiesj in mijn bagage gestopt toen ik bij jullie wegging?'

Ludde zag dat Farima schrok. Ze wist even niet wat ze moest zeggen.

'Jij weet wie dat gedaan heeft.'

Ze knikte weer.

'Jan heeft dat laten doen. Vlak nadat jij wegging kwam die overval. Hij maakte zichzelf wijs dat jij daar de oorzaak van was. Jij was een spion...', Farima had steeds langs hem heen gekeken, maar nu keek ze hem aan, 'en...', ze probeerde weer te glimlachen voor ze verderging, '...en, Jan heeft ons gezien, toen met die kus.'

Ludde zag de cel in Frankrijk voor zich. De luchtplaats, overdekt met gaas. Om een gestolen kus in Afghanistan.

'Dacht jij ook dat ik verantwoordelijk was voor die aanval op je huis en de dood van je pleegkinderen?'

Farima schudde haar hoofd.

'Nee, ik weet wel zeker dat jij daar niets mee te maken hebt. Dat waren Al Hussaini en zijn bende. Borman was er ook bij. Ik kwam er pas na een tijdje achter dat jij vastzat in Frankrijk...', ze keek nu naar de huizen en kantoren buiten langs de spoorlijn, '...het spijt me.'

'Dat was dan een dure kus.'

Farima glimlachte.

'Ik vond het een fijne kus.'

Ludde voelde iets in zich opspringen, ergens boven zijn middenrif, alsof iets in hem plotseling vrolijk werd, maar hij probeerde toch van onderwerp te veranderen.

'Hoe was je huwelijk?'

'Beter dan veel huwelijken om me heen. Maar het bracht niet wat ik wilde.'

'Wat bracht het niet?'

'Vrijheid...', ze leek te antwoorden in een soort roes, alsof ze er niet echt met haar gedachten bij was, '...ik hoopte op Jan. Hij was anders dan jij, hij werd moslim. Dat vond ik fijn. Ik hoopte dat hij me mee zou nemen, maar dat deed hij niet. Intussen begreep hij niets van Afghanistan, niets van de mensen, de verbanden, de plichten. En soms dacht ik dat hij het expres deed om me te pesten, maar hij vertelde me wel allerlei verhalen over Nederland, hij liet me foto's zien, video's. Ik weet dat Texel een eiland is, dat er hier veel water is, veel koude zon, veel wind en oneindig veel regen. En dat alles groen is', ze keek op, 'en nu ben ik hier, ik ben bijna vrij. Ik kan niet vrij zijn als mijn kinderen gevangenzitten. Ik heb je nodig.'

'Waarvoor?'

Ludde legde zoveel mogelijk afstand in zijn stem.

'Jan kon terugkomen als hij zijn dagboek aan jullie regering gaf. Eigenlijk is het meer een soort autobiografie, waarin hij herinneringen heeft opgeschreven. Klaarblijkelijk vond de Nederlandse Staat die herinneringen belangrijk genoeg om ons het land in te laten. Ik heb dat boek meegenomen, maar ik wil er meer voor terug dan mijn man had afgesproken. Ik wil dat mijn kinderen en hun vriend niet vast komen te zitten. Ik wil dat ze worden vergeven. Ik zou willen dat jij hen vergeeft, zodat ik eindelijk verder kan leven.'

'Mooie woorden', antwoordde Ludde, 'maar ik ben de regering niet. Wat wil je van mij?'

'Ik wil dat jij met de autoriteiten praat. Ik ben bang dat ze alles van me afpakken, zonder iets terug te geven, misschien niet eens wat al afgesproken was. Ik heb een schuilplaats nodig. Iemand die hier de weg weet. Ik heb een bemiddelaar nodig. En iemand die mijn kinderen vergeeft.'

'Je vraagt veel. Vind je het erg dat Jan dood is?'

Farima stond op.

'Elke vrouw vindt het erg als de vader van haar kinderen doodgaat,' antwoordde ze, 'maar de mogelijkheden die zijn dood me biedt zijn aantrekkelijk. Wij Afghaanse vrouwen zijn wel iets gewend. Je kunt mijn huwelijk niet vergelijken met een huwelijk hier.'

'Je hoeft je niet te verdedigen.'

'Wat is je antwoord?'

'Dat weet ik nog niet. Ik weet wel dat ik ergens onder een douche wil en dat ik in een bed wil liggen zonder tape om mijn enkels. Ik wil me scheren. Ik wil je kinderen op hun donder geven. En ik vraag me af of zij mee zullen werken aan jouw plannen. Mahnaz denk ik wel, maar Yasin is gevaarlijk. Onberekenbaar.'

Farima stond op en deed de schuifdeur van het compartiment open.

'Yasin zal doen wat ik zeg. Ik zal hem en Mahnaz uitleggen wat zij moeten doen en denken. Ik zal ze een aantal dingen duidelijk maken.'

*

Yasin stapte uit op het station van Den Haag. Hij had geen idee wat hij wilde. Zijn hoofd was leeg, zijn gedachten stonden stil. Hij dwaalde het centrum in. Hij stond een tijdje naar de gebouwen van de Nederlandse regering aan de overkant van de Hofvijver te kijken. Daarna kwam hij bij een groot gebouw. Hij liet zijn scholierenpas zien. Toen hij in een ronde ruimte kwam en door was gelopen naar een platform in het midden werd hij overweldigd door het panorama dat zich aan hem ontvouwde. Rondom zich zag hij de geschilderde zee, een dorpje in de verte. Mensen en paarden op het strand. Scheepjes die in het zand lagen, wachtend op de vloed die ze op zou tillen zodat ze gebruikt konden worden om de vissen uit de Noordzee te halen, dag in dag uit. Yasin bleef naar het water kijken, naar de ruimte, naar de verte en naar de onzekerheid achter de horizon, waar je je geluk of je dood kon vinden. Toen drong langzaam het besef tot hem door dat hij deze ruimte van het water niet wilde. Hij wilde de ruimte van de woestijn, van het verre zand, waarin je niet kan verdrinken. Hij liep naar de uitgang, ging naar het station en nam de trein naar Amsterdam.

*

Ludde, Farima, Samir en Mahnaz zaten bij elkaar aan een tafeltje in de stationsrestauratie van Leiden.

'Waarom stapten we ineens weer over in Rotterdam?', vroeg Samir.

Mahnaz keek op.

'Omdat we de verkeerde kant op gingen, we moesten naar het Centraal Station. En ik dacht, iedereen heeft ons zien instappen, dus één telefoontje is genoeg om alles af te sluiten. Dus dacht ik, we gaan zo snel mogelijk terug en pakken de trein.'

Ze zocht de ogen van haar moeder, zoekend naar waardering. Samir was tevreden met het antwoord. Farima legde haar hand op de hand van haar dochter.

'Wat gaan we zo doen?'

'Doorreizen naar Den Helder', antwoordde Mahnaz.

'Ik niet, ik wil naar een hotel', zei Ludde, 'ik wil slapen, heel lang slapen zonder tape om mijn enkels en polsen.'

'Maar het is nog maar middag.'

Ludde kapte Mahnaz af.

'Doorreizen is te gevaarlijk', zei hij, 'iedere politieagent, iedere conducteur, iedere officiële beambte kijkt naar ons uit. Jullie zijn gevaarlijk, ze denken dat jullie wapens hebben...', hij keek naar Farima, '...wat is er?'

Farima pakte de hand van Mahnaz.

'Hebben jullie vuurwapens?'

Samir schudde zijn hoofd.

'Yasin heeft een pistool. Wij hebben niks.'

Hij had een kleur gekregen.

Mahnaz stootte Ludde aan.

'Wat stel jij dan voor?'

Ludde schoof een eindje bij haar vandaan.

'We nemen kamers in zo'n automatisch hotel. Ik ben echt bekaf, ik wil slapen. Morgen vertrekken eerst Mahnaz en Samir, een half uur later ik, daarna Farima. We ontmoeten elkaar weer op het station van Alkmaar.'

'En Yasin dan?'

'Yasin kan voor mijn part doodvallen', het schoot uit Luddes mond voor hij het kon tegenhouden, 'vergeet niet wat er is gebeurd', voegde hij eraan toe toen hij het geschrokken gezicht van Mahnaz zag, 'vergeet niet hoe je me gisteren in die tuin hebt laten rondlopen. Vergeet niet dat ik drie uur geleden nog met een bomgordel om mijn lijf stond.'

Mahnaz kleurde.

'Oké', zei ze, 'oké, maar Yasin denkt dat we vanavond op Texel zijn.'

'Des te beter. Als hij gepakt wordt stuurt hij de politie daarheen en dan vinden ze niemand.'

'Yasin wordt niet gepakt. En als ze hem pakken zegt hij niets.'

Farima lachte zacht.

'Je bent nog naïever dan ik dacht', ze aaide even over haar dochters haar, 'jullie alle drie zijn naïeve kinderen.'

Ludde zag Mahnaz bijna spinnen toen ze dichter naar haar moeder kroop. Het is een opmerkelijke vrouw, Farima, dacht hij. Ze noemt haar kinderen naïef, dom, kortzichtig, onervaren, zodat ik ze kan vergeven. En het werkt ook nog.

'Kom, we gaan.'

Hij stond op. De anderen volgden.

Ludde stapte als eerste uit de taxi die was gestopt bij een betonnen gebouw dat in een desolate omgeving lag, vlak bij de zesbaansweg naar Amsterdam. Farima gaf hem een creditcard die hij door een sleuf naast de deur haalde. De deur klikte open. Binnen herhaalde hij de procedure bij een automaat die na enig gezoem vier plastic kaartjes in een vakje deponeerde. Hij deelde ze uit. Daarna namen ze de lift. Ludde wachtte tot de andere drie in hun kamer waren verdwenen en ging toen zelf naar binnen. Het hokje waarin hij terechtkwam riep herinneringen op aan

zijn cel in Frankrijk, maar toen hij zich op het bed liet zakken constateerde hij dat het matras een stuk comfortabeler aanvoelde.

Toen er werd geklopt sloeg zijn hart over. Hij stond op en liep naar
de deur.

'Wie is dat?'

Een stem antwoordde in het Engels. Farima. Hij liet haar binnen.

'Ik wil graag iets aan je vragen.'

Ludde liet zich op het bed zakken. Farima bleef eerst staan, maar tijdens het gesprek ging ze naast hem zitten.

'Ik wil weten of ik op Texel een boot kan huren.'

Ludde wist niets anders te doen dan verbaasd kijken.

'Denk je dat dat kan?'

'Vast wel. Wat wil jij met een boot?'

'Ga jij me nog helpen, als bemiddelaar?'

'Ja.'

Ludde was niet verbaasd over zijn eigen antwoord, hoewel hij zich
niet kon herinneren dat hij nog verder had nagedacht over de vraag die
zij hem in de trein had gesteld. Het enige wat hij nu zag was dat Farima
naar hem glimlachte met betoverende ogen.

'Dank je. Ik wil een boot omdat ik niet op Nederlandse bodem wil
zijn als ik met de Nederlanders onderhandel. Ik zou graag willen dat jij
die boot bestuurt.'

'Je wilt buiten de territoriale wateren', antwoordde Ludde.

Farima knikte.

'Ja. En ik wil de zee wel eens zien.'

Ludde probeerde zich in te houden, maar zijn wil om haar een plezier
te doen was sterker dan zijn voorzichtigheid. 'Mijn eigen boot ligt in
Den Helder, dat is vlak bij Texel. Die kunnen we wel gebruiken.'

Toen Farima niet reageerde keek hij haar wat beter aan. Ze huilde.
Ludde boog zich opzij en legde schutterig een hand op haar schouder.
Toen ze ging staan deed hij dat ook. Farima keek schuin omhoog. Ludde
glimlachte. Farima ook. Toen sloeg hij zijn armen om haar heen en hield
haar vast. De geur die uit haar talloze zwarte krullen opsteeg verdoofde
hem. Ze maakte zich los en liep naar de deur. Ludde keek haar na voor
hij achter haar aan liep.

*

De Geus schrok met een somber gevoel op uit een dagdroom, een gevoel
dat, besloot hij nadat hij erover had nagedacht, voortkwam uit onzeker-

heid. Waar was Ludde? Wat moest hij doen? Wachten waarschijnlijk, wachten tot er ergens iemand werd gesignaleerd of tot er ergens iets gebeurde. Was de boerkavrouw de moeder van Mahnaz? Da Silva had dat onwaarschijnlijk gevonden, alleen al door het gegeven dat ze dan in haar eentje uit Afghanistan naar Nederland had moeten zien te komen. Een telefoontje met iemand over wiens identiteit Da Silva vaag was gebleven had duidelijk gemaakt dat er geen vrouw met de naam Van der Veen vanuit Kabul naar Amsterdam was komen vliegen. En ook niemand met de naam Faghiri.

De Geus stond op van de bank, liep naar het lege bureau van Da Silva, ging zitten, legde zijn benen op de hoek van het mahoniehouten blad en sloot opnieuw zijn ogen.

*

Yasin sloeg op het Damrak rechtsaf een steegje in dat hem naar de Nieuwendijk leidde. Het was donker. De winkels waren dicht. Vanaf een lantaarnpaal liep een bijna opgedroogd stroompje urine naar het midden van de rode tegels. Rondom een vuilnisbak lag rotzooi. Een patatbakje. Een plastic zak. Een halfopen gevreten meloen. De wind dreef hem vooruit. Op de Dam aan het eind van de straat aarzelde hij. Daarna ging hij linksaf langs het bleke monument dat hij vanaf het moment dat hij in staat was erover na te denken als een schijnheilig symbool van opgeklopte eigenwaarde had beschouwd, ging een smal straatje in waar het stikte van de onduidelijke winkeltjes, ging naar rechts en liep door tot hij bij een brug kwam die een straat die Rusland heette verbond met de overkant. Yasin liep naar het midden en stopte bij een fiets. Het voorwiel vertoonde een vreemde hoek. Zijn hand ging naar de binnenzak van zijn jas. Hij keek om zich heen, probeerde tevergeefs het prettige gevoel op te roepen dat het gewicht van het pistool in zijn hand hem altijd had gegeven en liet los. Het pistool viel. De kringen verspreidden zich eerst snel maar daarna steeds wijder, lager en langzamer over het water. Hij stak over, ging naar links en liep door tot op een plein met een kasteelachtig gebouw. In de cafés die het plein aan twee kanten begrensden was het druk. Yasin liep linksaf een klein straatje in dat hem via een aantal bruggen bij een plek bracht waar de geveltjes leken te wijken voor een sombere verbreding die werd afgesloten door een muur die bij nader inzien de zijkant van een kerk was. Een eindje verderop waren de ramen rood, voor de meeste hing een gordijn. Aan de rechterkant zat een meisje in een witte bikini. Ze had lang zwart haar. Haar huid was in

het rode licht erg bleek. Ze was hooguit twintig jaar. Toen Yasin voorbij-
liep tikte ze tegen het raam. Hij liep door, ging een paar keer naar links
en stak een aantal bruggen over tot hij weer op de Kloveniersburgwal
was. Schuin aan de overkant was een café waarvan de ingang alleen via
een trap te bereiken was. Aan de voet van de trap stond een meisje te roken. Ze lachte naar hem toen hij haar passeerde. Binnen was het warm.
Hij bestelde thee. Hij had nog steeds niet gebeden en hij wist dat het er
ook niet meer van zou komen. Toen de thee op was bestelde hij bier.
De laatste keer dat hij alcohol had gedronken was een halfjaar geleden,
maar het maakte nu toch niets meer uit. Hij wilde bier, net als vroeger,
toen hij nog niet wist wat de waarheid was. Na een kwartier was het
glas leeg. Het meisje dat bij de trap naar hem had gelachen kwam van
achter uit het café naar voren. Ze stonk naar rook. Ze glimlachte toen
hij opkeek. Toen ze weer weg was bestelde hij nog een glas. Het meisje
kwam tegenover hem zitten.

'Waarom zit een mooie jongen zoals jij hier alleen te drinken?', vroeg
ze met een blik die hij alleen kon interpreteren als een uitnodiging, 'je-
mig, je hebt twee verschillende ogen. Ben je homo?'

Ze giechelde toen Yasin zijn hoofd schudde.

'Wil je nog een pilsje?'

Ze stond op voor hij antwoord kon geven en liep naar de bar. Hij bekeek haar. Een mooie meid, dat zeker. Ronde billen, lange benen, blond
haar. Een Hollandse meid in volle glorie. Een hoer, iemand die de lust
voelde haar lichaam te gebruiken en daarnaar handelde zonder geremd
te worden door wetten, ideeën, overtuigingen of gedachten.

'Hoe heet je?'

Yasin stelde zich voor.

'Ik heet Elvira, een Griekse naam. Ik studeer communicatie, wat doe
jij? Je lijkt me wel een rechtentype.'

Yasin knikte.

'Ja', zei hij, 'ik doe rechten. Eerstejaars.'

'Waar heb je op school gezeten?'

'Groningen.'

'Ik in Zierikzee. Dat is pas een gat.'

'Groningen is niet echt een gat.'

'Maar toch zijn we beiden blij dat we hier studeren, in Amsterdam.'

Ze rekte zich uit. Haar borsten drukten zich naar voren in haar rode
truitje. Yasin voelde zijn lichaam reageren.

'Wil jij nog iets drinken?'

Hij stond op.

Toen hij terugkwam keek ze hem vrolijk aan.

'Ik rook helaas. Ben je hier nog als ik terugkom?'

Yasin knikte. Hij wachtte. Hij voelde een somberheid die dieper ging dan hij ooit had gevoeld. Een deel van zijn geest wilde huilen, maar het andere deel dat de baas was over zijn lichaam wilde dat hij zijn handen op die billen legde.

Yasin zat op zijn knieën op het douchematje van een kleine badkamer in het grachtenhuis waarin hij terecht was gekomen, maar het bidden lukte niet. Het voelde alsof hij er geen recht op had. In de kamer achter de badkamerdeur hoorde hij de hoogslaper kraken. Elvira draaide zich om. Yasin boog nog dieper. Na een tijdje stond hij op. Zijn hoofd bonsde bij elke beweging die hij maakte. Hij deed de deur open en stapte de schemerige kamer binnen. Hij moest vandaag naar Texel. Maar hij wilde niet. Hij was misselijk, hij wilde Mahnaz niet onder ogen komen. En Samir al helemaal niet. Hij wilde zijn moeder niet zien. Hij wilde zijn vader zien, maar die was dood.

Yasin leunde tegen de houten trap die naar het bed leidde dat zeker twee meter boven de vloer zweefde, halverwege de hoge kamer, een kamer die langzaam om hem heen draaide. Elvira bewoog. Yasins hersenen produceerden beelden van de laatste uren. Het geslinger in elkaars armen langs het water van de Kloveniersburgwal, de opwinding die onontkoombaar in hem gegroeid was, eigenlijk al vanaf het moment dat hij haar beneden aan die trap had zien staan. De gretigheid waarmee ze haar mond op de zijne drukte, de tongen die elkaar zochten. De gedachten die door zijn hoofd buitelden, aangedreven door de alcohol. De vraag of het acceptabel was wat hij aan het doen was, vast niet, misschien ook wel, want ze geloofde toch nergens in, en dat hij geen recht had op een blonde maagd, na deze mislukte dag, maar een maagd was ze toch al niet. Het waren dronken gedachten. Hij wist op dat moment al dat hij iets ging doen wat hij niet wilde doen, hij ging zondigen, hoe dan ook. Ze had mooie stevige borsten met tepels die groter en kleiner werden, bijna alsof ze die bewust kon sturen, het streepje kortgeschoren haar vlak boven het schaduwrijke gedeelte tussen haar benen, de vanzelfsprekendheid waarmee ze zich omdraaide, waarmee ze ging zitten, liggen. De vanzelfsprekendheid waarmee ze genoot, de vanzelfsprekendheid waarmee ze leefde. Het gemak waarmee ze in slaap viel, en hoe alleen hij zich voelde. De woede ook, later, toen hij even geslapen had en weer wakker was geworden en naar haar had liggen kijken. Hoe ze sliep. Hoe ze stonk naar zweet, bier, naar zaad en hoe ze zich nergens voor schaamde, haar rechterbeen opgetrokken, haar schaamlippen een beetje open. Hij had gehuild, daarna. Dronkenmanstranen. En nu stond hij hier. Hij bukte zich om zijn kleren op te rapen die naast een stoel op de grond lagen en kreeg een stomp van binnenuit op zijn neusbrug. Hij probeerde zijn onderbroek aan te doen, maar struikelde.

'Ga je weg?'

Yasin keek omhoog. Een streng haar hing over de rand van het bed waartussen de ogen van Elvira zichtbaar waren. Ze richtte zich verder op waardoor haar borsten vrijkwamen, ze schommelden als druiventrossen, of was dat een vergelijking uit de Bijbel?

Ze geeuwde.

'Wat mij betreft kom je er weer in, je ziet eruit alsof je nog wel wat slaap kunt gebruiken.'

Ze geeuwde nog een keer, nu uitgebreider.

'Volgens mij kan je niet tegen drank', ze wachtte even op een antwoord, maar toen dat niet kwam ging ze verder, 'ik wel, ik kan zoveel drinken als ik wil, en de volgende dag ben ik weer zo helder als ik weet niet wat. En daarnet had jij er ook weinig last van moet ik zeggen, je bent wel een beest zeg, lekker. Nou, ik ga weer liggen, je ziet maar wat je doet.'

Yasin liet zijn onderbroek vallen en zette zijn linkervoet op de onderste trede van de trap.

*

Ludde draaide de douchekraan dicht, ging voor de spiegel staan en bestudeerde zijn gezicht. Een helende wond vlak boven zijn rechterwenkbrauw; de kopstoot van Yasin. Een gladgeschoren huid, gewassen haren. Een tand die een beetje zeurde. Hij stapte de kamer in en deed de deur naar de gang open. In een mandje lagen zijn kleren. Gewassen, gestreken. Betaalde service van onzichtbare mensen. Hij kleedde zich aan, liep de gang op, nam de lift en liep langs de automaat om uit te checken. De buitendeur klikte van het slot. Op het display bij de bushalte zag hij dat hij nog een minuut moest wachten. De wind was naar het zuidoosten gedraaid, hij kon het voorjaar dat vanuit Frankrijk opdrong ruiken. Hij deed een stap terug toen de bus voor hem stopte. Een kwartier later was hij op het station, waar hij de trein naar Alkmaar nam. Onderweg probeerde hij te bedenken waarom hij niet naar huis ging en hij kwam tot de conclusie dat hij niet in staat was om Farima in de steek te laten. Belangrijker nog; hij voelde dat hij die keus in volle vrijheid kon maken. Hij voelde zich beter dan hij zich in tijden had gevoeld. Hij schoof zijn benen onder de bank aan de andere kant en sloot zijn ogen. Als het goed was waren Samir en Mahnaz al onderweg. Farima was nog in het hotel.

'Apart reizen', had hij gisteren gezegd, 'we ontmoeten elkaar op het station van Alkmaar, om half twaalf. Daarna vertel ik jullie hoe we verdergaan. We gaan niet naar Texel.'

Het was prettig geweest om te zien dat Mahnaz en Samir zijn leiding accepteerden. Nog een reden, dacht hij, nog een reden om niet naar huis te gaan. Avontuur, nieuwsgierigheid ook, naar wat hem te wachten stond. En tegenzin om naar Groningen te gaan, ook dat. Langzaam zakte hij in slaap.

*

De tasker projecteerde het toetsenbord op het tafeltje bij het raam. Farima had een bericht ingetoetst en wachtte op een tegenbericht. Er viel nog zoveel te regelen. Ze rilde, ze had het koud. Ze had Samir en Mahnaz zien vertrekken. Een halfuurtje later was Ludde naar buiten gekomen. Nu zij nog. Alleen op reis in een land waar ze net een dag rondliep.

'Met deze kaart kun je gewoon de bus in stappen. Zodra je aan het eindpunt bent ga je eruit en loopt het station binnen. Je neemt de trein op perron 4b, en na een uurtje ben je in Alkmaar.'

Ludde Menkema was duidelijk genoeg geweest, maar toch was ze nerveus. Haar tasker piepte. Er verscheen een bericht waar ze schijnbaar op had gewacht want ze klapte haar tasker dicht, stond op, pakte de rugzak die Mahnaz achter had gelaten en ging naar buiten. Bij de bushalte bleef ze staan. Het was druk. De lucht die ze inademde was koud. Het display op de halte sprong op het getal twee. Er stopte een auto op de parkeerplaats achter haar. Borman legde zijn cowboyhoed op de bank, stapte uit en liep naar de deur van het hotel, maar hij draaide zich om voor hij naar binnen ging, bestudeerde Farima, knikte en liep snel maar beheerst terug naar zijn auto. Hij opende het portier aan de passagierskant, bukte zich en pakte een pistool uit het handschoenenkastje. Toen hij zich weer oprichtte zag hij Farima in een bus stappen. Hij vloekte zachtjes, sprong achter het stuur en startte de auto. Even later reed hij achter de bus en pakte al rijdend zijn telefoon.

'Ik heb haar gevonden, maar kan nog niets doen. Ik meld me als ik meer weet. Het zal vandaag wel rondkomen.'

193

In Den Haag verbrak iemand de verbinding.

*

Mahnaz stapte uit en liep achter Samir aan. Ze kochten koffie en een broodje in de restauratie en gingen zitten.

'Ik vind dat we Yasin moeten waarschuwen', zei Samir, 'straks zit hij op Texel, en wij zitten dan wie weet waar ergens anders.'

Mahnaz knikte.

'Dat vind ik ook. We kunnen hem sms'en.'

'We hebben geen telefoon. En Menkema?'

'Menkema is onze baas niet. Ik wil Yasin bij me hebben.'

'Als Yasin en Menkema elkaar tegenkomen', Samir pauzeerde even, 'denk ik dat Yasin gigantisch op zijn donder krijgt.'

Mahnaz keek hem aan.

'Hoezo op zijn donder krijgt', zei ze, 'ik ben er ook nog', ze gaf een heftige tik op de tafel, 'ik help mijn broer, altijd, hoe dan ook en waar dan ook.'

'Hij heeft anders wel recht van spreken, Menkema', antwoordde Samir, 'als iemand met mij had gedaan wat wij met hem hebben gedaan, dan zou ik ook niet blij zijn.'

'Yasin had een goede reden.'

'Ik denk niet dat Menkema het daar mee eens zal zijn. Waarom deed jij eigenlijk mee?'

'Omdat ik dacht dat Menkema verantwoordelijk was voor die aanslag op ons huis.'

'Je moeder zei dat het je familie was. Kan je je dat voorstellen?'

Mahnaz schudde haar hoofd.

'Ik weet niet of ik haar wel moet geloven. Ze is mijn moeder maar dat voelt haast niet zo.'

'Jullie lijken wel veel op elkaar.'

Mahnaz verschoof het suikerpotje dat tussen hen in stond.

'Ja, misschien wel', zei ze, 'maar ik heb geen idee wie ze is', ze schoof het suikerpotje weer terug, 'als het waar is wat ze zegt moet Yasin het ook weten. Heb jij genoeg geld om een mobieltje te kopen?'

Samir stond op.

'Ik ga al.'

*

Farima liep met de mensen mee naar binnen. Het station van Leiden gaf haar een onbestemd gevoel, alsof het gebouw zich anders voordeed dan het in werkelijkheid was. De mensen drongen van achteren om haar heen, haastig, sommige agressief en gedreven. Vanaf de andere kant kwam een constante rij roodachtig bleke gezichten op haar af. Er liepen ook bruine en zwarte mensen tussen, met gekruld, sluik, en een enkeling zelfs blond haar. Er liep een vrouw in een sari met daarover een dikke jas. Meisjes met hoofddoekjes waren er ook, de meeste even wit en gehaast als de rest. Ze struikelde half over een man die tegen een muur zat. Naast hem lag een hond. In zijn hand had hij een stuk karton waarop iets geschreven stond wat ze niet kon lezen. Ze viel weer bijna toen er iemand in haar rug liep.

'Perron 4b. Alkmaar', mompelde ze. Ze ging een trap op. Op het perron was het rustiger. De mensen stonden stil. Ze wachtten.

'Is this the platform for Alkmaar?'

Het gezicht van de vrouw die ze had aangesproken kwam tot leven.

'Yes, the train will arrive in a few minutes. Are you going to visit the cheese market?'

Farima werd overrompeld door de plotselinge openheid van de vrouw, die vlak voor ze haar had aangesproken nog had gekeken alsof ze niemand kende en ook door niemand gekend wilde worden. Ze begreep niet wat haar gevraagd werd, maar formuleerde toch nog op tijd een antwoord.

'No, no, family.'

'Where are you from?'

'Turkey.'

De vrouw begon te stralen.

'Ah, beautiful country, Turkey, especially the south coast. I've been there.'

Farima knikte en deed een klein stapje terug. De ogen van de vrouw werden weer afstandelijk, hoewel ze Farima even later aantikte en naar een geel-blauwe trein wees die volgespoten met slordige doodshoofden het station binnen reed.

'The train to Alkmaar.'

Farima liet zich door de duwende mensen leiden naar de nog rijdende trein. Sommigen liepen mee met de deuren, waarbij ze niet schroomden om anderen aan de kant te duwen. De trein stopte. Farima voelde een golf van paniek toen het geduw om haar heen toenam en ze tegen de zijkant van de trein werd geperst. Uit de trein kwam een eindeloze rij mensen die zich tussen de wachtenden door naar buiten moesten wringen. Farima voelde haar rugzak bewegen en draaide zich met een ruk om, waarbij haar tas het gezicht van een kleine vrouw raakte die haar woedend aankeek, maar niets zei. Schuin achter haar stond een jongeman die langs haar heen staarde. Er ontstond nog meer beweging. Ze werd de trein in gedrukt en vond tot haar geluk een vrije plaats naast een man die, ook toen ze naast hem ging zitten, strak voor zich uit bleef kijken. Toen ze met enige moeite haar rugzak af had gedaan zag ze dat de sluitriemen los waren gemaakt. Haar hart klopte in haar keel toen ze de inhoud controleerde. Het boek was er nog. Ze ontspande. Het looppad tussen de banken stond vol. Bijna iedereen was in zichzelf gekeerd, somber bijna, alsof ze door iets onzichtbaars in toom werden gehouden. Voor het eerst sinds ze was aangekomen vroeg Farima zich af of ze zich in dit land wel thuis zou kunnen voelen.

Het viel haar niet op dat in de ruimte achter de schuifdeur rumoer ontstond toen een man met een leren hoed zich tussen de daar opeengepakte mensen door naar de coupédeur drong, ook omdat het onmiddellijk weer rustig werd toen hij in het Engels zijn excuses aanbood nadat hij even naar binnen had gekeken en kennelijk had gezien dat er geen zitplaats meer was.

*

Ludde verliet de kiosk waar hij zich een tasker, een krant, een pen en een notitieblokje had aangeschaft, liep de restauratieafdeling van het station van Alkmaar binnen en bestelde koffie. Mahnaz en Samir zaten aan een tafeltje tegen de wand. Ludde bleef een eindje uit hun buurt. Hij vouwde de krant open en zag zichzelf op een foto die gelukkig vrij onduidelijk was. De foto was genomen toen Farima hem meetrok naar de ingang van het metrostation. Zij stond er duidelijker op, maar was in haar boerka onherkenbaar. In de begeleidende tekst werd gezegd dat onherkenbaarheid een luxe was die de maatschappij zich niet kon veroorloven en dat het tijd werd dat de overheid daar stelling tegen nam, de zoveelste zich herhalende discussie over dit onderwerp dat eens in de zo veel tijd de kop opstak en daarna weer verdween. Op pagina vijf vond Ludde zichzelf nog een keer. Deze foto was genomen toen hij nog tegen het hek geleund stond, bleek, ongeschoren, vet haar; kenmerken die hij de vorige avond in de badkamer van het hotel van zich had afgespoeld. Hij bladerde verder tot het sportkatern. Groningen stond zevende na de nederlaag tegen Sparta. Het leek een eeuwigheid geleden.

Zijn nieuwe tasker piepte. Toen hij het klepje opendeed zag hij dat een mobieltje in zijn directe omgeving contact verzocht. Toen hij dat verzoek accepteerde kwam via de open verbinding het gezicht van Mahnaz binnen op het display. Ze lachte. Hij keek opzij. Samir richtte de camera van een mobieltje zijn kant uit, zodat hij zichzelf zag zitten op zijn eigen beeldscherm. Ludde wilde reageren, maar werd gestoord toen er een groepje mensen binnenkwam. Achteraan liep Farima. Ze straalde een prachtige zelfverzekerdheid uit. Farima zou, ongeacht waar ze geboren was, altijd een vrouw van de wereld zijn geweest. Ludde bleef strak voor zich kijken toen ze aan een tafeltje naast hem ging zitten. Hij opende de gps-applicatie van zijn tasker en tikte een tekst en een paar cijfers in.

'Trein naar Den Helder, dan 52°56'51 N 4°46'39 O. Jullie met z'n drieën, ik ga nu.'

Hij schakelde zijn tasker helemaal uit, stond op en liep naar buiten.

*

Yasin ging zitten. Een kleine man sloeg een kaplaken om hem heen.

'Wat zal het zijn meneer?'

'Kaal graag. En scheren.'

De kapper zette een tondeuse onder in zijn nek.

'U weet het zeker?'

Yasin knikte.

De tondeuse begon te zoemen. Yasin voelde de metalen tandjes over zijn hoofdhuid gaan. Ze lieten een koud spoor achter. Het apparaat verscheen boven zijn hoofd. Yasin keek ernaar. Sinds hij de tweede keer in het bed van Elvira wakker was geworden voelde hij weinig meer, ook nu niet nu hij een pluk van zijn haar op de grond zag vallen.

'Niet naar afgesproken punt. Mama wil je zien. Doe geen gekke dingen. Niet reageren, wacht.'

Het bericht spookte door zijn hoofd. Niet naar Texel. Wachten. Hij had de krant gelezen, verschillende kranten zelfs, die hij had aangetroffen boven op de leesmap voor de wachtende klanten. Geen foto's van zichzelf of Mahnaz of Samir. Wel van Ludde Menkema en van zijn moeder in een boerka.

De tondeuse had de tweede baan over zijn hoofd afgemaakt en begon aan de derde, deze keer aan de andere kant van het middenspoor. Zijn gezicht werd scherper, ouder. Grimmiger. Maar zijn ogen leken allebei dof en onzeker. Hij droomde weg en werd zich pas weer van zichzelf bewust toen de kapper de laatste plukjes haar bij zijn oren weghaalde, een vegertje pakte, de hoofdhuid afborstelde, een beetje scheerschuim op zijn handen spoot en dat begon in te masseren. Hij moest niet naar Texel, hij moest wachten. Zijn moeder wilde hem zien. Waarom? Klaarblijkelijk was Ludde Menkema nog steeds bij hen. Wat zou die doen als ze elkaar tegen zouden komen? En wat zou hij zelf doen? Yasin keek in de spiegel. Ook daar zag hij de antwoorden niet.

De kapper had een scheermes gepakt en begon van bovenaf voorzichtig naar beneden te scheren. Daarna ging hij weer terug over dezelfde plek, schoof een eindje op en herhaalde dezelfde handelingen.

'Zorgen?'

Yasin schudde zijn hoofd waardoor het scheermes opzij schoot. Een klein spoortje bloed trok door het schuim naar buiten.

'Shit. Wel stil blijven zitten, wacht even.'

De kapper pakte een bleekuitziend staafje en drukte dat op de wond. Het schrijnde eerst, maar dat gevoel trok snel weg.

'Aluin, werkt nog altijd het beste', verklaarde de kapper, 'als ik jou was zou ik een pet kopen, want je bent zo ziek met dit weer. Nu je baard nog.'

Op het moment dat Yasin naar buiten stapte trilde zijn tasker.

'Den Helder, 52º56'51 N 4º46'39 O. Menkema en mama weten niet dat je dit weet. Niet reageren. Kijk uit voor de politie.'

Dus Menkema is de baas nu, dacht Yasin.

Hij stapte een winkel binnen en kocht een Hollandse ijsmuts. Toen hij zichzelf in de etalage zag lachte hij een sombere lach die niet verder kwam dan zijn lippen.

*

De Geus legde de krant op de stapel die hij naast zich had liggen.

'Mooie reportages', zei hij, 'maar al met al schieten we er niets mee op.'

Da Silva legde het dossier neer dat hij aan het lezen was.

'Klopt, maar wat niet is kan komen', hij stond op en ging tegenover De Geus zitten, 'vroeger of later worden ze ergens gesignaleerd. We weten dat ze gisteren de trein naar Den Haag hebben genomen. Heb je geprobeerd om Menkema te bellen?'

'Ja, maar hij reageert niet.'

'Het zou mij niet verbazen als jij ergens in je hoofd weet waar hij is.'

Toen De Geus vragend keek legde hij uit wat hij bedoelde.

'Jij kent Menkema, en een mens is een gewoontedier. Koffie?'

*

Borman zag eerst een jongen en daarna een meisje uit de restauratie komen. Vlak daarachter liep Farima met een rugzak in haar hand. Hij trok zich terug achter een kaartjesautomaat. Die drie waren samen, constateerde hij. Wie waren die jongen en dat meisje? De jongen liep voor de twee vrouwen uit, een gang in. Het meisje leek op Farima. Hij liep rustig achter hen aan. Ze gingen een trap op. Weer met een trein zo te zien. Hij had een hekel aan treinen, zowel privé als beroepsmatig. In een trein kon je niets doen. Te veel mensen, geen kans om weg te komen. Boven zich hoorde hij een fluitje. Hij holde de treden op. Toen hij hijgend bovenkwam gingen de deuren van de trein dicht. Vlak voor hem stond een man in een blauw uniform in een nog geopende deur. Borman schreeuwde en sprong naar voren om de paar meter naar de trein zo snel mogelijk te overbruggen, maar de conducteur deed een stapje naar achteren. De deuren sloten zich. Borman vloekte. In een kastje boven zijn hoofd begonnen letters te rollen.

'De volgende komt over een halfuur', een man met een aktetas in zijn hand was naast hem gaan staan, 'ik heb hem ook net gemist.'

'Sorry?'

'The next train to Den Helder will arrive in half an hour.'

'Thank you. How far is Den Helder?'

'Another half hour.'

De Amerikaan liep naar een kiosk en bestelde een kopje koffie. Daarna nam hij contact op met Den Haag. Terwijl hij luisterde begon hij te glunderen.

'We hebben een bericht naar haar tasker onderschept', hoorde hij, 'ze is op weg naar de coördinaten 52°56'51 N 4°46'39 O. We hebben voor je uitgezocht waar dat is. In Den Helder, midden in een jachthaven.'

Borman liep naar de restauratie en ging ontspannen zitten. Tijd genoeg nu, eerst maar eens eten.

*

Ludde stapte uit de taxi. Nadat hij had afgerekend liep hij langs een jachthavengebouw een steiger op totdat hij niet verder kon. Ongeveer halverwege, aan zijn rechterhand, lag de K5, zijn oude zeilboot die hij jaren geleden als wrak uit de modder van de Duitse Waddenzee had gehaald. Hij had haar de afgelopen herfst hier achter moeten laten omdat het weer na een tocht over de Noordzee te slecht was geworden om naar Noordpolderzijl door te varen. Ze lag er nog best goed bij, een beetje vervuild misschien door eenden, een beetje aangroei ter hoogte van de waterspiegel, maar niets dat een emmer en een bezem niet op konden lossen. Hij had er zin in. Er was nauwelijks wind. Het rook naar voorjaar. Hij stapte aan boord en opende de deurtjes van de kajuit. De lucht binnenin rook muf. Hij schroefde de patrijspoortjes los die hij onlangs door Henk aan had laten brengen, liep terug naar de kuip en opende de dekkist. Even later gooide hij een plens water over het mahoniehouten dak van de kajuit. Hij floot. Er volgde nog een emmer, en nog een.

Na een halfuurtje ging hij met zijn gezicht naar de zon zitten en draaide een sigaret, maar na een paar minuten stond hij alweer op, toch nog steeds te onrustig om lang te kunnen blijven zitten. De motor sloeg direct aan nadat hij op de startknop had gedrukt. Hij gooide de trossen los en voer langs het fort Westoever naar het tankstation. Toen hij terug was waren de accu's vol. Hij keek op zijn horloge. Ze konden elk moment komen. Dan een rustige avond, een rustige maar korte nacht en dan met het tij mee naar buiten, de zee op, zoals hij met Farima had afgesproken.

Mahnaz verscheen op de steiger, even later gevolgd door Farima en Samir. Samir zwaaide. Ludde zwaaide terug.

*

Borman had een auto gehuurd en reed naar Den Helder, wat een kustplaats was had hij ontdekt, de thuishaven van de Nederlandse marine. Misschien had hij genoeg tijd om naar boten te gaan kijken, hoewel niets wat daar zou liggen natuurlijk zo mooi en imposant zou zijn als de USS George Bush, genoemd naar de bevrijder van Irak. Hij verliet de N9, ging de N250 op en zag water aan zijn rechterhand.

*

'Daar hoef je je echt geen zorgen over te maken', zei Samir, 'het lijkt wel alsof we vakantie hebben.'

Hij zat op de voorplecht met zijn gezicht in de richting van de kuip. Hij had een sigaret opgestoken en keek tevreden om zich heen. Ludde had hem vlak daarvoor verteld dat hij hem in het water zou gooien als hij het zou wagen om een joint op te steken.

'Ik heb met jou ook nog een appeltje te schillen.'

Ludde keek naar Mahnaz. Samir hield zijn mond.

'Ik vond het sadistisch dat je me die rondjes liet rennen in Rotterdam.'

Mahnaz kleurde.

Farima keek hen beiden aan. Hoewel ze niet verstond wat er gezegd werd voelde ze dat er iets aan de hand was.

Het gezicht van Mahnaz was nog steeds rood, maar haar ogen stonden fel, net zo fel als de ogen van haar moeder konden zijn.

'Ik dacht dat je van hardlopen hield. Eerst zeurde je erom.'

'Dus eigenlijk deed je me een plezier', zei Ludde, 'een oude man rond laten hollen als een leeuw in een circus.'

'Je probeerde te ontsnappen. Ik moest je tegenhouden.'

'Dat had je al gedaan. Het was pure pesterij. Laten zien dat je mij in je macht had.'

Mahnaz' lichaam reageerde met een air van onverschilligheid die Ludde boos maakte.

'Wat mij betreft had je nu in een cel gezeten.'

'Dan bel je de politie toch?'

'Dat vindt je moeder niet zo leuk.'

Mahnaz ging naast Samir zitten en nam een trekje van zijn sigaret.

'Ik heb toch al gezegd dat het me spijt.'

'Dat kan ik me niet herinneren.'

'Goed, het spijt me.'

'Dat is mij iets te gemakkelijk.'

'Wat moet ik nog meer doen dan?'

Ludde keek naar de twee jonge mensen die hem aankeken op een manier die tegelijkertijd onderworpenheid en verzet uitdrukte. Zij waren wat er was gebeurd met het gemak van de jeugd alweer bijna vergeten leek het. Hij draaide zich om naar Farima en spreidde zijn handen in een gemaakt machteloos gebaar. Zij keek hem vragend aan. Ze had nog steeds geen idee waar het over ging. Ludde keek weer naar het meisje en de jongen die zijn peuk het water in schoot.

'Ik wil dat jullie de zijkant van de boot schoonmaken.'

'Hoe dan?'

'Het water in, een bezem en schrobben, gemakkelijk zat.'

Samirs mond viel open. Hij begon aan een protest, maar hij hield op toen hij zag dat Mahnaz was opgestaan en haar trui uittrok. Daarna begon ze haar schoenen los te maken. Ze keek strak voor zich uit.

'What's happening?', Farima keek Ludde aan, 'what is my daughter doing?'

'Ik heb haar en Samir bevolen om de buitenkant van de boot schoon te maken. Ze hebben de een of andere vorm van straf verdiend.'

Farima keek naar haar dochter die inmiddels haar bovenlichaam had ontbloot, op haar beha na die haar borsten maar gedeeltelijk bedekte. Haar ogen schoten vuur.

'Ik kan niet accepteren dat mijn dochter zich uitkleedt waar jullie bij zijn. Ga naar binnen Mahnaz, en jullie', ze wees naar Ludde en Samir, 'doe je ogen dicht.'

Ludde begon te lachen, maar hield daar gauw mee op toen hij Farima's gezicht zag. Ze was bloedserieus en ze was boos. Mahnaz verdween naar binnen.

Even later kwam ze aangekleed weer naar buiten en liep naar hem toe.

'Zeg maar wat ik kan doen zonder dat ik mijn kleren uit hoef te trekken.'

Ludde zag pretlichtjes in haar ogen. Hij grijnsde ook.

'Dan moeten jullie maar boodschappen gaan doen.'

Samir was gaan staan en was over het dak van de kajuit naar achteren gelopen. Toen hij de kuip in stapte haalde Ludde uit. Hij raakte Samir vol op zijn kin. De jongen wankelde, probeerde zich nog vast te grijpen aan een stag, maar draaide door en plonsde in het water. Toen hij weer bovenkwam lachte hij een beetje schaapachtig.

'Je hebt pech dat je een man bent, die mag ik tenminste slaan', zei Ludde toen hij zijn hand uitstak om hem aan boord te hijsen, 'ga naar binnen en droog je af. Ik heb nog wel wat kleren voor je. En daarna boodschappen doen.'

Farima glimlachte.

*

Yasin zat in de trein. Hij had zijn ijsmuts tot vlak boven zijn ogen getrokken en had de kraag van zijn jas overeind gezet. Er kwam niemand naast hem zitten.

In Den Helder zie ik weer verder, dacht hij, ik zie wel wat er gebeurt als ik Menkema tegenkom. Hij had overwogen om helemaal te verdwijnen, misschien naar een trainingskamp ergens in het Midden Oosten. Maar hij wist niet hoe hij dat zou moeten regelen. En bovendien wilde hij zijn moeder zien.

*

Maria liep het politiebureau van Groningen uit, pakte haar fiets en reed langs de Radesingel in de richting van haar huis. Toen ze thuiskwam zette ze haar fiets in het schuurtje en liep naar binnen.

'De Geus was er niet', zei ze nadat ze Luma een zoen had gegeven, 'hij is bezig met een of andere klus in het Westen.'

'En er was ook niemand anders.'

'Die collega van De Geus wist ook niets.'

Ze liet zich op de bank ploffen.

'Ik ben benieuwd hoe dat voelt, als hij echt gaat bewegen.'

'Of zij', antwoordde Luma, 'en bovendien beweegt ze allang, alleen voel jij dat nog niet.'

Maria strekte haar benen.

'Het is echt romantisch om verkering te hebben met een medicus', ze legde haar handen op haar buik, 'ik hoop maar dat Ludde weet wat hij aan het doen is.'

*

Borman parkeerde zijn auto en liep naar de ingang van de jachthaven. Het getal op het scherm van zijn tasker dat de afstand tot zijn doel aangaf werd kleiner. Tweehonderd meter. Honderdvijftig meter. Nadat hij de hoek van een gebouw dat vlak aan het water stond was gepasseerd stond hij stil. Voor hem lag een houten vlonder die aan weerszijden aftakkingen had waaraan tientallen boten lagen afgemeerd. De pijl op zijn tasker wees schuin naar voren. Veertig meter. Ergens aan het eind dus. Hij dacht na en liep toen langs zijn auto terug over de parkeerplaats, waarna hij rechtsaf ging, een straatje in dat naar zijn inschatting om de haven heen liep, wat inderdaad zo bleek te zijn. Aan het eind moest hij naar rechts om weer bij het water te komen. Hij pakte een kleine verrekijker en richtte die op de boten die aan de laatste arm van de steiger lagen. Bij een ervan stonden de jongen en het meisje die hij op het station van Alkmaar had gezien. De jongen gaf volle plastic boodschappentassen aan een man die in de kuip stond. Farima Faghiri was er niet. Binnen waarschijnlijk. De jongen zei iets, het meisje lachte. De man verdween naar beneden. De boot schommelde licht. Even later kwam hij weer boven, opende een kist, haalde een aantal klapstoeltjes tevoorschijn en ging daarna weer naar beneden met een tas in zijn hand. Naast de Amerikaan bewoog iets. Voor het raam van het huis aan zijn linkerhand stond een man met zijn handen op zijn rug naar hem te kijken. Borman richtte zijn kijker weer op de boot. Farima Faghiri kwam naar buiten. Ze ging zitten, zo te zien volkomen op haar gemak. Borman schoof zijn hoed achter op zijn hoofd. De man achter het raam tikte op het glas. Borman draaide zich om, liep terug naar zijn auto, opende het portier en nam contact op met zijn superieuren in Den Haag. Na het overleg reed hij weg. Er was nog tijd om te eten omdat hij pas in actie wilde komen als het al bijna donker werd. En hij wilde weten wie die anderen waren. De man en de twee jonge mensen. Hij wilde weten wat hij met hen aan moest. Wat hij nu al zeker wist was dat hij, als het werk gedaan was, vanavond, eindelijk naar een ver eiland kon, vakantie vieren. En daarna terug naar de opwindende beperkingen van Afghanistan. Hij parkeerde bij een visrestaurant.

*

Yasin stapte uit de trein. De zoute geur in de lucht deed hem denken aan Elvira. Zout in de lucht, zout in zijn mond, zout dat hij die nacht geproefd had toen zijn lichaam sterker was dan zijn hoofd. Buiten het station stond een oude man die zijn hand ophield. Yasin liep door. Twee politiemannen luisterden naar een vrouw van middelbare leeftijd die een mond had die naar veel praten stond. Ze hadden geen enkele aandacht voor hem. Yasin keek op zijn tasker. Hij moest naar rechts, hemelsbreed iets meer dan twee kilometer. Hij schopte chagrijnig tegen een steentje. Boven zijn hoofd schreeuwde een meeuw.

*

De Geus stapte het trottoir op. De lucht was koud geworden, de zon was verdwenen achter een hoge toren die een schaduw over het stadscentrum van Utrecht wierp. Bij de kiosk lagen kranten waarin de boerkavrouw was vervangen door nieuws over een ijsberg die de ingang van een Noors fjord barricadeerde. Achter hem klonk gegiechel. Drie meisjes stootten elkaar aan terwijl ze langs hem heen naar de jongen keken die in de kiosk stond. De Geus kocht een krant omdat de foto van de ijsberg hem intrigeerde en liep in de richting van zijn hotel.

*

Mahnaz stond voor het gaskomfoortje in de tussengang van de K5. Ze roerde in een braadpan met gierst waaraan ze steeds een klein beetje water toevoegde. Ludde stond buiten. Hij keek uit over zijn boot en het haventje. Samir zat op de voorplecht. Hij rookte. Farima lag binnen op bed, het deurtje had ze dichtgedaan. Te veel mensen hier, dacht Ludde, maar lekker om het dek te voelen bewegen. Aan het eind van het plankier gooide een man een handvol korrels rondom een dobber die licht schommelend op de golven dreef.

*

Borman stond op, veegde zijn mond af, legde het servet op de tafel en zette zijn hoed op. Daarna vouwde hij de rekening en stopte die in zijn portefeuille. Morgen eindelijk mijn declaratieformulier eens invullen, dacht hij. Hij rilde toen hij naar buiten stapte. Kou hoog in de Afghaanse bergen was beter te verdragen. Romantischer. Hij liep naar zijn auto, voelde even onder zijn stoel naar zijn pistool, startte en reed weg.

*

Farima zat op het bed in de kajuit. Ze had haar tasker opengeklapt, zich niet bewust van het feit dat een kleine tweehonderd kilometer verderop een reus van een man met rode krullen precies kon volgen wat ze deed. Hij noteerde dat ze een afspraak maakte met iemand van de Orkney-eilanden op een plaats die een aantal kilometers uit de Nederlandse kust lag.

'Dat moet een vergissing van haar zijn', mompelde hij, 'ze kent de omstandigheden hier niet.'

Hij zocht contact met de man aan wie hij moest rapporteren. Een man met Nederlandse voorouders. Devries.

*

Borman klapte zijn toestel open. Nadat hij het bericht had gelezen schoof hij de informatie naar een onbeduidend plekje in zijn hersenen. Afspraken die Farima maakte telden niet. Ook voor haarzelf niet, omdat ze die afspraak niet zou halen. Hij passeerde een slenterende jongen die een ijsmuts diep over zijn hoofd had getrokken.

*

Samir schoof met zijn blote voeten over het hout van het dek. Als hij later rijk was wilde hij ook een boot. En dan ergens op de Middellandse Zee, voor de Marokkaanse kust een rustige baai opzoeken, voor anker gaan, zien hoe de zon onderging, een vers zakje weed naast zich op de bank, alleen, voor niemand bang, met niemand iets te maken. Behalve natuurlijk als Mahnaz mee wilde, dan wilde hij die weed best vergeten.

Mahnaz kwam uit het binnenste van het schip. Ze zette een pan op een krant op het tafeltje dat Ludde in het midden van de kuip had neergezet. De pan dampte. Farima kwam naar buiten. Ludde kwam van het voorschip, ging zitten en pakte de opscheplepel. Even later zat Samir met een bord op schoot op de houten bank die rondom de kuip liep. Hij stak zijn duim omhoog nadat hij de eerste hap had genomen. Mahnaz glimlachte.

*

Borman parkeerde zijn auto op dezelfde plaats als hij een uurtje eerder had gedaan, keek om zich heen, bukte, voelde onder de bestuurdersstoel en stopte het pistool in het foedraal onder zijn linkeroksel. Daarna pakte hij zijn cowboyhoed van de achterbank en zette die op. Toen zijn mobiel trilde keek hij op. De informatie waar hij om had gevraagd was binnengekomen. Het meisje was de dochter van Farima Faghiri. De man was Ludde Menkema, degene die Al Hussaini gepakt had. Over de jongen was niets bekend. Borman klapte het toestel dicht en gunde zichzelf een kleine minuut waarin hij nadacht over Menkema. Hij herinnerde zich het verhaal over de arrestatie van Al Hussaini, een verhaal dat in zijn wereld ingeslagen was als een bom. Als je Al Hussaini kon overmeesteren moest je wel iets kunnen, maar aan de andere kant had die Menkema veel geluk gehad. Borman kwam tot de conclusie dat hij zijn werkwijze niet hoefde aan te passen. Menkema zou niet twee keer achter elkaar zo veel geluk hebben bij een confrontatie met een professional, zoals hijzelf. Rustig lopend bereikte hij de hoek van het gebouw dat de parkeerplaats scheidde van het haventje. Direct voor hem stond een vrouw die in het Duits praatte met een meisje van een jaar of twaalf dat over de reling van een groot jacht leunde. Verderop zaten ze te eten. Farima Faghiri, de dochter, de jongen en Menkema. Borman nam de tijd om Menkema te bestuderen. Hij vond dat er weinig bijzonders aan hem viel te zien. Aan het eind van het plankier stond een visser, een meter of zeven van de boot verwijderd. Het zou een rustige operatie moeten worden, kalm, met overtuiging.

*

De Geus legde de krant naast zich neer en pakte zijn tasker. Hij hoorde Maria's stem.

'Wat is er aan de hand Henri? Waar is Ludde?'

'Als ik dat wist waren we een stuk verder', antwoordde hij, 'we zijn hem kwijt eerlijk gezegd.'

'Knap gedaan.'

'Ja, heb jij een idee waar we hem moeten zoeken?'

'Vertel eerst maar wat er aan de hand is.'

'Jij bent geen journaliste meer toch?'

'Nee.'

'Oké, het is niet de bedoeling dat je het *Dagblad* belt. Ludde was of is betrokken bij een aanslag in Rotterdam.'

'Ludde en een aanslag? Onmogelijk.'

'We snappen zijn rol ook niet precies. Soms lijkt het erop dat hij gegijzeld wordt, dan weer lijkt het alsof hij er vrijwillig aan meedoet. Het zou ook nog kunnen dat het om drugs gaat, maar eerlijk gezegd kan ik me dat niet voorstellen. Het laatste dat we van hem hebben gezien is dat hij in Rotterdam de metro in ging, samen met een vrouw in een boerka en twee jongelui. Er was eerder nog een jongen bij, maar die is helemaal van de aardbodem verdwenen. We hebben ze via camera's kunnen volgen tot aan Leiden, en dan houdt het op.'

'Ik heb hem op de televisie gezien. Ze houden hem vast begrijp ik.'

'Dat weten we nou juist niet, toen hij de metro in ging leek het erop alsof hij dat uit zichzelf deed.'

Hij hoorde Maria op de achtergrond met iemand praten. Toen richtte ze zich weer tot hem.

'Luma vraagt of jullie op zijn boot hebben gekeken.'

'Zijn boot? Die ligt in Onderdendam naar ik aanneem.'

'Nee, die ligt in de haven van Den Helder.'

De Geus keek naar de foto van de ijsberg die de ingang van het Noorse fjord blokkeerde. Een witte wachter die er in zijn eentje voor leek te willen zorgen dat het in het fjord afgemeerde olieboorplatform niet naar buiten zou kunnen.

'Zee', zei hij.

'Zee', antwoordde Maria, 'hoezo zee?'

'Ik heb hier een krantenfoto van een ijsberg voor me liggen. Nou weet ik waarom ik aan Ludde moest denken. Simpel eigenlijk. Ludde en zee.'

'Ik zou maar eens op die boot van hem gaan kijken als ik jou was.'

*

Borman telde tot drie, een gewoonte die hij al had sinds hij een kind was, altijd aftellen voor hij iets ging doen. Hij schoof zijn hoed naar voren zodat zijn ogen geen last van de laagstaande zon hadden, en liep de steiger op. De Duits sprekende vrouw was samen met het kind in het jacht verdwenen. De visser haalde zijn hengel op, bestudeerde het aas en liet de lijn weer los. De Amerikaan versnelde zijn pas. Schuin achter hem viel zijn rimpelige schaduw op het water. Het meisje was gaan staan om het bord van de jongen opnieuw te vullen. Borman had ongeveer twintig seconden nodig om bij de boot te komen. Tijdens de laatste vijf seconden haalde hij zijn pistool tevoorschijn, waarna hij stopte, door zijn knieën zakte en het wapen van onder zijn colbert, beschermd tegen de eventuele nieuwsgierige blikken van de visser, op Farima Faghiri richtte. Haar ogen gingen wijd open. Menkema boog zich voorover alsof hij zijn lichaam wilde gebruiken om haar te beschermen, maar slaagde erin die beweging op tijd af te breken. De jongere vrouw legde de opscheplepel neer en liet zich langzaam zakken tot ze naast de jongen zat die uitdrukkingsloos naar het wapen keek.

'Good evening…', Borman richtte zich met een bestudeerd rustige stem tot Farima, '…good evening Mrs. Faghiri, ik wil dat u mij het dagboek geeft. En de sleutel van uw safe in Genève. Binnen twee minuten, anders dood ik uw dochter. Niemand zal dit pistool horen, niemand zal uw dochter horen schreeuwen, want ze zal onmiddellijk dood zijn.'

De loop van het pistool ging opzij en richtte zich op Mahnaz. Hij zag dat Menkema terugleunde tegen de wand van de kajuit en dat hij zich ontspande. Die man moest hij in de gaten houden, maar dat wist hij al. De jonge jongen wilde zijn arm om het meisje slaan, maar toen hij naar de Amerikaan keek schoof hij een eindje uit haar buurt. Farima was opgestaan en liep naar de klapdeurtjes die toegang gaven tot de kajuit. Ze ging naar binnen. Menkema ademde weloverwogen in en uit, alsof hij zich voorbereidde op een aanval, maar deed dat naar de smaak van de Amerikaan te opvallend. Toch besloot hij dat het verstandig was te laten zien wie de baas was. Hij stapte aan boord, schoof met een beweging van de loop de jonge jongen opzij en ging naast het meisje zitten.

'It's a beautiful day.'

Toen ze niet antwoordde herhaalde hij het nog maar een keer.

'It's really a beautiful day. Een dag om succes te hebben, en van het leven te genieten', hij tikte speels met de loop van het pistool tegen de arm van het meisje.

Ze reageerde nog steeds niet.

De Amerikaan keek op zijn horloge.

'Je moeder heeft nog één minuut. Zullen we nog even genieten samen in de laatste minuut van je leven?'

De loop van zijn wapen streelde intimiderend over haar rechterborst. Hij voelde de jongen naast zich verstrakken, maar hij hield zijn ogen op de oudere man gericht, die niet reageerde. De Amerikaan glimlachte, stond op en stapte achteruit de steiger op. Hij keek op zijn horloge en richtte de loop op het meisje. Farima kwam tevoorschijn. Ze had een in een doek gewikkeld pakketje in haar hand.

Yasin stond nog enigszins verbouwereerd te kijken naar de boot waarop hij zijn zus zag zitten naast een man met een cowboyhoed op zijn hoofd toen de man alweer ging staan en de steiger op stapte. Mahnaz zat tegen de reling met Samir een kleine meter van haar vandaan. Ludde Menkema leunde tegen de kajuit. Hij zat zo te zien op een krukje. Naast hem verscheen een vrouw uit het binnenste van het schip. Yasin hield zijn adem in. Die vrouw was zijn moeder. Hij deed een stap naar voren, maar stopte toen hij de man met de hoed op de steiger een beweging zag maken die hij direct herkende als de beweging die een westernacteur maakt als hij iemand met zijn wapen ergens heen wil laten gaan, een wenkende, wijzende, dwingende beweging. Een beweging die hij zelf ook een aantal keren met enige liefde had gemaakt in de afgelopen dagen. Zijn moeder stapte op de steiger en overhandigde iets aan de man met de hoed. De man schudde zijn hoofd toen ze weer aan boord wilde gaan. Ze deed een aarzelende stap, en daarna nog een. Ze keek om naar Samir, Mahnaz en Ludde, die bewegingsloos toekeken. Een visser aan het eind van het plankier keek ook, maar had klaarblijkelijk tegelijkertijd beet, want hij haalde op en richtte zijn ogen op het zwiepende minuscule zilveren visje dat aan het eind van de lijn hing. Toen Yasin weer naar zijn moeder keek was ze al bijna bij de plek waar ze linksaf moest, zijn kant op. De man met de hoed liep rustig achter haar, zelfverzekerd, kalm, weloverwogen. Yasin deed een pas terug tot hij pal naast het havengebouwtje kwam te staan. Hij merkte dat hij trilde. Hij wist niet wat hij moest doen.

*

'Waarom gaan we niet met de helikopter?'

'Omdat ze die ergens anders nodig hebben', antwoordde Da Silva, 'maak je geen zorgen, we zijn er in krap een uur. Geniet zou ik zeggen.'

Ze stapten achter in een Audi met ramen die donker genoeg waren om voorbijgangers geen al te directe blik te gunnen op het fraaie leren interieur en de ruim aanwezige elektronische apparatuur. Achter het stuur zat een man van een jaar of dertig die gekleed was in een spijkerbroek, een lichtgrijs overhemd en een donkerbruin leren jasje. Hij zette een bril met getinte glazen op, startte, liet het raampje zakken, zette een blauw zwaailicht op het dak, drukte op een knopje waardoor er een sirene ging loeien en schakelde naar de eerste versnelling. Het stadsverkeer van Utrecht schoof gewillig opzij. Op de A1 richting Amsterdam schoof de teller regelmatig naar de honderdvijftig kilometer per uur. Ze moesten een keer vol in de remmen toen een vrachtwagen hen al dan niet bewust de pas afsneed, maar na twee seconden gaf de chauffeur alweer gas nadat hij scherp sturend aan de rechterkant van de vrachtwagen terecht was gekomen. De Geus leunde achterover in het zachte leer.

'Als er geen terroristen waren, welke reden zouden jullie dan verzinnen om met dit soort auto's te kunnen spelen?'

Da Silva grijnsde.

'In dat geval zouden we terroristen maken.'

'Niet nodig, dat doet de politiek wel voor je.'

'Zo? Een linkse politieman? Misschien heb je gelijk, maar vergeet niet dat fanatici echt bestaan. Elk idee over hoe de wereld in elkaar steekt levert er wel een paar op.'

'Je meent het.'

'Ja, ik meen het', zei Da Silva, 'ik denk ook wel eens verder dan alleen maar aan de vooruitgang in mijn carrière. Hoe zeker weet je dat Menkema op zijn boot zit?'

'Ik denk dat de kans groot is.'

'En waarom heeft hij dan geen contact met ons gezocht?'

'Ik zou het niet weten. Heb je gezorgd voor ondersteuning?'

'Die is onderweg.'

Da Silva tuurde een tijdje uit het raam en verwoordde toen wat hem bezighield.

'Ik hoop dat hij inderdaad op die boot zit. Anders kan ik mijn promotie wel vergeten.'

*

Yasin struikelde half toen hij met zijn rug tegen een schraag botste waarop een op de kop liggende houten roeiboot lag. Voor hij wist wat hij deed was hij met het automatisme van een kind dat verstoppertje speelt

210

in de schaduw onder de boot gedoken. Zijn hand kwam als vanzelf terecht op een rond stuk hout. Hij tilde het op. Een gebroken roeispaan. Hij hoorde het enigszins sloffende geluid van de voeten van zijn moeder op de planken naast het havengebouw.

Ludde schoof naar de reling, keek naar de rug van de achteloos arrogant weglopende man die aan zijn accent te horen een Amerikaan moest zijn, leunde achterover en liet zijn voeten loskomen van het dek. Het water was ijskoud. Hij trok zich naar voren, naar de punt van de boot en dook onder het plankier. Toen hij weer boven water was zag hij Farima verdwijnen achter het havengebouwtje. De Amerikaan liep nonchalant achter haar. Ludde dook. Hij maakte de paar slagen die nodig waren om bij het volgende plankier te komen.

Borman keek naar de rug van Farima. Jammer, dacht hij, zonde, het is een moeder met kinderen. Maar er was niets aan te doen. Hij voelde door de stof van zijn jas aan het dagboek in zijn binnenzak en glimlachte. Missie volbracht, gemakkelijk. Vakantie. Farima was de hoek van het gebouw gepasseerd. Ze keek om, vragend. Hij knikte. Ze moest rechtdoor, naar zijn auto. Hij zag de berusting in haar ogen.

Yasin zag zijn moeder. Hij omklemde het ronde uiteinde van de roeispaan. Achter zijn moeder liep de man met de cowboyhoed, een hand losjes in de zak van zijn overjas, de andere hand op zijn borstkas, waar hij iets leek te zoeken. Zijn moeder keek om. De man achter haar maakte haar duidelijk dat ze door moest lopen. Ze passeerden de roeiboot. Yasin kwam tevoorschijn.

Ludde legde zijn handen op de kade en duwde zich omhoog. Toen hij uit het water was begon zijn lichaam te rillen, maar dat weerhield hem er niet van om naar de linkerkant van het havengebouw te sprinten. De visser draaide zich om, liet zijn hengel zakken en schreeuwde. Ludde rende verder.

Borman hoorde iemand schreeuwen. Hij keek om. Hij zag dat er iemand achter hem stond die iets omhooghield dat in een tegen de avondlucht afgetekende vage streep op hem af zwaaide. Hij trok zijn wapen uit zijn jaszak, maar was te laat. De streep raakte hem op de bovenkant van zijn rug, net naast zijn bovenste wervels. Er kraakte iets. Een heftige pijnscheut trok langs zijn ruggengraat, hij zakte door zijn knieën, maar hij bleef in staat datgene te doen waarvoor hij was opgeleid. De loop van zijn pistool draaide naar de jongeman die met zijn mond half open achter hem stond, gebiologeerd naar het leek door wat hij had gedaan, niet in staat verder nog iets uit te richten.

Toen Ludde de hoek om kwam zag hij de man die Farima van boord had gehaald op zijn knieën zitten, een pistool in zijn rechterhand. Een jongen met een wollen muts op zijn hoofd stond achter hem. Farima was bezig zich half vallend naar de Amerikaan te bukken. Hij zag hoe ze bijna tegelijkertijd met het schot dat de Amerikaan loste zijn arm raakte, waardoor de kogel hoog in de houten wand van het havengebouw vloog, waarbij een wolkje kleine splinters vrijkwam. Ludde versnelde, twee, drie, vier passen, en zette toen een sliding in die door elke voetballiefhebber met afschuw zou zijn bekeken. Hij raakte de Amerikaan op twee plaatsen omdat hij zijn benen op het laatste moment spreidde; vlak onder de ribbenkast en tegen de rechterknie. Al glijdend kwam hij weer overeind, maar hij werd opzij geduwd door Farima die een volgende aanval inzette. Toen herkende hij Yasin. Hij balde zijn vuisten, maar werd afgeleid door de blik die de jongen langs hem heen op zijn moeder richtte. Ludde keek ook. Farima tilde de hak van haar schoen op boven de hals van de kreunende Amerikaan. Ludde liet zijn vuisten zakken en trok Farima opzij voordat ze de trappende beweging naar beneden af kon maken.

'Geen moorden hier', zei hij, 'don't kill him, dit is een beschaafd land.'

'Ik ken deze man. Hij verdient het om dood te gaan. Wat denk je dat hij met mij van plan was?'

Ze keek hem aan met een lege blik, maar toen ze haar zoon herkende deed ze haar armen uit elkaar, waarop het leven terugkeerde in haar ogen.

*

Da Silva keek geamuseerd naar de file naast hem waar ze op luttele centimeters afstand met grote snelheid over de vluchtstrook aan voorbij flitsten. De rondweg van Alkmaar zat vast.

*

Ludde had zijn armen van achteren onder de oksels van de Amerikaan geschoven. De man kreunde. Yasin legde de benen naast elkaar, wat nog meer gekreun opleverde, gevolgd door een onderdrukte schreeuw toen Yasin de enkels vastpakte en ging staan. Farima bladerde door een roodleren boekje met een goudgele opdruk.

'Oké, lopen maar.'

Yasin zette een stap, Ludde volgde. Toen ze bij het begin van de steiger waren moesten ze stoppen omdat de visser, afgeladen met hengels en een grote groene zak waaruit allerlei stokken staken, hen tegemoet kwam. Zijn ogen vlogen over het lichaam van de nog steeds zachtjes jammerende Amerikaan. Vanaf de boot klonk een schreeuw. Samir sprong van boord en holde naar hen toe. De visser liet de zak vallen, wrong zich met een bijna bewonderenswaardige moed langs hen heen en verdween achter het havengebouw. Ludde schreeuwde hem iets na. Samir stopte toen hij Yasin herkende. Zijn mond viel open en waarschijnlijk ook tot zijn eigen verbazing zei hij na een paar seconden 'halleluja', waarop hij Yasin probeerde te omarmen. Farima hield hem tegen. Yasin begon weer te lopen. Bij de boot pakte Mahnaz de benen van de Amerikaan aan.

*

De chauffeur schakelde naar de vierde versnelling terwijl de kilometerteller honderddertig kilometer per uur aangaf. Da Silva keek op zijn tasker. Het geluid van hun sirene leek overal vandaan te komen. De Geus keek op zijn horloge. Het was tien voor zeven.

*

'Moet hij niet naar een dokter?'

Samir stond met de cowboyhoed van Borman tussen zijn vingers naast Mahnaz die op de kuipbank zat. Hij keek naar Ludde, die uit de kajuit kwam met een stapel natte kleren in zijn hand die hij in een hoek van de kuip gooide. Ludde keek op zijn beurt naar Farima.

'Wie is die man eigenlijk?'

Farima antwoordde niet meteen. Ze zat op haar hurken naast de Amerikaan die met zijn rug tegen de kajuit op het dek zat. Hij had zijn ogen dicht. Ze gleed met haar vingers over zijn ribben. Daarna onderzocht ze het rechterbeen.

'Hij heeft een paar ribben gekneusd. Misschien gebroken. Ik heb geen zin en geen tijd om er een arts bij te laten komen. Bind hem vast, er is hier touw genoeg.'

'Het zal denk ik toch niet zo lang duren voor er iemand komt', antwoordde Ludde, 'die visser belt natuurlijk de politie. Dus wat doen we?'

'You should release me, I am an American citizen. I am an employee of the CIA. You'll get big problems, really big problems.'

Farima pakte het pistool van de Amerikaan dat op het dak van de kajuit lag en zette de loop tegen zijn slaap. Samir deed een stap achteruit, ervan overtuigd dat ze zou schieten, struikelde en kwam naast Mahnaz op de bank terecht. Yasin zat aan de andere kant met zijn hoofd tussen zijn handen, ogenschijnlijk niet geïnteresseerd in wat er om hem heen gebeurde. Farima had haar mond vlak bij het oor van de Amerikaan gebracht. Ze fluisterde iets dat niemand verstond, maar het gevolg was wel dat hij zijn mond hield. Farima stond op. Er speelde een klein lachje rond haar lippen.

'We varen naar het midden van de haven. Daar eten we verder. Ik wil met mijn kinderen praten. Samir, bind hem vast.'

'En de politie?'

'De politie is pas belangrijk als ze er zijn', antwoordde Farima, 'first things first. Ik ken deze man uit Afghanistan, hij heet Borman. Hij is inderdaad van de CIA, maar mij kan dat niet schelen. En als het jullie wel kan schelen dan zal ik jullie tegenhouden.'

Ze wees met de loop van het pistool naar Samir. Hij stond haastig op, pakte een touw en begon de enkels van Borman vast te binden.

Ludde startte de motor, wachtte tot Mahnaz de trossen had losgegooid en voer naar het midden van de haven. Nadat hij de motor weer had uitgezet gooide hij het anker overboord, daalde de paar treetjes af naar de kombuis, legde zijn armen op het dak van de kajuit en keek om zich heen. De stilte die over de boot neerdaalde versterkte de gespannen sfeer die door de onverwachte agressiviteit van Farima was ontstaan, een manier van doen die niet bij haar uiterlijk leek te passen, maar die haar tegelijkertijd gemakkelijk leek af te gaan. Ze ging naast Yasin zitten die zijn ijsmuts tot vlak boven zijn ogen had getrokken en legde een arm om zijn schouders. Ludde verwachtte dat Yasin van zijn moeder weg zou schuiven omdat hij het verweer in het jongenslichaam zag, maar dat deed hij niet. De Amerikaan mompelde iets. Ludde draaide zich om, opende een kastje en pakte een strip paracetamoltabletten. Hij drukte er twee uit en gaf ze aan de man die zijn ogen had geopend en met een hernieuwd soort waakzaamheid om zich heen keek.

'Leg me uit wat je met Menkema van plan was, en waarom.'

Yasin antwoordde niet. Mahnaz wilde iets zeggen, maar haar moeder legde haar het zwijgen op. Ludde verdween naar binnen en pakte een flesje water dat hij aan de Amerikaan gaf. Farima pakte de kin van haar zoon en draaide die naar zich toe. Met haar andere hand trok ze zijn ijsmuts van zijn hoofd. Samir grinnikte toen hij de kortgeschoren hoofd-huid zag. Mahnaz keek strak voor zich uit.

'Geef antwoord', zei Farima, 'ik vraag je iets. Ik vraag niet naar ver-antwoording, ik vraag niet naar schuld. Ik vraag alleen informatie over wat je wilde doen, en waarom.'

'Ik wilde de dood van Dunya wreken', zijn ogen keken schuw opzij naar zijn moeder, 'en die van de anderen.'

Samir lachte zenuwachtig, maar hield daar gauw weer mee op toen hij de blik zag waarmee Yasin hem aankeek. Ludde was op het dak van de kajuit gaan zitten en keek nadenkend naar de punt van de boot, in gedachten verzonken sinds hij ergens in de verte het geluid van een si-rene had gehoord.

Farima trok het lichaam van haar zoon dichter naar zich toe.

*

De Audi stopte bij een politiebusje. De Geus stapte uit. Achter het glas van het busje zat een man druk te praten. Buiten tegen de openstaande schuifdeur stond een hengel. Tegenover de man zat een agent die op het toetsenbordje van een minicomputer zat te tikken.

*

'Je was van plan Menkema op te blazen of te ruilen tegen Al Hussaini, waarom?'

'Je weet best waarom. Dat zullen zij je wel verteld hebben', Yasin wees naar Mahnaz en Samir.

'Je hebt ongelijk zoon', zei ze, 'Menkema heeft daar niets mee te ma-ken. Dat zal ik je later wel uitleggen. Nu is daar geen tijd voor, de politie komt eraan.'

Yasin antwoordde door op te springen en op Ludde af te vliegen, die amper tijd had om zijn handen omhoog te brengen om zich te verdedi-gen.

*

De Geus keek voorzichtig om de hoek van het havengebouw. In het midden van het water lag de K5. Er klonk geschreeuw alsof er gevochten werd. Een vrouw gilde, een jonge vrouw zo te horen. Da Silva verscheen naast hem. Hij zette een kleine verrekijker aan zijn ogen.

'Ze zijn aan het vechten', zei hij, 'twee mannen. Er zijn er in totaal vijf. Drie mannen en twee vrouwen.'

'Wat doen we?'

'Wachten op versterking. Insluiten en oppakken', Da Silva gaf de verrekijker aan De Geus, 'kijk eens of je ze herkent.'

De Geus had aan een paar seconden genoeg.

'Een van die twee vechtende mannen is Ludde Menkema', hij balde zijn rechterhand onwillekeurig tot een vuist waarmee hij een kleine stompende beweging maakte, 'zo, die is raak. Menkema slaat die jongen zo met de achterkant van zijn hand op zijn mond. Die jonge vrouw die ze uit elkaar probeert te trekken zal Mahnaz Faghiri wel zijn.'

Da Silva stak zijn hand uit naar de verrekijker, maar De Geus weerde hem af.

'Wacht even, er is daar nog iemand. Kijk maar, daar zit iemand op het dek. Geen idee wie dat is.'

Da Silva pakte nu wel de verrekijker uit de handen van De Geus.

'Ik ook niet.'

Hij bleef kijken.

'Ze zijn weer gaan zitten. Mevrouw Faghiri is aan het woord.'

'Zie je wapens?'

'Ja. Zij heeft een pistool.'

'Doet ze er iets mee?'

'Ze houdt de loop naar beneden gericht. Die jonge jongen bloedt.'

Achter hen verscheen een politieman in uniform.

'De scherpschutters zijn aangekomen. Ze staan daar', de politieman wees naar de overkant, 'hier rechts aan het eind en hier waar jullie staan moet er ook nog iemand komen. Dus even aan de kant. We hebben een megafoon, maar die is eigenlijk niet nodig, ze liggen vlakbij. Ze zijn gewapend, een vrouw met een pistool. We moeten er rekening mee houden dat de anderen ook wapens hebben. Er ligt een man in de hoek van de kuip. We moeten eerst maar eens contact met ze leggen lijkt me.'

De Geus keek naar Da Silva.

'Wie leidt deze operatie?'

'Deze man hier, Terbracht heet hij. Ja toch?'

De politieman knikte. Da Silva wendde zich weer tot De Geus.

'Wat mij betreft doe jij zo het woord. Probeer ze zonder ellende van boord te krijgen.'

Terbracht knikte instemmend.

*

Samir zat met de cowboyhoed op zijn knieën. Yasin zat naast hem op de bank met zijn handen tegen zijn oren, alsof hij niet wilde horen wat er gezegd werd. Langs zijn polsen drupte bloed.

Mahnaz keek naar Farima.

'Gisteren zei je dat die aanval op ons huis in Afghanistan met de familie te maken had.'

Kennelijk wilde ze het gesprek tussen Yasin en haar moeder weer op gang brengen.

'Ja, het ging om ons geld.'

'Familie vermoordt elkaar niet.'

'Ik zeg alleen dat we als familie werden aangevallen.'

'Waarom dan?'

'Ze vonden dat wij als Faghiri's te rijk en te machtig werden.'

'Zijn we dan zo rijk?'

'Ja.'

'Hoe komen we dan aan al dat geld?'

'Dat verzamelen we al generaties lang. Door landbouw en handel.'

'En drugs.'

'Ik zei toch landbouw?'

'Papaver.'

'Ja, papaverteelt onder andere. Je kent de werkelijkheid niet meisje, ook al ben je een halve Faghiri.'

'Oh, nu zijn we ineens halve Faghiri's', Yasin tilde zijn hoofd op, 'en de Faghiri's vochten elkaar de tent uit om geld, en daarom is Dunya dood. Ik geloof er niets van. Papa zei iets heel anders.'

'Hij vergiste zich. Hij dacht dat elke Afghaan een nobele wilde was. Hij vond alles bij ons mooi. Maar zo is het niet. Bij ons…', Farima's blik zweefde even weg, '…bij ons is het net als overal. Er zijn goede en slechte mensen, en de meeste zitten daar tussenin.'

'Wat gebeurde er dan?'

Samirs ogen glinsterden.

'Ze vielen ons aan om onze macht te breken. Mijn vader, de grootvader van Yasin en Mahnaz, kwam daarbij om het leven. Ik erfde alles.'

'Dan zijn ze toen dus niets opgeschoten.'

'Nee, uiteindelijk niet. Het was ongetwijfeld hun bedoeling om ons allemaal te vermoorden, maar dat kwam er niet van omdat Jan ze tegenhield.'

'Hoe dan?'

Mahnaz nam het woord over.

'Dat verhaal ken je toch wel Samir? Hij liep naar buiten met de koran in zijn hand, en toen gingen ze weg.'

'Zo is het', zei Farima, 'overigens had hij de bijbel in zijn andere hand. Deze man was daar ook bij', ze wees naar Borman, 'en Al Hussaini ook. Dus als jullie een schuldige zoeken, daar ligt hij.'

Yasin keek op. Zijn stem klonk agressief.

'En hij gooide die handgranaat zeker ook. Ik geloof er niets van.'

Farima probeerde haar zoon aan te kijken, maar hij had zijn ogen op zijn bebloede handen gericht. Mahnaz keek met een weifelende blik naar Borman. Samir stuiterde van opwinding. Hij wilde een vraag stellen, maar kreeg de kans niet omdat Farima hem met een waarschuwende blik aankeek.

'Er valt nog veel meer te vertellen, maar nu heb ik haast. Ik verdwijn binnenkort, maar ik kom over niet al te lange tijd terug. Yasin, ik wil dat jij arts wordt. Mahnaz, ik wil dat jij leert om een organisatie te besturen.'

Yasin wilde protesteren, maar Farima pakte zijn kin en dwong hem haar aan te kijken.

'Jij moet weten dat de Faghiri's altijd ruimdenkend zijn geweest. Zowel als het om de wereld gaat, als als het om de hemel gaat.'

Samir zuchtte diep.

'Het lijkt wel een sprookje.'

Farima glimlachte.

'Ben jij een beetje slim?'

Mahnaz knikte.

'Hij is de beste van de klas. Hij blowt alleen.'

'Stop daarmee. Leer iets wat voor een kleine organisatie met veel geld nuttig is. Economie of zoiets. Dan zal ik zien of ik een plaats voor je heb.'

Samir kleurde. Yasin keek hem aan met afkeer in zijn ogen.

Ludde rechtte zijn rug.

'Het is tijd voor de praktijk van het leven', zei hij, 'we hebben bezoek.'

Hij wees naar het havengebouw waar een agent was verschenen die een kogelvrij vest droeg. Hij hield de loop van een geweer op de boot gericht.

Farima stond op, liep naar Ludde en zette het pistool tegen zijn hoofd.

'Jullie…', ze knikte naar de kinderen, '…jullie gaan het water in. Zwem naar de kant. Ze zullen je arresteren, maar ik zal ervoor zorgen dat jullie weer vrijkomen.'

Samir keek haar verdwaasd aan. Mahnaz begon zenuwachtig te giechelen. Yasin bleef stuurs naar het dek kijken. Farima richtte haar wapen en schoot. De kogel vloog een halve meter langs Yasin en verdween met een zingend geluid in het water. Hij sprong overeind en keek met open mond naar zijn moeder. Mahnaz stapte voorzichtig over de reling. Samir volgde haar nadat hij de cowboyhoed op het hoofd van de Amerikaan had gezet. Zijn ogen schitterden nog steeds. Even later lagen ze beiden in het water.

'En wat ga jij doen?'

Yasin had de reling vastgepakt.

'Dat gaat je eerst niet aan. Later misschien wel. Maar jij gaat nadenken. Denk als een Faghiri, laat het denken als een mullah aan de mullahs over. En nu gaan, of ik schiet je in je benen.'

Ze glimlachte toen ze dat zei, maar de klank van haar stem was overtuigend genoeg. Yasin liet zich in het water zakken.

'En ik?', vroeg Ludde, 'ik ben weer de klos begrijp ik?'

'Jij bent mijn stem de komende uren…', Farima's toon was nu minder vastberaden, '…en mijn verzekering.'

'Waarom zei je niets over dat dagboek tegen Yasin?'

'Omdat dat voor hem niet nuttig is om te weten.'

Ze keken toe hoe Mahnaz uit het water klom, gevolgd door Samir en Yasin. Ze hielden hun handen boven hun hoofd.

De Geus keek naar de drie druipnatte kinderen. De scherpschutter naast hem hield de loop van zijn wapen stoïcijns op de jongen gericht die vooraan liep. Een klein opdondertje, gevolgd door een meisje dat verwarrend mooi was, wat nog geaccentueerd werd doordat haar natte kleren tegen haar lijf plakten. Achter haar liep een jongen met een kaalgeschoren hoofd waarlangs een stroompje waterig bloed liep. Hij hield zijn ogen op de grond gericht. Da Silva wreef zich in zijn handen.

'Het succes begint', mompelde hij, 'de arrestanten komen als jonge vogeltjes aanvliegen en landen zo in ons kooitje.'

De Geus keek opzij.

'Ben je in de leer voor stadsdichter? Ons grootste probleem blijft aan boord zo te zien.'

'Het moet ergens beginnen. Elk succes begint met kleine stappen. Streef niet naar het beste, wees tevreden met het goede.'

219

De Geus had geen idee wat hij moest antwoorden en richtte zijn aandacht op de eerste jongen die een eindje voor de loop van de scherp-schutter was gestopt en onzeker naar De Geus keek.

'Een voor een naar me toe lopen.'

Da Silva fouilleerde de jongen en gaf hem toen over aan een agent die hem handboeien omdeed en wegleidde. Een agente dook op. Ze voerde Mahnaz af.

Toen Yasin aan de beurt was stapte De Geus naar voren. Zijn handen gleden over de zijkanten van het jongenslichaam. De binnenkant van de dijen, de heupen, de ruimte onder de oksels, de jas. Er was niets te vinden.

'Jij bent Jan van der Veen?'

De jongen keek hem aan.

'Nee, ik heet Yasin.'

'Goed', antwoordde De Geus, 'wie zitten er nog aan boord?'

De jongen antwoordde tot zijn verbazing direct, terwijl er enige trots in zijn stem doorklonk.

'Mijn moeder. Ze houdt daar twee mannen gevangen. Ludde Menkema, een moordenaar. En een man die zegt dat hij een CIA-agent is. Hij probeerde mijn moeder te ontvoeren.'

Da Silva had met belangstelling geluisterd. Nadat Yasin naar het busje was gebracht stootte hij De Geus aan.

'Dat van die CIA-agent moet ik uitzoeken.'

Hij begon in zijn tasker te praten.

De Geus richtte zijn aandacht weer op de boot. De man lag er nog steeds. Ludde Menkema stond bij het roer. In het gangetje naar de kom-buis was vaag de figuur van Farima Faghiri te zien.

Da Silva kwam terug.

'En?'

'Het wordt uitgezocht.'

'Je zou Ludde kunnen oproepen op zijn marifoon.'

'Dat doen we. Kijken hoe ze het spelletje verder willen spelen.'

'Ze? Zij zal je bedoelen, ze houdt een pistool op Menkema gericht, vergeet dat niet.'

'Mag ik gaan zitten?'

Ludde keek naar Farima die nog steeds in het gangetje bij de kombuis stond. Ze knikte.

'Sorry.'

Ludde probeerde te lachen, maar dat ging hem moeilijk af.

'Ach, ik ben het intussen gewend dat de Faghiri's me laten doen wat zij willen.'

Hij liep naar de achterkant van de kuip en ging zitten.

'Wat is de bedoeling verder?'

'Ik denk dat ze zo wel contact zullen opnemen. Jij moet het woord voor me doen.'

'En welk woord moet ik voor je doen?'

'Ten eerste moet je ze duidelijk maken dat ik je gegijzeld heb.'

'Ja. Waarom eigenlijk? Heb jij ook iets met mij af te rekenen?'

'Nee. Ik heb je nodig om hier weg te komen. Jij bent mijn wisselgeld. We gaan zo de zee op als je het niet erg vindt.'

Ludde legde zijn armen naast zich op de reling en schoof zijn lichaam onderuit.

'En hij daar?'

Ludde knikte in de richting van de Amerikaan.

'Die laten we daar gewoon liggen.'

'Hij ligt me in de weg als ik moet sturen. Bovendien is het een man die hulp nodig heeft.'

Farima lachte schamper.

'Hij wilde me vermoorden. Hij hielp mee om mijn vader te vermoorden. Misschien was hij het die die handgranaten gooide. Ik heb geen medelijden met hem. Laat hem maar creperen wat mij betreft.'

'Laten we hem dan maar binnen op het bed leggen.'

'Menkema lijkt actie te ondernemen.'

Da Silva liet zijn verrekijker zakken.

'Die vrouw staat nog steeds beneden. Wanneer is die marifoon beschikbaar?'

Hij keek ongeduldig naar de man in uniform die schuin achter hem stond.

'U kunt ook gewoon hiervandaan met ze praten, zo ver is het niet.'

'En dan de hele buurt laten meegenieten, dat schiet niet op. Hé, Menkema tilt die man op. Die heeft pijn zo te zien.'

De Geus grinnikte.

'Je verrekijker heb je dus ook niet nodig. Ik denk dat hij zo gaat varen.'

'Varen?'

Da Silva zette zijn verrekijker weer voor zijn ogen.

'Varen? Waarheen? We kunnen hem niet gewoon weg laten gaan.'

'Je zult wel moeten. Als zij Menkema gijzelt houdt het op.'

De politieman tikte op de rug van Da Silva.
'De marifoon is er. U kunt hem oproepen.'

Farima wachtte tot Ludde een stap opzij had gedaan en controleerde toen de touwen waarmee de Amerikaan was vastgebonden.
'Je bent echt bang voor hem zo te zien.'
'Hij heeft pas geleden op me geschoten.'
'Op je geschoten?'
'In Turkmenistan, op weg hiernaartoe.'
'Ja dat zei je. In Turkmenistan. Oké, aan avontuur geen gebrek de laatste tijd. Het is dus een echte CIA-man?'
'Ja. In Afghanistan werkte hij tussen de Afghaanse regering en het verzet in, maar iedereen wist dat hij een Amerikaanse agent was.'
'Dan hebben we een probleem.'
'Jij niet. Ik dwing jou, weet je nog...', ze richtte haar pistool op Luddes middenrif, '...misschien is het verstandig dat je je daarnaar gedraagt, zeker waar hij bij is. Wat is dat voor geluid?'
'Mijn marifoon.'
'Marifoon?'
'Een telefoon voor de scheepvaart. De politie ongetwijfeld.'
'Neem maar aan dan.'
'Wat zeg ik tegen ze?'
'Dat je zo naar zee gaat. Dat ik jou en een jou onbekende man onder schot heb. Dat je niet anders kan.'
'En als ze jou willen spreken?'
'Dan zeg je dat ik daar op dit moment geen zin in heb.'

De Geus stak zijn hand omhoog toen Ludde op een meter of drie langsvoer. De zon was ondergegaan. Bij het busje stond Yasin met glinsterend folie om zijn lichaam gewikkeld. Zijn gezicht was schoongemaakt.
Ludde probeerde te kijken zoals iemand kijkt die onder schot wordt gehouden, maar op de een of andere manier had hij toch het idee dat De Geus heel goed wist hoe de situatie in elkaar stak.
'Waar ga je heen?'
'Waar zij me naartoe stuurt...', Ludde knikte in de richting van de kajuit, '...op dit moment houdt ze een pistool op mijn kruis gericht.'
Farima zei iets vanuit het donker van de kajuit.
'Ze zegt dat ik mijn mond moet houden.'
De Geus knikte.
Da Silva deed een stap naar voren.

'Die man die jullie daar hebben is een collega van me. Zorg ervoor dat hem niets overkomt.'

Ludde antwoordde door met zijn vinger naar zijn voorhoofd te wijzen. De boot verwijderde zich en werd al snel een schim in de toenemende duisternis.

'Waarom wijst hij nou op zijn voorhoofd?'

Da Silva keek vragend naar De Geus.

'Misschien omdat je tegen een man die onder schot wordt gehouden zegt dat hij verantwoordelijk is voor zijn medegevangene? Of dat je tegen hem praat terwijl hij net heeft gehoord dat hij zijn mond moet houden?'

Da Silva snoof minachtend.

'Wat een gelul. Ze wil de zee op. Daar heeft ze hem voor nodig, dus schiet ze hem heus niet neer.'

'En dat risico bepaal jij.'

'Ja, dat bepaal ik.'

Da Silva draaide zich om en liep met een zware frons in zijn voorhoofd weg terwijl hij naar de politieman gebaarde dat die met hem mee moest komen.

De Geus liep achter hen aan. Toen hij Da Silva had ingehaald hield hij hem tegen.

'Die man aan boord is dus inderdaad van de CIA begrijp ik?'

Da Silva's frons was alweer verdwenen.

'Ja. Dat joch had gelijk. Het is een Amerikaan. Zijn ambassade staat voor hem in.'

De K5 draaide naar links, de waterweg op die uiteindelijk naar zee voerde. De Geus keek vragend naar Da Silva die druk met een politieman stond te praten. Da Silva keek opzij.

'Ik heb al een boot geregeld, we gaan zo achter ze aan.'

*

Ludde staarde naar de patrouilleboot van de marine die hem op een kleine vijftig meter volgde. Hij pakte de marifoon.

'Blijven jullie wel uit de buurt? Ik heb geen zin om doodgeschoten te worden.'

'We blijven uit de buurt. Waar ga je heen?'

'Geen idee. Ik ga ervanuit dat jullie niets uithalen onderweg, met mij als te verwaarlozen risicofactor.'

Farima dook op uit het binnenste van de boot. Ze tilde haar pistool op en zette de loop tegen Luddes hoofd, terwijl ze haar lichaam zo draaide dat Ludde tussen haar en de politieboot in kwam te staan.

'Leg neer', zei ze dreigend, 'nu onmiddellijk, of ik schiet. Vertel ze dat ze meer afstand moeten houden.'

'Nou, je hoort het.'

Ludde legde de hoorn neer.

Achter hen zakte de marineboot verder af.

*

'Er komt zo hoog bezoek.'

Da Silva klapte zijn tasker dicht.

'Wie?'

'Mijn baas en iemand van de Amerikaanse ambassade. Daar komen ze aan.'

Da Silva wees op het zijraam. Een muur van helverlicht water schoot op hen af. Toen De Geus beter keek zag hij door het opspattende schuim het geel en rood van een rubberboot die over de golven op hen af danste.

'Die jongens hebben er plezier in zo te zien.'

De boot zwiepte om zijn lengteas toen hij vaart minderde. Er stapte een man over de reling die dat duidelijk vaker had gedaan.

'Die vrouw achter hem is mijn chef, je hebt haar ontmoet op onze receptie.'

Da Silva wees. De Geus knikte, maar hij keek intussen naar de K5 die rustig haar weg vervolgde. De donkere schim van Ludde Menkema stak af tegen de donkerblauwe avondhemel.

'Die man trekt altijd moeilijkheden aan', mompelde hij.

Da Silva wees naar de deur.

'En die kop daar belooft ook niet veel goeds.'

Er kwam een man binnen die oplettend rondkeek terwijl hij opzijging om Da Silva's chef te laten passeren. Zij liep direct op Da Silva af en fluisterde iets in zijn oor. De Geus bleef staan waar hij stond. Hij keek pas om toen hij op zijn schouder werd getikt. Da Silva stond naast hem.

'Hij wil kennismaken.'

De Geus stak zijn hand uit en noemde zijn naam.

De man antwoordde met een stem waarin een scherp Amerikaans accent doorklonk.

'Devries. My ancestors were Dutch. Koetenafend.'

'Goedenavond.'

De kleine vrouw kwam bij hen staan.

'U kent mij nog wel naar ik aanneem', zei ze, terwijl ze naar De Geus opkeek, 'Tera Vrijman, Da Silva's chef om het zo maar uit te drukken. We zijn hier om de zaak te coördineren. En om onze Amerikaanse collega van dienst te zijn. Laten we Engels praten vanaf nu', ze voegde de daad bij het woord, 'please tell us what you know.'

Haar Engels klonk alsof ze op een dure kostschool in Engeland had gezeten, wat misschien ook wel zo was.

Jochen da Silva antwoordde, hoewel ze de vraag aan De Geus had gesteld.

'De situatie is als volgt: voor ons op die boot', hij wees naar buiten waar nog vaag het silhouet van de K5 te zien was, 'bevinden zich drie personen. Twee mannen en een vrouw. Zij is Farima Faghiri, de vrouw van Jan van der Veen waar we die afspraak mee hadden. Ze heeft een pistool. De man die aan het roer staat is de eigenaar van de boot, Ludde Menkema, de man die in Rotterdam door die jongelui werd vastgehouden, en nu dus door hun moeder. De derde is een Amerikaanse collega, maar daar zal meneer Devries wel meer van weten. We denken dat hij gewond is, maar hoogstwaarschijnlijk niet ernstig.'

'How do you know that?'

Devries was naast Tera Vrijman gaan staan. Ze waren ongeveer even lang.

'Omdat we geen bloed zagen. Bovendien tilden ze hem naar binnen. Dat doe je niet als iemand zwaargewond is.'

'Ze tilden hem naar binnen?'

'Ludde Menkema onder dwang van een pistool.'

'Waarom hebben jullie haar niet neergeschoten? Die kans moet je gehad hebben.'

'We schieten hier niet zomaar iemand neer.'

Tera Vrijman keek Devries met een zuinig lachje aan dat hij even zuinig beantwoordde.

'Ja, dat weet ik. Dat was een van de redenen dat mijn voorouders gingen emigreren. Je hebt geen recht om jezelf te verdedigen in dit land.'

Hij liep naar het raam.

'Dus om dat speelgoedbootje gaat het.'

'Ik begreep dat u weet waar ze heengaan?'

'Ja, de zee op', antwoordde Devries zonder om te kijken, 'waar ze een ontmoeting heeft geregeld met iemand van de Orkney-eilanden zoals ik u al vertelde mevrouw Vrijman. Bent u er al achter wie dat is?'

Tera Vrijman schudde haar hoofd.

'Nee', zei ze, 'nee, we hebben nog steeds geen idee. Farima Faghiri stuurde die berichten naar een openbare computer in een café waar iedereen gebruik van kan maken.'

De kleine ambassademan snoof luidruchtig.

'Wij willen twee dingen, wij, het Amerikaanse volk, wij willen onze collega terug en wij willen het dagboek van die vrouw, Mrs Vandervien. Haarzelf kunt u houden, en haar kinderen ook.'

Da Silva trommelde met zijn vingers op het hout van de bank waarop hij was gaan zitten.

'Hebben haar kinderen nog iets tegen de politie gezegd?'

Tera Vrijman antwoordde in het Nederlands.

'Nee. Niets dat we al niet wisten. Ze wilden wraak nemen op Menkema of zoiets. Dat Farima Faghiri hier is heeft mij wel verrast. Ik had nooit gedacht dat die het in haar hoofd zou halen om in haar eentje hierheen te komen. Wat mij betreft gaan de afspraken die we met haar en haar man gemaakt hebben gewoon door, wat onze vriend hiernaast ook zegt.'

Devries sloeg met een vuist in de palm van zijn hand.

'It is very impolite to talk Dutch to each other in my presence.'

'I'm sorry, it's my habit to speak Dutch you know. Don't you remember any words in Dutch?'

Tera Vrijman glimlachte lief.

*

'We kunnen niet in het donker de zee op.'

'Waarom niet?'

'Omdat de Noordzee daar te druk voor is. Dit is een klein bootje. Ik wil niet verdrinken omdat er iemand over ons heen vaart.'

'Wat gaan we dan doen?'

'We overnachten op de Razende Bol. We laten ons daar droogvallen en wachten de dag af.'

'Wat is dat? Droogvallen op de Razende Bol?'

'De Razende Bol is een zandplaat een eindje verderop. Voor het eb wordt varen we ernaartoe, en als het water dan zakt kom je op de bodem te liggen.'

Farima Faghiri knikte bedachtzaam.

'Daar heeft Jan me over verteld. Doe maar.'

Ludde liet de K5 afzakken. Boven de boot cirkelde een helikopter.

'Ik denk dat jij de nacht hier in de kuip door zal moeten brengen. Er liggen dekens onder de bank.'

'En jij?'

'Zeg jij het maar, jij bent hier de baas.'

'Als je bij Borman slaapt zal ik je vast moeten binden. Anders bevrijd je hem. Dat zou in elk geval van je verwacht worden.'

'Inderdaad. Naast het dreigen met wapens houden jullie ervan mij vast te binden. De Faghiri's hebben al heel wat tijd van mij gestolen, dat kan ik je wel vertellen.'

'Dan blijf jij toch ook hier in de kuip? Hoe lang duurt het nog voor we er zijn?'

'Een uurtje.'

'Kun je de marifoon gebruiken om die helikopter op te roepen?'

Ludde drukte op een knop en gaf de marifoonhoorn aan Farima.

Het duurde maar een paar seconden voor ze de stem van De Geus hoorden.

'Dag Ludde, wat is er?'

'I'm not Ludde. Die helikopter moet weg. Zo niet, dan schiet ik die huurmoordenaar van jullie neer.'

*

'Als ze stilliggen kunnen we ze pakken.'

Devries wreef zich in zijn handen.

'Hoe dan?'

'We gooien een granaat aan boord, traangas. Een hoop herrie. Duikers die naar boven komen.'

'Ze vallen droog. Zonder water geen duikers.'

'Wat is dat, droogvallen?'

'Het water trekt weg met het tij. Dan liggen ze zeg maar in het midden van een zandvlakte. Daar kom je niet bij, als ze oplet tenminste. En dat zal ze wel doen.'

'Die Menkema, aan welke kant staat die?', Devries keek naar De Geus, 'jij bent een vriend van hem, begreep ik?'

'Een goede kennis. Zij heeft het wapen, dus hij doet wat zij zegt.'

'Hij is toch de man die Al Hussaini gepakt heeft? Hoort hij bij jullie dienst?'

Da Silva antwoordde.

'Nee, Menkema hoort niet bij ons. Dat met Al Hussaini was ook alleen maar stom geluk.'

De Geus wilde reageren, maar Devries was hem voor.

'Als er een man bij ons werkt die vaak stom geluk heeft, dan geven we hem promotie.'

De deur van de stuurhut ging open. Tera Vrijman kwam binnen. De Geus geeuwde.

'Zal ik ze nog een keer oproepen? Kijken of ze wakker zijn? Misschien krijg ik nog iets uit ze los.'

'Ga je gang.'

De Geus liep naar de apparatuur in de hoek. Een jongeman in uniform gaf hem een hoorn. Aan de andere kant van de lijn klonk de vermoeide rauwe stem van Farima Faghiri.

'What do you want?'

Ze luisterde even naar het moeizame gehakkel van De Geus die eigenlijk niet wist wat hij moest vragen.

'Shut up. Leave me alone.'

De verbinding werd abrupt verbroken. De Geus spreidde zijn armen.

'Slecht getimed, sorry.'

'Slecht uitgevoerd', mompelde Da Silva.

De Geus boog nederig zijn hoofd. Intussen dacht hij aan de lach van Ludde Menkema die hij op de achtergrond had menen te horen, vlak voordat Farima Faghiri de hoorn had neergelegd. Als Ludde lachte op het moment dat Farima Faghiri hem stond af te bekken, wat zou dat dan betekenen?

Hij besloot die vraag voor zich te houden.

*

Ludde zat tegen de rand van de kuip met Farima naast zich. Ze had het pistool neergelegd. Ludde wreef met zijn duim en wijsvinger aan weerskanten van de brug van zijn neus. Hij voelde zich moe, erg moe. Farima's hoofd zakte langzaam opzij en kwam tot stilstand op zijn schouder. De wind waaide met een zacht geluid langs de mast. Na een kwartiertje schrok Farima op. Ludde keek opzij.

'Als ik had gewild had ik je pistool allang van je af kunnen pakken.'

'Wie weet was je dat tegengevallen.'

'Wie weet. Wat wil je eigenlijk bereiken?'

'Vrijheid denk ik', antwoordde ze, 'ik wil mijn eigen leven leiden.'

'Als dat betekent dat je je land niet meer in kan dan zal je dat niet meevallen. Je land ligt als je vel over je lijf. Dat heb ik wel gemerkt toen ik uit die Franse gevangenis kwam. Toen ik weer in Nederland was heb ik staan janken.'

Farima's blik kruiste de ogen van Ludde. Hij glimlachte.

'Heb je gezien dat het water weg is?'

Ze knikte.

'Zoals Jan vertelde. Het water stroomt weg. Er ontstaat een gevoel van vrijheid, door de ruimte om je heen, dat zei hij. Maar ik merk er niets van. Ik hou niet van stilstand.'

'Waar hou je wel van?'

Farima zette haar handen naast zich op het dek.

'Ik hield van jou, toen, met die kus...', ze bleef voor zich uit kijken, '...maar ik denk dat dat niet wederzijds was.'

'Die kus was voor jou een eerste stap om weg te komen uit Afghanistan. Die was niet voor mij bedoeld. Ik ben daar niet geschikt voor.'

'Die kus was de kus van een verliefd meisje. Verliefd op een mooie man die rook naar ver weg. Verliefd op iemand die vrij was...', ze aarzelde, '...dus misschien heb je wel gelijk.'

Ze zwegen. De zandplaat maakte slurpende geluiden terwijl het laatste water wegtrok. In de geul was de schim te zien van de door de eigen boordlichten beschenen patrouilleboot.

'Waarom leef jij zoals je leeft?'

'Hoe bedoel je?'

'Zonder vrouw, zonder kinderen.'

'Omdat dat zo liep.'

'Of omdat je niet wilde. Of niet kon. Ik bedoel, ik leef zoals ik leef uit noodzaak. Ik was graag gelukkig geweest, vrij, met een gezin, in mijn eigen land. Jij hebt een eigen land. Jij hebt geen noodzaak. Waarom leef jij zoals je leeft? Uit overtuiging?'

Ludde dacht een tijdje na voor hij antwoordde.

'Ook uit noodzaak denk ik. Innerlijke noodzaak. Niet anders kunnen.'

'Dan zou ik het onvermogen noemen. Niet anders kunnen dan je doet is onvermogen. Dan ontbreekt er iets, of er zit iets in de weg.'

Ludde wachtte een tijdje voor hij antwoordde.

'Als er al iets aan mij ontbreekt heb ik er geen last van. En al had ik dat wel, wat maakt het uit? Op een dag voel je pijn en dan blijkt het kanker te zijn. Wie is die man beneden?'

'Zoals ik al zei. Ik ken hem uit Afghanistan. Hij is me gevolgd.'

'En wat wil hij?'

'Het dagboek van Jan. En mijn leven.'

'Waarom?'

'De Afghanen willen dat boek omdat ze denken dat er dingen instaan die ze geheim willen houden. De Amerikanen willen dat boek om dezelfde reden. Wij hebben het aan de Nederlandse regering aangeboden in ruil voor een vrij leven. Voor mij en voor mijn kinderen.'

'En staat er in dat boek wat ze denken dat erin staat?'

'Dat weet ik niet. Het is in het Nederlands.'

'En waarom moet jij sterven?'

'Dat heeft te maken met het geld van de Faghiri's.'

'Dus die man beneden is een huurmoordenaar.'

'Zo zou je hem kunnen noemen. Hij werkte vroeger al samen met Al Hussaini. Dat jij het nou juist moet zijn die die man gepakt heeft. Onder meer vanwege dat soort toeval vertrouw ik op de hemel.'

'Meer geluk dan wijsheid ben ik bang.'

Ludde voelde de kou zijn lichaam binnentrekken. Hij stond op, liep naar de dekkist en haalde twee matrasjes en een aantal dekens tevoorschijn.

'Ik ga slapen. Ga je me je plannen voor morgen nog vertellen?'

'Nee.'

'Was die kus ook de reden dat Jan niet zo aardig voor me was toen ik bij jullie op bezoek was?'

'Ik denk het.'

Ludde had de matrasjes neergelegd en de dekens uitgespreid.

'Geloof jij in een God?'

Farima keek hem verwonderd aan.

'Natuurlijk', zei ze, 'wie niet in een God gelooft is niet goed bij zijn hoofd.'

'Dan ben ik niet goed bij mijn hoofd.'

Farima glimlachte.

'Morgen gaan we zeilen', zei ze, 'ik wil ooit eens gezeild hebben.'

*

'Het is wel een landgenoot van me daar op die boot', Devries leunde met zijn hoofd tegen het schuin naar buiten overhellende raam terwijl hij in het donker staarde, 'als ik hier de baas was zou ik hem eraf halen.'

De Geus reageerde niet. Da Silva keek naar Tera Vrijman. Klaarblijkelijk vond hij dat zij moest antwoorden.

'Het is vrijwel onmogelijk om dat te doen.'

'Waarom?'

'Omdat die boot zoals gezegd op een vlakte ligt. Je komt er niet ongezien bij.'

Devries duwde zich met zijn hoofd af van het raam en draaide zich om.

'Volgens mij willen jullie het gewoon niet.'

'Misschien.'

'Het is ook nog stervensdonker', Da Silva mengde zich in het gesprek.

Devries liep naar hem toe.

'Gaat jullie man aan boord nog iets doen?'

'Ik zei al, dat is geen man van ons. Die Afghaanse houdt hem gevangen. Haar kinderen vertelden overigens dat jouw collega probeerde om haar te vermoorden. En hij was gewapend, in ons land.'

Het antwoord van Devries klonk hautain.

'En wat dan nog? Dat is toegestaan.'

'Niet bij mijn weten', Tera Vrijman was naast hen gaan staan, 'zeker niet als hij zo onbekwaam is dat hij zijn wapen verspeelt. Wat wilde hij met haar?'

Da Silva ging nieuwsgierig rechterop zitten. Devries leek weinig zin te hebben om te antwoorden.

'Ik weet het niet. Onze agenten bepalen zelf hun tactiek, als ze het uiteindelijke doel maar in de gaten houden', hij liep weer terug naar zijn plek bij het raam, 'dat horen ze zelfs te doen.'

'Of je wilt het niet zeggen.'

'Ik ben zo open als een kind. Geldt dat ook voor jullie?'

'Natuurlijk.'

'En waarom kon mevrouw Faghiri dan jullie land binnenkomen zonder dat jullie haar oppakten?'

Tera Vrijman keek waarschuwend naar Da Silva voor ze antwoordde.

'We wisten niet dat ze kwam.'

'Mijn inlichtingen zijn anders. Volgens mijn inlichtingen had jullie ambassade in Kabul al contact met haar.'

'Natuurlijk, ze is getrouwd met een Nederlander.'

'Was', zei Da Silva, 'was getrouwd, hij is dood.'

Devries reageerde verrast.

'Wat zei je? Is die overloper van jullie dood?'

'Die is dood', antwoordde Da Silva, 'en dat wist je allang. Je acteert slecht.'

'Hoe zou ik dat moeten weten?'

'Ik neem aan dat je daar tientallen manieren voor hebt. Het zou me ook niet verbazen als jullie hem een beetje geholpen hebben met dat doodgaan.'

Devries keek verongelijkt.

'We hebben een veel slechtere reputatie dan we verdienen. We zijn een democratie weet je. We hebben een zwarte president gehad, en nu hebben we een vrouw.'

'Wat heeft dat ermee te maken?'

'Dat wij de modernste democratie van de wereld zijn. Wij vermoorden niet zomaar onderdanen van bevriende naties', Devries probeerde minzaam te kijken, 'weet je, ik ga even slapen', hij liep naar de deur aan de achterkant van de stuurhut, 'over een uur of vier kunnen we weer varen toch?'

Hij deed de deur open maar draaide zich om voor hij naar buiten stapte.

'Mijn inlichtingen zeggen ook dat jullie een afspraak hadden. Over dat dagboek.'

Tera Vrijman keek hem blanco aan.

'En omdat jullie dat dachten probeerden jullie ons voor te zijn, zoiets?'

Devries stapte de deur uit zonder te antwoorden. Da Silva grinnikte. De Geus deed zijn ogen open.

*

Yasin draaide zich om op het dunne matrasje dat de kou van het betonnen bed nauwelijks tegenhield. Hij sliep niet. Gedachten tuimelden over beelden heen, beelden die tot zijn ergernis als refrein de borsten van het meisje in Amsterdam hadden. Hij had gebeden, wat hem even rust had gegeven, duidelijkheid ook. Dat hij moest doorgaan met waar hij aan begonnen was. Zonder zijn zus, zonder Samir, zonder zijn moeder. Hij wilde geen arts worden. Hij wilde rechtvaardigheid. Maar dan kwamen die borsten weer, en ook het gezicht van zijn moeder, die hem had aangekeken alsof hij een klein kind was dat nog niets wist. Zijn vader, die zou trots op hem zijn geweest. Hij dacht aan Dunya die vermoord zou zijn door familie of zoiets. Dat kon niet waar zijn. Hij draaide zich weer om, ditmaal op zijn rug. Hij wilde slapen. Er viel gedempt licht door het raampje boven in de muur. Ergens buiten klonk heel vaag het gejubel van een vogel.

*

Ludde werd wakker van het gefluit van een stag in de wind. Hij voelde het gewicht van Farima's hoofd op zijn borst, haar rechterarm lag over hem heen. Hij strekte zijn benen. Farima werd wakker. Ze keek naar de man naast haar, tuitte haar lippen en gaf hem een zoen op zijn wang. Het prikte. Hij kuste haar terug. Daarna lagen ze stil naast elkaar naar de opklarende grauwe lucht te kijken totdat ze de eerste golfjes tegen de boot hoorden slaan.

*

De Geus stond met een verrekijker voor het hoge raam van de stuurhut. Devries stond naast hem.

'Wat doen ze?'

'Zij staat naast het roer, met het pistool in haar hand. Menkema staat er zo'n beetje bij.'

De Amerikaan tikte met zijn knokkels op het namaakhout van het instrumentenpaneel.

'Waar zijn je collega's?'

'Die zullen nog wel slapen.'

Het was een tijdje stil, alleen de aanwezigheid van de door de ruimte drentelende stuurman zorgde voor enige onrust. De Geus bleef door de verrekijker naar de K5 kijken. Devries staarde naar buiten zonder dat hij daadwerkelijk iets in zich op leek te nemen.

'Zij staat nog waar ze staat', De Geus zette zijn verslag voort, 'hij maakt aanstalten om te vertrekken.'

'Het blijft me onduidelijk wat de rol van die Menkema van jullie nou precies is.'

De Geus hoefde niet te antwoorden omdat de toegangsdeur van de stuurhut openging.

'Daar heb je de rest van de bemanning', zei hij, 'nu kunnen we in actie komen.'

Da Silva en Tera Vrijman liepen naar hen toe.

'Is er iets gebeurd?'

Tera Vrijman drukte haar gezicht zo dicht mogelijk tegen het glas en bracht haar handen naast haar ogen.

'Ze gaan zo zeilen, moeten wij ook niet iets gaan doen?'

'Die jongen daar bedoel je', De Geus wees op de jonge marineman die bij het stuurwiel was gaan staan, 'die moet iets doen lijkt me.'

De stuurman pakte een zwarte hoorn van het instrumentenpaneel en wisselde enkele woorden met een onzichtbare gesprekspartner. Even later kwamen twee mannen en een vrouw binnen die verschillende posities in de ruimte innamen. Een licht getril trok door de boot. Schuin voor hen, aan stuurboord zeilde de K5, vrijwel voor de wind, in de richting van de Noordzee. Achterop zagen ze Farima die haar haren los had gemaakt. Bij het roer stond Ludde Menkema.

*

Ludde keek naar het navigatiescherm waarop hij de coördinaten die hij van Farima had gekregen had ingetikt. Hij koerste iets naar stuurboord waardoor de K5 schever kwam te liggen. Farima leunde tegen de rand van de kuip en probeerde haar lange haren naar achteren te gooien wat mislukte omdat de wind ze steeds weer hardnekkig naar voren blies, waarop ze haar handen achter haar hoofd bracht, de zwarte strengen tot een knot draaide en die vastlegde met een speldje dat ze ergens vanuit haar kleren tevoorschijn toverde. Ze keek naar Ludde.

'Laat eens een klapgijp zien?'

'Een klapgijp?', Ludde keek haar verbaasd aan, 'hoe kom je nou bij een klapgijp?'

'Daar had Jan het over. Zeilen was het mooiste dat er was, maar je moest altijd uitkijken voor de klapgijp.'

'Je moest altijd uitkijken voor de klapgijp', herhaalde Ludde, 'dat klopt wel ja. Weinig last van klapgijpen in Afghanistan denk ik. Miste Jan het zeilen?'

Farima knikte.

'Vooral op het laatst toen hij erg ziek was ging hij steeds meer dingen missen. Wat is een klapgijp?'

'Een soort walvis.'

'Laat maar eens zien dan, die walvis.'

*

'Hij koerst inderdaad op de coördinaten die Devries aan ons heeft doorgegeven', zei De Geus.

'En wat doen ze nu dan?', Da Silva wees naar de K5 die steeds verder afviel, 'als hij niet uitkijkt krijgen ze zo de giek tegen hun hoofd.'

De K5 was steeds meer voor de wind komen te liggen. Het zeil stond over bakboord. De vrouw was op de bodem van de kuip gaan zitten waardoor haar hoofd nog maar nauwelijks zichtbaar was.

'Als ze nog verder draaien krijgen ze een klapgijp.'

'Menkema zal wel beter weten lijkt me.'

'Toch niet zo te zien, hup daar gaat ie.'

Het zeil vloog ineens van bakboord naar stuurboord. De Geus sloeg als een kind een hand voor zijn mond maar lachte even later opgelucht toen hij Ludde ongedeerd bij het roer zag staan.

'Hij is op tijd weggedoken', constateerde hij, 'en zij zat zo laag mogelijk in de kuip. Volgens mij deed hij het expres.'

'Waarom zou hij dat doen?'

'Geen idee.'

'Ze maken zo samen niet echt de indruk van gegijzelde en gijzelnemer.'

'Gijzelaar en gijzelnemer heet dat toch?'

'Nee, zij houdt hem gegijzeld, dus hij is de gegijzelde, en zij...'

Da Silva werd onderbroken door De Geus.

'Ik geloof je wel. Ik denk dat ik ze maar weer eens ga oproepen.'

Hij pakte de marifoon nadat hij vragend naar Tera Vrijman had gekeken en zij toestemmend had geknikt. Devries drentelde dichterbij.

'Speak English please', zei hij.

Tera Vrijman knikte nog een keer.

*

Toen de marifoon overging stopte Ludde met het uitleggen van de theorie achter de klapgijp, en het gevaar van een dergelijke gebeurtenis.

'Dat zijn ze, zal ik opnemen?'

Farima knikte.

'Aan het spelen?'

Ludde hoorde de stem van De Geus.

'Gewoon een kleine koersverlegging op verzoek van de kapitein', antwoordde hij.

'Ik dacht dat jij je eigen kapitein was. Het zag er allemaal niet erg professioneel uit wat je daar aan het doen was.'

'De dame heeft een pistool, dus ik doe maar wat ze zegt.'

'En zij zei dat je een klapgijp moest uitlokken.'

'Nee, dat was een ongelukje.'

Hij keek opzij naar Farima die naast hem was komen staan.

'Speak English please', zei ze.

'Ik moet Engels praten van haar.'

'Ik ook van mijn Amerikaanse collega.'

'Okay, let's speak English. Where are you heading for?'

235

Ludde wees op het scherm waar de eindcoördinaten in een rustig tempo knipperden en keek vragend naar Farima. Toen ze knikte noemde hij de getallen op.

*

'Dat is dus exact de plek die Devries noemde', zei De Geus, 'wat is jullie inzet?'

Hij keek naar Tera Vrijman die net haar mobiele telefoon had neergelegd.

'Wat bedoel je?'

'Wat wil je bereiken? Wil je Farima Faghiri gevangennemen? Of wil je alleen haar boek? Wat doen we met onze Amerikaanse vriend? Wat wil je met Menkema?'

*

'Wat is de bedoeling straks, met dat onderhandelen?'

Ludde keek naar Farima die ogenschijnlijk ontspannen op het bankje naast hem zat. Het pistool lag in haar schoot. Ze zei niets. Ludde keek weer voor zich. De golven op de Noordzee waren regelmatig en rustig, op en neer gaande grauwe heuvels met een groenige weerschijn. De hemel voor hem was bedekt met een grijze laag wolken, maar aan de oostelijke horizon, achter zijn rug, was de lucht blauw. De K5 golfde onder zijn voeten. Hij voelde zich kalm, alsof hij de situatie onder controle had.

'Wat vind je van mijn kinderen?'

Farima boog zich naar hem toe. Ludde keek naar het navigatiescherm en verlegde de koers iets naar bakboord.

'Wat zou ik van je kinderen moeten vinden?'

'Ik moet jouw mening over Yasin en Mahnaz kennen voor ik straks met hen ga praten.'

Ze wees naar de boot die hen volgde. Ludde stak zijn hand in zijn zeiljack en pakte een pakje sigaretten dat daar nog in zat van zijn vorige zeiltocht.

'Jouw kinderen waren van plan me op te blazen. Ik vind ze niet zo aardig.'

'Ze hadden het idee dat ze iets goeds deden.'

'Het doel dat de middelen heiligt. Persoonlijk vind ik het een zwakke smoes.'

'Persoonlijk denk ik dat je gelijk hebt.'

Ludde stak een sigaret tussen zijn lippen maar stak hem niet aan. Farima keek naar het grijze schip dat ongeveer een halve kilometer achter hen voer.

'Ze hebben beloofd ons met rust te laten tot we aangekomen zijn?'

Ludde knikte.

'Hoe lang doen we daar nog over?'

'Een uur of vier.'

'Wat ik wil is het volgende. Ik wil het Nederlands staatsburgerschap. Ik wil niet vervolgd worden, hetzelfde geldt voor mijn kinderen', ze dacht even na, 'en voor hun vriendje uiteraard. En dan zal jij dus door de vingers moeten zien wat ze met je hebben gedaan.'

*

De deur ging pas open nadat Mahnaz het bevel had opgevolgd om naast het toilet achter in de cel te gaan staan. Er kwamen twee mannen binnen. De eerste liep naar haar toe, klapte in het voorbijgaan een tafeltje van de muur en bleef vlak naast haar staan. Zij hield haar ogen neergeslagen. Sinds ze hier was had ze het gevoel dat ze niets meer durfde en niets meer wist. De tweede man had een geel pakketje in zijn hand dat hij op het tafeltje zette. Hij opende de bovenste helft. Er werd een aantal roestvrijstalen schaaltjes zichtbaar.

'Tafeltje dekje', zei hij, 'het eten is geheel halal, dus daar heb je geen klagen over.'

De man naast haar grinnikte.

'Inclusief een echte halal gehaktbal, eet smakelijk dame.'

Ze vertrokken. De celdeur ging dicht met een definitief klinkende zachte klik. Mahnaz staarde naar het eten. Aardappelen, de gehaktbal, rode bieten. Appelmoes. Ze wilde geen honger hebben. Toch pakte ze de plastic vork en nam een paar bietjes. Daarna een stukje aardappel. De gehaktbal was heerlijk. Toen ze uitgegeten was ging ze op het bed zitten. Haar ogen vielen dicht. Ze sperde ze weer open, maar dat lukte misschien drie seconden. Ze zakte in elkaar. Haar lichaam belandde half op het matras en helde daarna langzaam over naar de vloer. Toen ze helemaal uitgestrekt lag begon ze zacht te snurken. Het klepje voor het kijkgaatje in de deur ging opzij en viel weer dicht. De deur ging open. Deze keer kwamen er twee vrouwen binnen. De achterste droeg een witte jas. In haar rechterhand had ze een koffertje. De voorste bukte zich, tilde Mahnaz op het bed en trok haar broek naar beneden. De vrouw met de witte jas wachtte tot Mahnaz door de bewaakster op haar buik was gedraaid, pakte een injectienaald uit het koffertje, kneep het vel en het onderliggende vet van Mahnaz' rechterbil bij elkaar, stak de naald naar binnen en haalde die weer tevoorschijn. De bewaakster sjorde de broek weer omhoog. Samen verlieten ze de cel.

'Nu die twee jongens nog.'

De arts knikte.

*

De K5 zeilde in noordwestelijke richting. Schuin achter hen, aan bakboord, dook en rees de neus van het marinevaartuig in en uit de golven. Boven hen cirkelden meeuwen. Ludde stond aan het roer. Achter hem zat Farima. De golven tikten tegen de boeg. Af en toe sproeide een lichte nevel van verwaaiend zeewater over hen heen. Voor Luddes gevoel stuurden zijn benen de boot, zij kozen precies de goede route over het deinende water, zij lieten de boot op het juiste moment omhooggaan, lieten hem weer dalen, lieten hem opzij hellen en weer overeind komen.

De marifoon kraakte. Ludde pakte de hoorn.

'Ja?'

'Hoe staat het ervoor?'

'Niets veranderd.'

'Wat is het plan?'

'Wat ik weet is dat ik namens haar straks met jullie moet praten. Het lijkt me goed als je ervoor zorgt dat er iemand is die beslissingen kan nemen. Ik wil graag dat je voor mij contact opneemt met advocaat Hahn in Groningen.'

'Dat zal ik doen. We hebben al contact met het ministerie gelegd. Hoe is het met je?'

'Goed.'

'Ondanks dat pistool in je rug?'

'Ondanks dat pistool in mijn rug.'

'Geen kans haar te overmeesteren?'

Ludde lachte kort.

'Dat risico ga ik niet nemen voor de Nederlandse Staat.'

Aan de andere kant van de lijn leek De Geus stilzwijgend met die opvatting in te stemmen. Op de achtergrond klonk een stem in het Engels.

'Onze Amerikaanse vriend wil weten hoe het met zijn collega is.'

'Goed, naar omstandigheden. Hij heeft flinke kneuzingen, misschien een rib gebroken. Farima Faghiri zegt dat hij haar wilde vermoorden wegens het een of ander in Afghanistan. Vraag maar eens aan die Amerikaan of hij daar meer van weet.'

Ludde hoorde hoe De Geus de vraag doorspeelde. Een minuutje later meldde hij zich weer.

'Hij zegt dat dat onzin is.'

'Het zal wel. Wat ik zag in Den Helder wijst erop dat zij gelijk heeft.'

'Waarom hielp je haar daarmee?'

'Omdat ik niet hou van mannen die vrouwen bedreigen. Bovendien deed hij erg vervelend tegen haar dochter. Hij zat aan haar borsten. En ik wist natuurlijk toen nog niet dat ze van plan was om me te gijzelen. Wacht even, ze vraagt wat.'

'Ask them about my children.'

'Ze wil weten hoe het met haar kinderen is.'

'Goed. Ze zitten vast, maar het ontbreekt ze aan niets.'

'Mooi, ik zal het doorgeven.'

Nadat Ludde de hoorn had neergelegd stond Farima op. Ze ging naast hem staan. Hij zag dat ze het pistool in de zak van haar jack had opgeborgen, wat hem een prettig gevoel gaf.

'Are you going to press charges against my children?'

Of hij aangifte zou gaan doen tegen haar kinderen. Ludde keek haar in haar bijna zwarte ogen en nam het besluit dat zij wilde dat hij zou nemen.

'Nee, maar ik zal de politie wel aanraden om in elk geval Yasin in de gaten te houden.'

Farima veegde de druppeltjes zeewater van haar gezicht terwijl ze opkeek naar de lange man die zo zichtbaar tevreden aan het roer van zijn boot stond. Ze glimlachte.

'Dank je. Vertel me eens, hoe kan het dat een Afghaanse vrouw zoveel van de zee houdt?'

'Omdat ze van zeemannen houdt?'

Haar glimlach werd een beetje ondeugend.

'Ja, vooral van donkerharige zeemannen die naar vrijheid ruiken.'

*

Da Silva wenkte Tera Vrijman. Ze verliet haar plekje bij het raam en liep achter hem aan de stuurhut uit.

'Het is geregeld.'

239

Tera Vrijman pakte het formulier dat hij aan haar gaf.

'Geen woord hierover tegen De Geus', zei ze, nadat ze de tekst had doorgenomen, 'dit zijn dingen die geheim moeten blijven.'

'Uiteraard.'

'Ervan uitgaande dat we die kinderen moeten laten lopen straks is dit de beste oplossing.'

'Het klinkt alsof je eraan twijfelt.'

'Dat doe ik ook. Ik ben jurist. Ik vind het erg ver gaan om mensen van een chip te voorzien, zodat we weten waar ze zijn.'

'Maar toch heb je dat laten doen.'

'Ja, omdat ik terroristen niet kan laten lopen.'

'En voor je het weet werk je mee aan het banaliseren van het kwaad.'

'Dat is geen leuke opmerking.'

Tera Vrijman ging de stuurhut binnen.

*

'Zo, we zijn er.'

Ludde draaide bij waardoor de K5 met de neus in de wind kwam te liggen. Het zeil begon te klapperen. Ludde startte de motor.

'We kunnen contact opnemen.'

Farima knikte terwijl ze nerveus op haar lippen beet.

'Remember. Ik wil officieel Nederlands onderdaan worden. Mijn kinderen moeten vrijkomen. Als tegenprestatie krijgen zij het dagboek. En ik wil alles op papier.'

'Goed, ik neem nu eerst contact op met Hahn, mijn advocaat. Hij zal me wel vertellen waar ik op moet letten.'

Ludde pakte de marifoon. Aan de horizon was een vissersboot verschenen.

*

Maria liep ongedurig heen en weer door de kamer.

'Er is iets aan de hand', zei ze, 'ik voel het.'

Luma stond bij het aanrecht. Ze schilde aardappelen.

'Met Ludde bedoel je.'

'Met Ludde. Heb ik je verteld dat ik bij Werda was, en dat ze een man bij zich had?'

'Dat heb je verteld ja. En ik heb je verteld dat dat jouw zaken niet zijn. Je lijkt wel een jaloerse moeder die haar zoon aan geen enkele vrouw

240

gunt. Heb je eraan gedacht dat het waarschijnlijk haar ex is?'

Maria stak haar tong uit.

'Ludde is wel de vader van mijn kind.'

Ze legde haar handen op haar buik.

'O, gaan we op die toer. Ik dacht dat het ons kind was.'

'Ja. Henk belde ook nog, hij vroeg naar Ludde.'

Luma gooide een aardappel in de pan die naast haar stond.

'Dat heb je ook al verteld.'

Maria drentelde naar het tuinraam en keek naar een ekster die probeerde een worm uit het grasveld omhoog te trekken.

'En toch is er iets', zei ze, 'ik mag me toch wel zorgen maken?'

*

Tera Vrijman keek naar Da Silva.

'Ze is toch al Nederlandse als ze met een Nederlander was getrouwd?'

'Zo eenvoudig ligt dat niet geloof ik. Laten we afwachten wat ze in Den Haag zeggen.'

'Ze moeten gewoon doen wat ze vraagt. Dat waren we toch al van plan.'

Ze richtte haar ogen op de K5 die met klapperende zeilen met de kop in de wind lag. Ludde Menkema stond bij het roer, met een hand op het gas. Farima stond naast hem. De K5 danste moeiteloos op en neer. De vissersboot was dichterbij gekomen.

Het gesprek met Menkema was kort en duidelijk geweest.

'Ze wil Nederlandse worden. Haar kinderen en Samir moeten worden vrijgelaten en mogen niet worden vervolgd. In ruil krijgen jullie het dagboek van Jan van der Veen en natuurlijk de man die hier beneden ligt.'

'Dat met die kinderen zal moeilijk worden. Ontvoering, voorbereiding van een aanslag, dat is niet niks.'

Ludde had rustig gereageerd.

'Ik zie af van een aanklacht. Voor de rest hebben ze weinig gedaan toch? Een boom in Drenthe opgeblazen, daar moet overheen te komen zijn.'

'We zullen het voorleggen.'

'De afspraken lopen via advocatenbureau Hahn, in Groningen.'

Devries kwam naast Tera staan.

241

'Een goeie schutter zou haar zo neer kunnen schieten.'

Hij wees op Farima.

'Waarom zouden we? Wat heeft ze gedaan?'

'Ze gijzelt een employee van mij.'

'Die laat ze nu vrij, en wij krijgen het dagboek, dus wat is het probleem?'

Ze wendde zich tot Da Silva.

'Die man blijft moeilijk doen, terwijl we hem toch een kopie van dat dagboek hebben beloofd', ze wachtte even en voegde er toen aan toe: 'nadat wij het eerst zelf bestudeerd hebben natuurlijk. Wat moet die vissersboot hier toch, kunnen we die niet wegsturen?'

'Niet echt, we liggen hier in internationaal water. Hij komt van de Orkney-eilanden.'

'Oh. Haar geheime afspraak dus.'

'Ja. En als ze met die boot wil vertrekken laten we haar gaan begrijp ik, kijk maar.'

Hij liet een papier zien dat hij zojuist van de gezagvoerder had gekregen.

Tera Vrijman las de tekst. Daarna las ze het nog een keer.

'Het komt er dus op neer dat ze Nederlandse kan worden, of eigenlijk al was, of zoiets. Haar kinderen en dat vriendje worden vrijgelaten. Menkema doet geen aangifte, het Openbaar Ministerie ook niet. Zij levert het dagboek en de Amerikaan. En als ze weg wil kan ze weg. Alle eisen zijn ingewilligd.'

'Laten we dan maar contact met haar opnemen.'

'Dat moet via advocaat Hahn in Groningen. Hij moet de zaak accorderen.'

Devries keek hen chagrijnig aan.

'Talk English please.'

Da Silva reageerde niet.

Tera Vrijman wel.

'You have to remember this is our case and our country. You will get your employee.'

*

Ludde pakte de hoorn van de marifoon.

'Dat is de advocaat.'

Farima ging gespannen rechterop zitten. Ludde luisterde, stelde enkele vragen en luisterde weer. Daarna legde hij de hoorn neer.

242

'De Nederlandse regering gaat akkoord. Alles is geregeld.'

Hij stak zijn hand uit en feliciteerde haar.

'Congratulations.'

Ze lachte, ging staan, omarmde hem en keek omhoog. Haar lippen waren vlakbij, maar toen hij een kleine beweging maakte liet ze hem los, draaide zich om en zwaaide naar de vissersboot. Daarna bukte ze zich en pakte haar tas waaruit ze een opklapbaar schaakspel haalde.

'Dit is een cadeautje voor jou. Het is erg oud. De Faghiri's hebben het eeuwenlang in hun bezit gehad.'

*

Samir sprong ondanks zijn hoofdpijn op van zijn bed toen de deur van zijn cel openging. Er kwam een bewaker binnen die vriendelijk vroeg of hij mee wilde lopen. Toen hij in de centrale hal aankwam zag Samir Yasin die met een grauw gezicht bij de balie stond. Hij deed een flauwe poging tot lachen.

'Ze laten ons gaan.'

Samirs mond viel open.

'Ze laten ons gaan?'

De man achter de balie knikte en zette een bakje voor hen neer waarin Samir zijn bezittingen zag liggen. Er ging een deur open. Mahnaz kwam binnen. Ook zij zag er beroerd uit.

Een kwartiertje later stonden ze buiten. Er was niemand, ze waren alleen op een kale weg. Yasin kwam in beweging. Nadat ze een tijdje hadden gelopen was Mahnaz de eerste die iets zei.

'Ik denk dat we dit aan mama te danken hebben.'

Samir knikte instemmend. Yasin zei niets.

*

In Utrecht keek een man naar een scherm. Hij zag drie rode puntjes vlak bij elkaar op de weg die van het cellencomplex naar het centrum van Den Helder voerde. Toen hij met de muis over die puntjes ging verschenen er namen. Twee keer Van der Veen en een keer Zerouali.

*

Het grootzeil van de K5 klapperde aan de mast, de giek schommelde heen en weer, beperkt in zijn beweging door de schoten waarmee Ludde het ding had vastgezet. De motor gromde zachtjes. Het marineschip had een rubberboot over de reling gezet die zijn neus in de richting van de K5 had gedraaid. In het midden van de boot stond de schrale gestalte van De Geus. Vlak voor hem zat de bestuurder. Twee mensen aan boord, volgens afspraak. Ludde keek naar Farima die een beweging maakte met haar hoofd. Hij ging naar beneden. Borman lag op het bed. Zijn ogen leken kleine poeltjes waaruit woede opborrelde, en minachting. Ludde pakte een mes en sneed het touw om de enkels door.

'You will be released in a few minutes.'

De Amerikaan verkoos niet te reageren. Voorzichtig kwam hij overeind. Hij viel bijna toen de K5 een onverwachte zwieper maakte die ook Ludde verraste. Hij liet Borman achter, ging naar buiten en draaide aan het roer zodat de kop weer in de wind kwam te liggen. De giek draaide terug naar het midden. Farima had het pistool in haar rechterhand. Borman kwam naar buiten. Hij kneep zijn ogen dicht tegen het felle zonlicht. De rubberboot kwam snel dichterbij. Farima liet de giek los en pakte het mes aan van Ludde. Ze sneed het touw om de polsen van Borman door, stak haar hand vervolgens in haar binnenzak en stak hem een in een sari gewikkeld pakketje toe.

'Dit is toch wat je wilde?'

Hij maakte een afwerend gebaar, maar aan zijn ogen was te zien dat hij verrast was. Farima deed een stap terug. De Amerikaan liep met stramme benen naar de reling waarvan een gedeelte was weggeschoven.

Farima tikte Ludde op zijn rug en bracht haar mond bij zijn oor. Hij keek haar aan, aarzelde, maar ging toen op de bank zitten. Zij zakte door haar knieën naast het roer. De rubberboot minderde vaart. Ludde keek gebiologeerd naar Farima. Ze had het mes op de schoot gezet waarmee de giek werd tegengehouden. Ze sneed het touw half door. Ludde wilde iets zeggen, maar deed dat niet. Borman stond met zijn rug naar hen toe, vlak bij het water. De rubberboot was nog een tiental meters van hen verwijderd. Farima stak haar andere hand omhoog en pakte het roer. Ze draaide eraan, liet los, pakte het gas, duwde de hendel naar beneden, wachtte twee seconden en schoof het gas weer terug. De schroef en de motor samen maakten een diep brullend geluid, dat na de twee seconden waarin Farima het gas had opengezet weer wegstierf. De boot sprong schuin naar voren en draaide zijn neus opzij. Farima kroop in elkaar. De schoot knapte. De giek zwaaide over haar heen. Ludde dook weg. De kant van de boot waar Borman stond zakte diep in het water. Hij greep zich steviger vast, keek om, zag de giek op zich afkomen, wankelde, gleed uit en werd in zijn rug geraakt. Hij schreeuwde en gooide het pakje in de richting van de rubberboot zodat hij ook zijn andere hand kon gebruiken om zich vast te grijpen, maar zijn benen leken er ineens niet meer te zijn, ze gleden onder hem weg. Borman kon zich niet meer staande houden. Hij liet los. Het pakketje draaide door de lucht en viel in het kolkende water. Borman verdween eveneens in zee. Het duurde even voordat tot Ludde doordrong wat er was gebeurd. Farima keek hem onbewogen aan. Naast de K5 verscheen de neus van de rubberboot. De Geus hield zijn armen vragend uit elkaar. Ludde sprong op, ontweek de terugzwaaiende giek en pakte het roer. Hij schreeuwde naar Farima. Ze bukte zich, pakte een touw en legde de giek vast met een rust alsof ze nooit iets anders had gedaan. De Geus riep. Ludde wees naar het water waaruit het hoofd van de Amerikaan tevoorschijn was gekomen. De Geus zag het, de matroos aan het roer ook, hij manoeuvreerde voorzichtig dichterbij. De Geus leunde over de rand, maar keek op toen hij het geluid van een motor hoorde. Er was een andere rubberboot verschenen die klaarblijkelijk afkomstig was van het vissersschip dat een eindje verderop lag. De rubberboot kwam langszij. Farima sprong toen de afstand tot de K5 een kleine meter bedroeg. Ze verdween dansend over de golven. Ze stak haar hand op zonder om te kijken. Ludde was te verbouwereerd om te reageren.

*

Ludde zeilde achter de patrouilleboot die steeds verder op hem uitliep. De stem van De Geus schalde uit de marifoon.

'Had je die giek niet vastgezet?'

Ludde aarzelde. Hij dacht aan Farima en aan het mes dat door het touw sneed. Maar hij aarzelde niet lang.

'Kennelijk niet. Er kwam een golf, en die cowboy keek niet goed uit. Hoe is het met hem?'

'Niet best. Het lijkt erop dat hij zijn rug heeft gebroken.'

'En het dagboek?'

'Dat heeft hij losgelaten.'

'Dus nou hebben jullie niks.'

'Nou hebben we niks nee.'

'Maar de deal gaat gewoon door?'

'Dat neem ik aan. We zouden graag met je willen praten, straks in Den Helder.'

'Ik was van plan naar huis te gaan.'

'Naar huis?'

'Naar Noordpolderzijl. Ik sta toch niet onder arrest of zo?'

'Nee. Maar zo gek is het toch niet dat we met je willen praten?'

'Dan kom je maar bij me aan boord.'

Ludde hoorde De Geus overleggen.

'Ik kom samen met een collega, Da Silva.'

Een kwartiertje later zakte de rubberboot weer vanaf het patrouille-schip in het water. Ludde zag twee lange gestalten achter de stuurhut staan. Hij gooide het roer om en ging keurig gecontroleerd overstag.

*

Yasin zat in de trein. Hij staarde naar het voorbijschietende landschap. Tegenover hem zaten Mahnaz en Samir. Sinds ze waren overgestapt op de trein naar Groningen hadden ze geen woord meer tegen elkaar ge-zegd.

*

Da Silva leunde tegen de kajuit. Hij keek naar Ludde die vlak naast hem aan het roer stond.

'Hoe kon het dat die CIA-man die giek tegen zich aan kreeg?'

'Ik denk dat het touw is losgegaan.'

'Volgens mij ben je een te ervaren zeiler om zoiets te laten gebeuren.'

'Schijnbaar niet.'

Ludde haalde een onaangestoken sigaret uit zijn mond en schoot die met duim en wijsvinger overboord.

'Schijnbaar niet, nee', herhaalde Da Silva. Hij keek naar De Geus die achter in de kuip op het bankje met een stuk touw zat te spelen dat hij tussen zijn voeten heen en weer liet zwiepen.

'Ze had iets tegen die man', zei Ludde, 'ik bedoel, Farima Faghiri had iets tegen die Amerikaan.'

Hij stuurde nog iets hoger. De K5 helde over bakboord. Vlieland schoof verder naar achteren.

'Hij had haar aangevallen in Turkmenistan zei ze.'

'Deed ze dat expres, hem met die giek van de boot af werken?'

'Zij? Een Afghaanse? Dit was de eerste keer dat ze op zee was. De eerste keer dat ze een zee zág misschien. Dus dat lijkt me sterk. Ik moet gewoon vergeten zijn om die giek goed vast te zetten.'

De Geus speelde nog steeds met het stuk touw.

'Waarom maakte je een klapgijp?'

'Op de heenreis bedoel je? Ik lette niet goed op.'

'Of deed je haar een idee aan de hand? Een onverwachte gijp kan goed uitkomen.'

'Hoezo? Dat was toch geen klapgijp daarnet? Dat was een losgeschoten giek.'

'Nee, dat klopt', De Geus pakte het uiteinde van het touw en keek naar de strengen die van elkaar waren losgeraakt, 'het lijkt erop dat dit touw is doorgesneden.'

'Kijk uit.'

Ludde had de schoot aan bakboord gevierd en trok de schoot aan stuurboord aan. Da Silva en De Geus reageerden voorbeeldig op het overkomende zeil. Da Silva legde de schoot vast en nam daarna zijn positie met zijn rug tegen de kajuit weer in.

'En?'

'Of dat touw is doorgesneden? Laat eens zien.'

Ludde keek naar het rafelige uiteinde.

'Dat is inderdaad doorgesneden, het zal wel een stuk van het touw zijn waarmee ze die Amerikaan had vastgebonden.'

Da Silva grinnikte.

'Overal een antwoord op, nietwaar? Waarom dien je geen aanklacht in tegen die kinderen?'

Ludde antwoordde zonder eromheen te draaien.

'Omdat zij dat vroeg. Bovendien waren ze niet bijzonder kwaadaardig. Zelfs Yasin niet, al moet je die wel in de gaten houden.'

'Maak je geen zorgen. Dat waren we al van plan.'

'Mooi. Als jullie helemaal mee varen naar Noordpolderzijl mag je je wel nuttig maken. Een kopje koffie zou ik wel lusten bijvoorbeeld.'

Uit de binnenzak van De Geus kwam een steeds harder wordend gepiep. Hij stak zijn hand in zijn binnenzak en haalde een tasker tevoorschijn. Hij luisterde even en overhandigde de telefoon daarna aan Ludde.

'Werda, je vriendin. Heeft ze jouw nummer niet?'

Ludde pakte de telefoon aan. Na een kort gesprek gaf hij het toestel terug.

'Ze komt me afhalen.'

Ook Da Silva bestudeerde zijn tasker.

'We mogen je laten lopen.'

'Hoezo?'

'Ze zeggen wel dat je beschikbaar moet blijven. Je mag Nederland niet uit.'

'En dat noem je me laten lopen.'

*

Farima Faghiri zat op een bank in het bemanningsverblijf van de vissersboot. Tegenover haar zat een man die door zijn zeer verzorgde uiterlijk niet leek te passen in de omgeving waarin hij zich bevond. Tussen hen in lag een aantal papieren.

'Je wilt onze samenwerking beëindigen', zei de man.

Farima knikte.

'Ik wil alleen nog legale dingen doen. Ik wil vrouwenscholen oprichten in Afghanistan', ze keek haar zakenpartner recht in de ogen, 'bedankt dat je akkoord gaat.'

De man boog zijn hoofd met een ouderwets soort hoffelijkheid.

'Niet alle boeven zijn boeven. En je afkoopsom is ook redelijk.'

*

Ludde stond naast de auto van Werda op de parkeerplaats van het café achter de dijk bij Noordpolderzijl. Aan de andere kant van de weg steeg een legergroene helikopter op. Achter de raampjes zaten Da Silva en De Geus. De Geus stak zijn hand op. Ludde groette terug. De herrie van de rotorbladen vervluchtigde snel toen het toestel in de richting van het torenspitsje van Warffum verdween.

'Laten we een eindje gaan lopen.'

Werda legde haar hand op de onderarm van Ludde. Hij volgde haar aarzelend. Ze zeiden niets tegen elkaar en raakten elkaar verder niet aan tot ze bij de groene opgang naar de dijk waren aangekomen en naar boven waren gelopen. In het haventje aan hun linkerhand lag de K5, vlak achter een aftandse kotter uit Usquert die zo te zien al een eeuwigheid niet van zijn plaats was geweest. Een groep paarden graasde op de kwelder. In de verte was Borkum te zien, en Schiermonnikoog.

Ze daalden de dijk af en begonnen te lopen. Ludde hield zijn handen in zijn zakken. Na tien minuten stopten ze. Werda ging tegenover Ludde staan en legde haar handen met gestrekte armen op zijn schouders.

'Dit gaat niet langer werken tussen ons lijkt me.'

Ludde schudde zijn hoofd.

'Ik ben bang van niet.'

Ze liepen terug naar het café. Nadat ze in de auto waren gestapt keek Ludde Werda aan.

'Zou je me af willen zetten bij mijn oom in Usquert?'

Werda knikte.

Ludde stond op de brug over de gracht die het terrein rond de boerderij van zijn oom afbakende. Hij keek naar de auto van Werda die over de smalle landweg verdween. Hij draaide zich om en liep de oprijlaan op. Behalve het geritsel van de dode blaadjes van de populieren aan weerskanten van de oprijlaan was het doodstil. De grote schuurdeuren waren dicht. Ludde nam het pad dat langs de schuur naar achteren liep. Toen hij bij de aardappelloods was stopte hij. Het land achter de boerderij lag open tot voorbij de horizon. In de verte zag hij een machine. De bieten werden nagezaaid. Ludde ademde diep in. Hij voelde een vage vlaag heimwee, wat prettig aanvoelde. Hij keerde zich om naar de boerderij. Nu pas zag hij de oude hond die tegen de achtermuur lag. Haar staart kwispelde. Ludde floot, maar toen hij zag hoeveel moeite het het dier kostte om op te staan liep hij zelf naar haar toe en kriebelde haar tussen haar oren.

'Waar is de baas?'

Het dier keek hem met zachte ogen aan.

'Is hij binnen?'

De hond schoof haar voorpoten voor zich uit, deed haar bek wagenwijd open in een intense geeuw en draaide zich op haar rug. In de verte klonk het gegrom van de zaaimachine. Een windvlaag die naar water rook veroorzaakte kleine zandwerveltjes op het asfalt. Ludde liep naar de zijdeur en voelde aan de klink. Even later was hij binnen. De hond sjokte achter hem aan. Ook in de lange gang die langs de schuur liep was het stil. In het midden stond een stapeltje lang niet gebruikte aardappelkistjes. In het hout stond zijn naam. Menkema. Ludde liep door naar de deur aan het andere eind van de gang en stapte de bijkeuken binnen. Hij riep. In het voorhuis hoorde hij gestommel. Hij wachtte. De deur ging open. Zijn oom kwam binnen. Hij had zijn hoed op, maar aan zijn ogen was te zien dat hij zojuist wakker was geworden.

'Zo, ben jij het.'

Ludde knikte.

'Ga zitten.'

Ludde keek toe hoe zijn oom water opzette voor de koffie.

'Wat kom je doen?'

'Een tijdje bij je wonen, als dat kan. Een beetje meehelpen. Eens kijken wat je me kan leren.'

Zijn oom zette twee kopjes koffie neer, ging zitten en legde toen een gerimpelde hand op de onderarm van Ludde.

'Welkom', zei hij toen, 'heb je nog steeds suiker in je koffie?'

*

'Heb je nog iets van je moeder gehoord?'

Samir zat naast Mahnaz op het terras van café Hooghoudt op de Grote Markt.

Mahnaz schudde haar hoofd.

'Nu al twee weken niet.'

Samir keek omhoog toen er een drup water op het tafeltje voor hen viel.

'Het gaat regenen.'

Mahnaz stond op. Ze glimlachte toen Samir haar jas pakte en die voor haar openhield.

'Je bent wel een lieve jongen.'

Samir kleurde.

Ze liepen over de Grote Markt, bekeken door een man in Utrecht. De twee rode stipjes die hij op zijn scherm zag gingen de Poelestraat in.

'Hoe is het met Yasin?'

Mahnaz haakte haar hand achter de arm van Samir.

'Die zegt niets. Hij zit alleen maar achter zijn computer ik weet niet wat te doen.'

Ze zwegen tot ze bij de brug waren en sloegen linksaf in de richting van het Praediniusgymnasium. Ze stopten op het plein voor de schouwburg.

'Ga jij nog examen doen?'

Samir knikte.

'En jij?'

'Ik ook.'

Mahnaz keek opzij.

'Geef eens een kus?'

Samir boog zich nerveus naar haar toe. Het begon harder te regenen.

*

Ludde keek op zijn tasker. Er was een bericht van Maria.

'Ik kom vanmiddag bij je op bezoek. Henk komt ook mee. Zorg dat je er bent.'

Hij keek naar zijn oom die net een rookworst doormidden had gesneden.

'Maria en Henk komen straks.'

Na het eten liep hij naar buiten. De hemel was grauw. Het regende. Het landschap straalde dankbaarheid en groeikracht uit, nu het water toch gekomen was. Hij liep de schuur in naar de maaidorser, pakte een vetspuit en zette die op een nippel naast het linkerachterwiel. Toen er een stroompje vet tussen de spuitmond en de nippel uit kronkelde, verplaatste hij de spuit naar het andere wiel en herhaalde de procedure. De hond lag op een jutezak naast hem. Ze sliep. Een zwaluw zwiepte de schuurdeur uit, maar was snel terug. Boven, tussen de hanenbalken, was het donker.

Henk kwam als eerste binnen.

'Zo, aan het werk? Word je boer?'

'Misschien', Ludde pakte de hem toegestoken hand, 'misschien. Is Maria er niet?'

'Die staat met je oom te praten.'

Ze liepen naar het licht dat door de openstaande deuren naar binnen viel.

'Bekomen van je avontuur?'

'Ja.'

'Doe je de oefeningen nog die ik je heb opgegeven?'

Ludde schudde zijn hoofd.

'Ik oefen het boerenbedrijf. Jouw oefeningen schieten er bij in ben ik bang.'

Ze keken naar de regensluier die over het land gleed. In het midden van de linkermuur ging een deur open. Maria had haar arm om de schouders van Luddes oom gelegd. Ze waren druk aan het praten en keken pas op toen ze vlakbij waren.

'Je oom vindt het belachelijk dat jij je van mij niet met de opvoeding van je eigen kind mag bemoeien', Maria zei het met een geamuseerde ondertoon, 'hij zegt dat dat ongezond is, en dat hij als familieoudste er ook iets over te zeggen heeft.'

Ludde keek naar zijn oom die verontwaardigd terugkeek.

'Ze neemt me niet serieus, maar ik meen het uit de grond van mijn hart', zei hij, 'niet alles wat modern is is goed.'

Maria liet hem los en opende haar handtas.

'Ik heb je post meegenomen.'

Ze overhandigde Ludde een stapeltje enveloppen. Ludde liep in de richting van de keuken. De anderen volgden hem.

Toen Maria en Henk weer waren vertrokken opende Ludde zijn post. Een brief van Werda, zag hij. En een envelop met een onbekende postzegel.

Hij pakte zijn zakmes en klapte het open. De brief bevatte maar een paar regels en was ondertekend door Farima.

'Voor het geval je het niet gevonden hebt. In het schaakspel zit een geheugenkaart. Daarop staan fotokopieën van Jans dagboek. Wil jij die bekijken en besluiten wat ik ermee moet doen? Ik kom over een paar dagen naar Nederland. Let op mijn kinderen als je wilt.'

Zijn oom pakte de brief. Toen hij klaar was met lezen draaide hij het papier om en om tussen zijn oude vereelte vingertoppen. Na een tijdje gaf hij de brief weer terug.

*

Yasin stond met zijn rug naar het Groninger Museum tegen de brugleuning geleund. Samir kwam aanlopen vanaf de kant van het centrum. Mahnaz liep schuin achter hem. Toen ze dichterbij waren zag Yasin dat ze Samirs hand vasthield. Hij voelde zich even geërgerd, maar een seconde later trok hij zijn schouders op. Het was niet meer belangrijk. Hij wachtte tot ze vlak bij hem waren en stapte toen naar voren. Samir schrok, liet de hand van Mahnaz los, maar vermande zich onmiddellijk door naast haar te gaan staan en een arm om haar middel te leggen.

'Verkering?'

Yasin vroeg het zo neutraal als hij kon.

Mahnaz knikte. Samir straalde.

'Ik dacht dat je moeilijk zou gaan doen', zei hij opgelucht, 'omdat je haar broer bent en zo.'

Yasin haalde nog een keer zijn schouders op, pakte zijn rugzak en begon in de richting van het station te lopen.

'Wat gaan we doen?'

Yasin antwoordde terwijl ze de drukke weg aan de andere kant van het water overstaken.

'Afscheid nemen.'

Mahnaz wilde iets zeggen, maar ze zei niets. Samir knikte behoedzaam.

'Waar ga je heen?'

'Ergens waar mijn mening er wel toedoet.'

Mahnaz begon te huilen. Ze liepen door. Samir keek strak voor zich. Yasin begon sneller te lopen.

'Dan worden we dus vijanden.'

Samir zei het veel te hard, zo hard dat twee meisjes die voor hen liepen omkeken. Ze liepen het perron op. Bij de eerste open treindeur bleef Yasin staan. Hij draaide zich om en gaf zijn zus een hand. Zij keek hem aan.

'Weet je het zeker?'

Yasin knikte.

'Waarom?'

'Omdat ik een hand voel die me duwt.'

'Ik ben blij dat ik zo'n hand niet heb', zei Samir. Hij probeerde te lachen, maar hield zijn mond toen hij de ogen van Mahnaz zag. Ze huilde niet meer.

'Ik vind je een grote idioot', zei ze verbeten, 'je laat mij en mama in de steek. En jezelf.'

Yasin stapte de trein in.

'Ik denk daar anders over.'

Hij knikte naar Samir, maar Mahnaz was nog niet klaar.

'Je bent een egoïst.'

Ze deed een stap achteruit.

Yasin deed de schuifdeur in de trein open en ging een coupé binnen. Toen hij was gaan zitten keek hij naar Mahnaz en Samir, buiten op het perron. Ze waren ver weg. Ze hielden elkaars hand vast.

Nadat Samir en Mahnaz de trein hadden zien vertrekken liepen ze het station uit.

'Waarom hebben we gedaan wat we gedaan hebben?'

Mahnaz keek naar Samir.

'Ik vond dat Yasin tenminste de moed had iets te doen in plaats van alleen maar te praten. Maar nu denk ik dat hij zoekt naar een vorm van rechtvaardigheid die er niet is. En naar het rechtvaardigen van zijn haat, waar hij die ook vandaan heeft.'

Ze liepen de museumbrug op waar de schaduw van de goudgele groenuitgeslagen toren nog overheen lag.

'En jij?'

'Omdat hij mijn broer is. Ik hou van hem.'